問いかけるアイヌ・アート

WHAT AINU ART ASKS FROM US

池田 忍【編】
Shinobu Ikeda

五十嵐聡美
Satomi Igarashi

貝澤 徹
Toru Kaizawa

小笠原小夜
Sayo Ogasawara

吉原秀喜
Hideki Yoshihara

高橋 桂
Katsura Takahashi

山崎明子
Akiko Yamasaki

中川 裕
Hiroshi Nakagawa

問いかけるアイヌ・アート

岩波書店

目次

Ⅲ　回路としてのアイヌ・アート――歴史と理論に照らして

Ⅰ・Ⅱ・Ⅲの扉イラスト　小笠原小夜

Contents

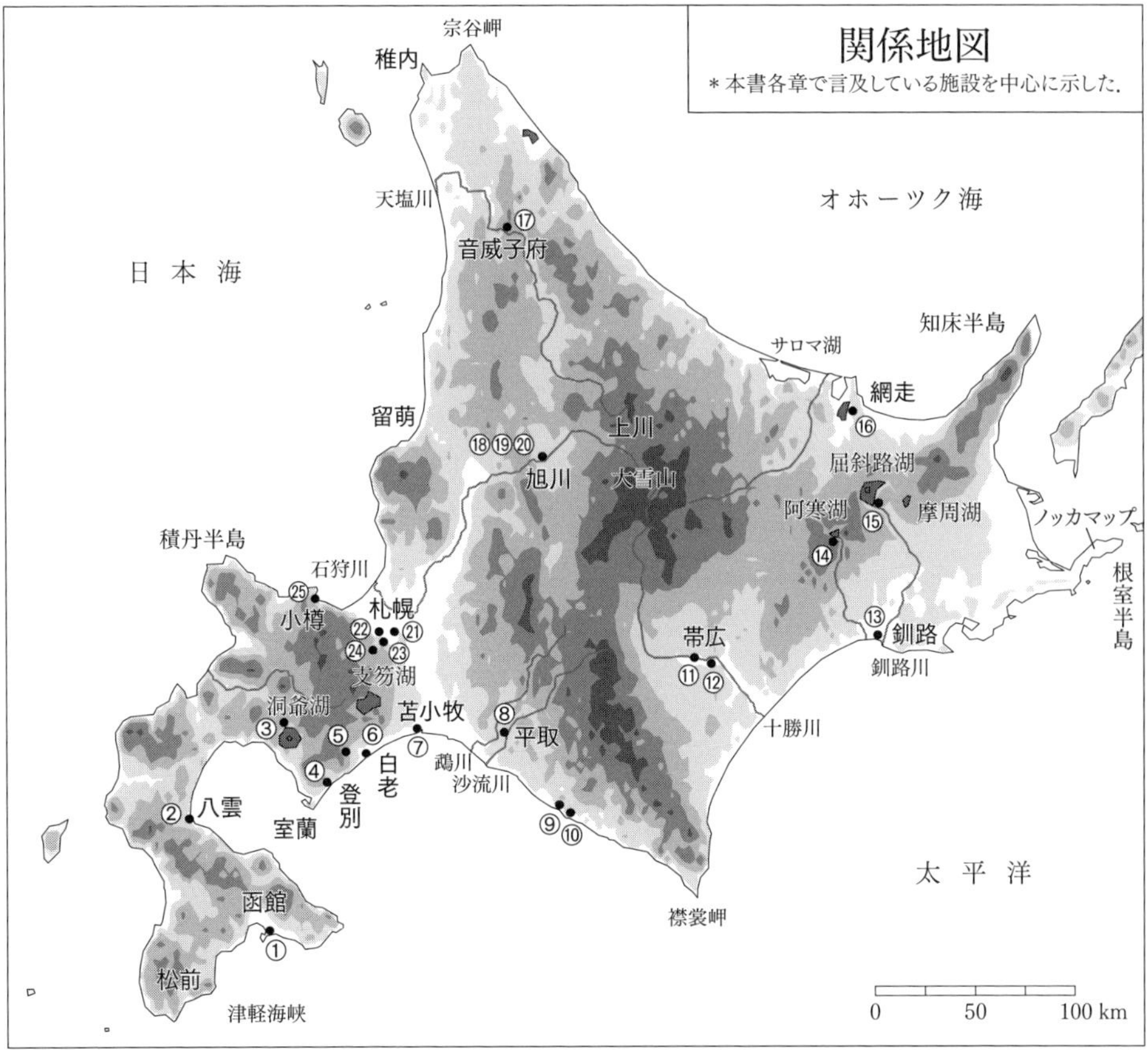

①函館市北方民族資料館
②八雲町郷土資料館
③洞爺湖芸術館（砂澤ビッキアトリエ展示室）
④知里幸恵 銀のしずく記念館
⑤飛生アートコミュニティー
⑥ウポポイ・国立アイヌ民族博物館
⑦苫小牧市美術博物館
⑧平取町立二風谷アイヌ文化博物館・萱野茂二風谷アイヌ資料館
⑨新ひだか町博物館
⑩シャクシャイン記念館／新ひだか町アイヌ民俗資料館
⑪帯広百年記念館
⑫幕別町蝦夷文化考古館
⑬釧路市立博物館
⑭阿寒湖アイヌコタン
⑮弟子屈町屈斜路コタンアイヌ民族資料館
⑯北海道立北方民族博物館
⑰エコミュージアムおさしまセンター BIKKY アトリエ３モア（砂澤ビッキ記念館）
⑱旭川市博物館
⑲川村カ子トアイヌ記念館
⑳中原悌二郎記念旭川市彫刻美術館分館・ステーションギャラリー
㉑北海道博物館
㉒ミナパ（札幌市「アイヌ文化を発信する空間」）
㉓北海道大学植物園北方民族資料室
㉔札幌芸術の森美術館
㉕小樽市総合博物館

＊ウポポイ（民族共生象徴空間）ホームページに掲載されている「北海道内のアイヌ文化に触れられる施設」のページ https://ainu-upopoy.jp/hokkaido/ も参考になる．

序

なぜ、いま「アイヌ・アート」なのか
——造形表現からの問いかけ

池田　忍

「アイヌ・アート」って何だろう?

そう思ってこの本を手に取り、開いてくれたあなたの予想や期待は、どのようなものだろうか。本書は「アイヌ・アート」を題名に掲げながらも、その典型的な美の提示や定義を意図していない。むしろ、それぞれ一括りにはできない「アート」と「アイヌ」の交差、重なりから見えてくる表現の魅力、広がりを探る試みである。

長らくアイヌの造形は、土産、民具、民芸、あるいは工芸として収集/蒐集、購入、展示/使用されてきた。また、シンプルで力強い「アイヌ文様」は、素材や用途に限定されることなく、服飾品や器物など、様々なモノ(媒体)に施されてきた。だが、右のような分類や呼称は、アイヌの人々自身によるものとは言えず、和人社会で、あるいは西洋起源のグローバルな文化・学術の制度下で、好奇と関心の眼が向けられ、賞賛され、時に研究対象となってきた軌跡と深くかかわり成立したものである。

観光や地場産業など地域振興の文脈で、学術領域における人類学・民族学・民俗学の視点で、あるいは美的見地から、アイヌの造形、手仕事が生み出すモノは選択的に集められ、扱われてきた。

確かに、先行研究が明らかにしてきたように、樺太アイヌ、千島アイヌ、北海道(近世においては蝦夷《えぞ》)各地のアイヌの手仕事それぞれには、自然・地理的要因による材料や技法、形態や文様の特徴が認められる。また周辺地域の文化からの影響が及び、変化、革新、混合が生じた。近代になると、国境が引かれ、また変更され、日本政府の同化政策の下、抑圧と差別に晒された多くのアイヌの人々は生業を奪われ、共同体のありようが大きく変化した。その過程で、言語、信仰、音楽、舞踊などと同様に、手仕事の継承は困難を極めた。しかしそれでもなお、寄せられる関心や期待に応じたモノの制作は続けられ、アイヌの人々自身による新たな創造は試みられた。

このような歴史が明らかになるにつれ、少なくとも現代の学術研究の領域では、文化全般と同様、アイヌの人々の手仕事によって生まれた様々なモノに、時空を無視した固有性や正統性を安易に見出し、求めることはできないと考えられている。にもかかわらず、アイヌの造形表現に関しては、民具、民芸、工芸など呼称は違っても、「伝統」の意義、素晴らしさが語られ、その継承に価値を置くことが多い。しかし、いったい誰が、何をもって「伝統」とするのか。その今日的な継承は誰が、どこで担うのか。制作者は、どんな想いで過去に向き合い、過去の造形表現に学び、参照するのか。たとえ制作者が、先人を敬い、継承者たらんとの思いを秘めていたとしても、新たに生み出される作品は、果たして伝統的と言えるのか。いや、そもそも伝統的であらねばならないのか。享受者は、アイヌの造形表現に何を求め、それを見ようと欲するのか。こうした問いを、既存の領域、研究や評価の枠組みに捕らわれることなく、グローバルな現代社会の課題として開いていけないだろうか。

そこで、私たちは本書において、右のような分類や呼称からいったん離れ、これまであいまいなまま多用されてきた「伝統」という枠組み、縛りを外した上で、広くアイヌの造形表現とそれが生み出された背景に向き合ってみたい。その際、「アート」という言葉を用いて、アイヌの造形表現の歴史と可能性を問うていくこととする。

ただし、ここで言う「アート」とは、従来、アイヌの造形表現を排除してきた西洋起源の大文字の「美術」、その制度とは異なる。むしろ、「アート」は、ひとりひとりの視覚や触覚(嗅覚や聴覚、あるいは味覚を喚起する作品もある)を通じた、きわめて個人的な行為、実践的経験を通じて生まれ、享受される。同時に、アートの創造は、制作を通じて意識的に過去を参照し、過去を読み換え、乗り越えて更新し、新たな社会認識、価値観を生み育む、公共性に富んだ行為でもある。それはむしろ、今日共有されつつある「現代アート」の概念に近い。

他方、「アイヌ」は、民族的マイノリティの歴史と現状についての反省に基づく国際的理解の深化に後押しされ、また何よりアイヌの人々自らによる長年の努力によって、日本においてようやく「先住民族」と認められたばかりである。とは言え、その法的位置づけをめぐっては議論の余地が残り、過去の政策や多数者による抑圧の歴史の検証と克服はこれからである。

振り返れば、「アイヌ文化の振興並びにアイヌの伝統等に関する知識の普及及び啓発に関する法律」(一九九七年)の可決成立によって、一八九九年以来の「北海道旧土人保護法」が廃されて二〇年余が経過する。当初、日本政府はアイヌの「先住権」を認めることに消極的であった。「先住民族の権利に関する国際連合宣言」の採択に際し(二〇〇七年)、日本政府は賛成票を投じたものの、アイヌを先住民族と未だ認めないままであったため、翌年、国連人権委員会は国内での適用を求める勧告を出した。その後、「アイヌ民族を先住民族とすることを求める決議」が衆参両院本会議で採択されたのである(二〇〇八年)。

さらに、「アイヌの人々の誇りが尊重される社会を実現するための施策の推進に関する法律」(二〇一九年)の施行へと進んだが、日本政府がアイヌ民族に認める権利とは、「アイヌの人々の誇りの源泉であるアイヌの伝統及びアイヌ文化」(第一条)に関わり、「アイヌ語並びにアイヌにおいて継承されてきた生活様式、音楽、舞踊、工芸その他の文化的所産及びこれらから発展した文化的所産」(第二条)にほぼ限定されている。二〇〇七年の国連宣言の基本条項とされる「先住民族の自決権と先住民族の伝統的な土地・領域・資源の管理」を、アイヌ民族に適用することを意識的に避けた内容のままである。(1) 日本政府は、「アイヌの歴史、文化等に関する国民各層の幅広い理解の促進を図る」との使命を帯びたナショナルセンター、「民族共生象徴空間」(アイヌ語でおおぜいで歌うことを意味する言葉、「ウポポイ」を愛称とする)としての「国立アイヌ民族博物館」「国立民族共生公園」を構想、北海道白《しら》老《おい》町にオープンさせた(二〇二〇年七月一二日)。

日本国内における現状に照らすならば、ウポポイの役割や機能については、今後しっかりとした検証が必要である。なぜなら、例えば、同化が進んだ結果(純粋な)アイヌ民族はもはや存在しないと言い放ち、アイヌ施策にかかわる人々を利権漁《あさ》りと貶める言説が横行し、ヘイトスピーチの蔓延が社会問題となったことは記憶に新しい。(2) また、日本の博物館は、近年急速に、国家の文化政策、文化経済戦略の下、「稼ぐことのできる文化」の一環として、つまり観光資源のひとつとしての活用を強く迫られており、博物館関係者、研究者の間では危機感が強まっている。(3)

ナショナルセンターの活動は、果たして、先住民族であるアイヌに対する差別の撤廃、および彼ら自身が目指す経済・社会的開発の継続・促進に結び付く基盤を提供しうるのだろうか。(4) 博物館を含むナショナルセンターは、過去に収集されたアイヌに関する史資料、これから発信されるアイヌの(にかかわる)言説や研究、そして創造されるアイヌ・アートに関する調査・研究の任を負っている。

個人の表現行為の結果として世に送り出され、個人の感性を通じて受けとめられる過程で生まれる「アート」と、歴史の中で固有の共同体として存在し、今日では先住民と認められてなお、可視化される際には時に否定され、時に観光資源のひとつともみなされかねない「アイヌ」とは、どのように切り結ばれるのだろうか。アイヌ・アートの表現者たちは、先人の軌跡を重んじ、過去の造形表現に深く学びながらも、アイヌの「固有性」、「伝統」に閉じ込められることなく、多くの人と出会い、世界に目を向けて経験を広げ、表現技法を磨いて、それぞれの表現を開拓・創造してきた。「(アイヌ・)アート」は、新たな認識、価値観を生む、公共性に富んだ実践なのだから、これを見る人々は、複雑で陰影に富んだ表現と共に、直視すべきアイヌの歴史(アイヌと和人の関係史)に遭遇することになる。アイヌを出自としない者たちが深く関与し続けてきた歴史を照らし出す回路こそが、「アイヌ・アート」ではなかろうか。

＊

本書の狙いは、八人の著者、それぞれの経験を通じて出会ったアイヌ・アートの魅力と可能性、そして課題を、多面的に浮かび上がらせることにある。八人は異なる場所から出発し、別の道を歩く中でアイヌの表現世界に出会い、惹かれ、それぞれ深みに嵌まってきた。他方、八人の出会いは、いくつもの偶然の結果であるが、改めて振り返ると必然であったように思う。北海道(日高地方の平取《びらとり》町と札幌)、首都圏、奈良と暮らしの場は遠く離れ、携わる仕事も違い、かつ、ひとりひとりが複数の自分を持っている。

例えば、本書に魅力あふれる作品をカラーで紹介する二人の表現者のうち、木彫家の貝澤徹は、大英博物館をはじめ世界各地に作品が所蔵され、展覧会にひっぱり凧のアイヌ・アートの代表的作家として知られる。同時にその工房は、ご夫妻で経営する平取町二風谷《にぶたに》の土産物店内にある。また、小笠原小夜は、CG(コンピュータ・グラフィックス)による独自のイラストによって、アイヌ語とその物語世界を表現し、活躍の場を世界に広げながら、団体の職員として事務の仕事についている。

他の五名はそれぞれの研究を仕事の基盤としているが、アイヌ・アートとの関係性は異なる。吉原秀喜は平取町職員として、二風谷地区を中心とするアイヌの人々と共に、その伝統的生活空間(イオル)の再生整備事業に取り組んできた。江戸時代に和人が描いたアイヌ絵研究の優れた業績を持つ五十嵐聡美は、北海道立近代美術館の学芸員としてあまた手がける展覧会の中で、アイヌの造形のダイナミズムと細やかさ、その「美」を浮かび上がらせる企画を実現に導いてきた。そして中川裕は、アイヌ語研究の権威であると同時に、長年にわたってアイヌ語話者の育成、アイヌ文化の啓蒙に携わってきた。

これに対して、「手芸」と「美術」の狭間を研究する山崎明子と私、池田は、美術史研究者であるが、共同研究を構想する時点までアイヌ文化にかかわる論文等を書いていない。その意味において、マーケティングの仕事の傍らで、音楽やスポーツ(スキー)など多彩な趣味を持ち、そのひとつとしてアートを追求するさなかで、アイヌ・アートに遭遇した高橋桂と同様、山崎・池田も畑違いの場から取り組みを始めた。

このような背景を持ち、別個に協働していた私たちが一堂に会したのは、研究プロジェクト「アイヌ・アートの現在に見る「伝統」とジェンダー」(科学研究費助成二〇一三―一五年度)の発足時である。以後、アイヌ・アートの創造と享受、つまり作品／商品の制作から、展示や販売といった享受／消費、そして研究や批評におよぶ過程が、歴史の中で生成・変容する様相を捉えようとしてきた。文献史資料に基づく調査を行い、共に展示や販売の場を訪ね、制作者の話を伺って、議論を重ねてきた。つまり、本書の特徴は、表現者(アーティスト)、研究者、愛好家を地続きの存在と捉え、私たちの視点が交わる「あいだ」から見えてくるアイヌ・アートの姿、その継承・発展を促す取り組みの数々、可能性とそれを阻む様々な困難について考えようとするところにある。

以下、本書は三部構成をとる。

第I部「それぞれのアイヌ・アート」では、世代も表現媒体・方法も大きく異なる五人の作家を取り上げる。まず、五十嵐聡美は、惜しくも二〇一八年に亡くなった道東・阿寒《あかん》の木彫家、藤戸《ふじと》竹喜《たけき》(一九三四年生まれ)を取り上げ、彼が生涯を通じて取り組んだ、アイヌの「熊彫り」から語り始める(第1章)。その原点にして、未完のままとなった、独創的でユニークな具象表現を振り返り、材木の取り方など技術面の特徴に言及して、直接本人に聞くことは叶わなかった「伝統」の意味を問い直し、広げていく。

続いて、日高、平取町二風谷の地で木彫を続け、今まさに成熟の時を迎える貝澤徹(一九五八年生まれ)の作品と言葉をお届けしたい(第2章)。祖先・先達の作品に向き合い、自らの内なる声に耳を傾けながら、常に新たなテーマに挑戦する貝澤の作品からは、観る者の予想や期待を超える驚きがある。また端正な鑿痕《のみあと》が息づく経年の材を用いた木彫には、樹々それぞれの魅力、風格が宿る。ところで貝澤は、愛車のハーレー・ダビッドソンを駆って阿寒からやってきた藤戸竹喜からポンと手渡された、手のひらサイズの木彫り熊を、工房のいつも目に入る棚に置いている。畏怖、敬愛する藤戸との対話が、貝澤の作品を作ってきた。先に触れたように貝澤は、後に登場する小笠原小夜と共に本書の基となった研究会に参加したメンバーであり、私たちが議論の方向性を模索する中で、二人の作品がいつも念頭にあった。ゆえに、貝澤、小笠原については、代表作をカラー図版で紹介すると共に、その言葉、エッセイを掲載している。

続いて、砂澤ビッキ(一九三一―八九)とチカップ美恵子(一九四八―二〇一〇)を、池田忍が取り上げる(第3章)。ビッキは戦後日本を代表する木彫家であるが、油彩画、版画、デッサン、詩集を遺し、またアクセサリーや室内装飾を手がけ独自の抽象文様に磨きをかけた。チカップ美恵子は、自らアイヌ文様刺繡家と称して、衣装、タペストリー、テーブルセンターなどを遺すが、晩年はイラストを描き、また多くの著作を通じて人権問題に発言を重ね、活動を展開した。表現のみならず、地域や民族、立場を超えた人々との深い交わりという観点からも、二人の越境性は特筆に値する。

そして第Ⅰ部の最後に、若い世代の表現者、小笠原小夜のエッセイとイラスト作品を掲載する(第4章)。彼女は、エッセイの中で、自らアイヌ語を学び、アイヌ文化に親しむ過程で生じた疑問、新たな気づきを率直に語る。改めてその作品を見ると、歴史との対話を経てこそ生まれ得た表現の魅力、込められた意味に出合うことになるだろう。小笠原はまた、本書カバーとⅠ～Ⅲ部の扉に新作を提供してくれた。

第Ⅱ部「広がるアイヌ・アート」では、アイヌ・アートの「作家・作品篇」というべき第Ⅰ部に対して、アイヌ民族とアートの制度の周辺に生まれる表現、アイヌ・アートの広がりを見つめていく。

まず、二風谷の地で、貝澤徹をはじめとする作家とその作品を見つめてきた吉原秀喜による論考である(第5章)。吉原は、造形表現を支える平取の自然環境と博物館、すなわち人の営みと創られるモノとを繋ぐ「場」の整備・再生事業の意義を、これまでの持続的な取り組みに即して考察する。表現活動の活性化には地域のインフラ拡充が不可欠とした上で、並行した他地域の作家との交流や研究・批判の「場」を開くことの大切さを説く。

高橋桂は、アイヌ文化を受け身で享受することに飽き足らず、自ら作ってみたい、話してみたい、歌い奏で、踊ってみたいとの気持ちに従って、アイヌ文化イベントへの関与を模索した経験を伝える(第6章)。アイヌ文化伝承者と一般享受者との間に、あるいはジャンル間に壁を立てるのではなく、双方向的、相乗的な関係をつくることでアイヌ文化の楽しみ方は広がり、味わいは豊かになると語る。

続いて、アイヌ文様に触発された女性たちによる、アイヌの造形への接近、手芸領域における二次創作の事例を取り上げる山崎明子の論考を置く(第7章)。一九五〇年代に創作された山脇敏子によるアイヌ模様のドレス、六〇年代の三宅喜久子のアイヌ模様の刺繡は、一見すると等身大のアイヌの人々の暮らし、手仕事からはかけ離れ、他者による文化の盗用、あるいは搾取とみなされかねない言説を伴っている。しかし、こうした女性によるデザイン・技術ともにすぐれた二次創作があったからこそ、民族的手仕事への関心は生き延び、広がって列島社会に根付いたと山崎は考える。こうした二次創作がいち早く発信され、またアイヌ女性とその周辺に手芸が還流した結果として、今日のアイヌ刺繡があることに目を向けた。

そして第Ⅱ部を締めくくる中川裕の論考は、現在をアイヌ文化理解の深化と発展に絶好の機と捉え、漫画、アニメ、音楽、演劇、ゲーム、ファッションなどのメディアを戦略的・効果的に活用する事例を具体的に紹介する(第8章)。その上で、新たなメディアの活用は、従来の伝統的な文化実践の機会に恵まれなかったアイヌの人々の参画を可能にし、新たなファン層を作りだす可能性を持つと指摘する。「文化」の概念そのものを柔軟に、そしてしたたかに、政治力を孕むものへと作り替えようとの提案である。

第Ⅲ部「回路としてのアイヌ・アート」には、山崎明子、池田忍の論考を収める。アイヌ民族の外部、アイヌにとっての「他者」からの「アイヌ・アート」への介入を、徹底して検証しようという意図に基づく、理論と歴史を参照軸にした考察となる。

山崎は、アイヌ・アートの作り手をめぐる「民族」と「ジェンダー」の境界が、「モノ」に即して引かれる状況を凝視し、創作・展示・消費・解釈のポリティクスを考察する。近代日本の手芸文化がアイヌに接近した歴史の必然を解きほぐし、生じる軋轢や摩擦を見据えながら、「女性の手仕事」という周縁的な領域から、「アート」と「アイヌ」を内破し、かつ、いずれの可能性をも更新、両者を架橋するビジョンを提示する(第9章)。

池田は、アイヌの造形表現を語る「ことば」(語と物語)の生成、継承と変化の過程を、アイヌと日本社会の相互交渉の中に描こうと試みた。表現の普遍性と民族としてのアイデンティティの獲得を、両輪のごとく希求してきたアイヌの作家、表現者たちの軌跡を同時代状況と関係付けながらたどり、現代の私たちによる受容、読み解きを待つ存在としてのアイヌ・アートに迫っていく(第10章)。

＊

アイヌ民族、アイヌ文化に対する、加速する注目や期待、新たな取り組みの拡大を目の当たりにすると、隔世の感がある。特に北海道では、テレビや新聞が日々これを取り上げ、広告や商品には文様を中心にアイヌのイメージが積極的に用いられるようになった。アイヌの少女をメインキャラクターのひとりとする漫画「ゴールデンカムイ」(野田サトル作品。集英社『週刊ヤングジャンプ』に二〇一四年八月から連載中)が、全国的に大ヒットして、海外にも広く知られるところとなった。言語文化や音楽と並び、アートの創造と発信の場や方法が拡大し、文化的公共事業の目玉となり、また経済界からも注目を集めつつ状況が大きく動いている。

だが、本書は、目下の盛況のみに目を奪われることなく、また既存のアイヌイメージにとらわれることなく、アイヌ文化、アイヌ・アートの持続的継承、発展の可能性を考えた協働の成果である。私たちの議論が、アイヌ・アートに関心を抱く様々な人々を繋ぎ、一層の魅力溢れる作品の創造を促し、批評と享受の場を広げて活性化するためのヒントになればと願っている。

(1) 榎森進「これでいいのか? 政府主導の新アイヌ民族政策」『民衆史の遺産13 アイヌ』大和書房、二〇一八年。

(2) 岡和田晃、マーク・ウィンチェスター編『アイヌ民族否定論に抗する』河出書房新社、二〇一五年。

(3) 岩城卓二・高木博志編『博物館と文化財の危機』人文書院、二〇二〇年。なかでも第一章(岩﨑奈緒子「博物館・美術館のミライ」)、第二章(久留島浩「歴史系博物館の可能性」)はこの問題の核心をついている。

(4) もちろん博物館において、レストランやミュージアムショップの充実も、重要な課題である。こうした施設は、一般に言われるように博物館の付加価値、魅力を高めるのみならず、展示品と観客/利用者の日常を架橋し、新たな味覚体験、購入品は、博物館の外で営まれる人々の生活にアイヌ文化を還流させ、日常レベルにおける文化的多様性を促すきっかけともなる。だが、「本物」志向は、新たな創造の試みを「伝統」の枠に押し込める危険性もあり、逆に提供される食事やグッズの「洗練」は、ともすると利用者の価値観に寄ってアレンジすることで、「文化の盗用」にもなりかねない。また価格設定も難しく、入手しやすい商品の追求は、作り手の労力を安く見積もること、あるいは安易な外注に流れかねない危険性を孕んでいる。

さらに、ナショナルセンター内には、過去に「学術研究」のためとして、各地のアイヌ墓地を発掘・収集した大学等で保管されるアイヌの人々の遺骨等のうち、「アイヌの人々による受け入れ体制が整うまでの間の遺骨等をおさめる「慰霊施設」(墓所・慰霊行事施設・モニュメント)」が設けられている(「慰霊施設の整備方針」国土交通省北海道開発局ホームページ:https://www.hkd.mlit.go.jp/ky/ez/ei_chou/splaat00001pq2e-att/splaat00001pr06.pdf)。だが、これに対しても厳しい批判の声がある。批判の根拠については、例えば市川守弘「アイヌ人骨返還を巡るアイヌ先住権について」(注1前掲書、四二五—四四五頁)参照。

I

それぞれのアイヌ・アート

――受け継ぎ、生み出す

［扉絵］
アイヌラックㇽ誕生

第1章 木彫家・藤戸竹喜
――終わらない旅

五十嵐聡美

1 未完の熊

何を見つめているのか、やさしげな眼差し。微笑むような口元。おそらく、作者の頭の中には、この熊の物語があったのだろう。おいしそうなドングリを見つけたとか、川の中にザリガニが見えたとか。ひょっとしたら、次の場面でドングリに顔を近づけるのかもしれないし、手を出してザリガニに飛びつくのかもしれない。なんということもないように見えて、表情があり生動感をもつ熊なのだ(図1)。

だが、よく見ると、後ろ足は、長靴を履いているみたいに足先が丸くなっている。あらかた形はとれているものの毛彫りもされていない。これは、彫りかけ、未完の熊なのである。

作家は、翌日から一週間、検査入院という日に、熊を途中まで彫り、水を入れたバケツに沈めた。水に浸けるというのは、乾くと硬くなるからで、病院から戻ったらすぐに続きを彫るつもりだったのであろう。いや、「必ず戻ってくる、そしてお前を立派な熊にしてやるからな」と誓ったのかもしれない。あるいは、本当は完成させ

図 1　藤戸竹喜《絶作・未完の熊》2018 年(筆者撮影)

ることができたのだが、あえて途中で鑿《のみ》を置いたのかもしれない。この熊を仕上げるために必ずここに戻ってこなければならないと、自分自身に約束するために。

そして、その夜、いつものようにアトリエをきれいに片付け、応接間に飾っていた熊やオオカミの連作をきちんと並べ直し、二階の自宅に上がった。しかし一週間の検査入院の間にも、病は進行し、一旦は帰宅できたものの再び鑿を持つことはできなかった。

彫りかけの熊は、後ろ足だけ長靴を履いたまま、バケツの中で作家の帰りを待ち続けた。四カ月が経ち、水が半分になり、地層のようなシミが木の体に染み込んだが、それでも作家は帰ってこなかった。冬が近づくころ、アトリエが慌ただしくなり、ばたばたと人が出入りし、たくさんの花が飾られた。ようやく熊は、水から引き上げられたが、その手は、暖かくてがっしりとした作家の手ではなかった。

もし、アトリエに戻ることができたなら、作家は、熊の後ろ足に爪を彫り、目鼻を丁寧に仕上げ、全体に細かな毛彫りを施したことと思う。声が聞こえてくる。「おい、まだできてないのに写真まで出すのか。これからまだ彫るんだぞ」。あわてて私は、答える。「完成している、していないではないのです。最後に手がけたのが、オオカミでもなく親子熊でもなく、木彫り熊の定番、這《は》い熊だったことに心を揺さぶられたのです。原点回帰ですよね。これはこれで、もう手を入れるところはありません。最後の傑作です」。

ものの評価とは、そこに何を見るかで大きく変わる。この木彫り熊も、作家の代表作かと問われれば、そうはならない。世に数多ある木彫り熊の中で、傑作かといわれれば、そうともいえない。けれども、「熊彫り」として生きた作家の生涯を象徴する記念作であることは間違いない。もし、作家の回顧展を企画するとしたら、展示室の最後にこの一点を展示したと思う。文字通り、熊彫りとして生きた木彫家のエピローグとして。

2　熊彫り

かつて芸術家は、みな職人としての高い技術を持っていた。イタリア・ルネサンスの彫刻家ミケランジェロしかり、鎌倉時代の仏師運慶、快慶しかり。芸術家は、職人の中から生まれたのだ。少年期から木彫の道に入ったこの作家も、そうした系譜に連なる彫刻家だったといえる。

名前は、藤戸《ふじと》竹喜《たけき》(一九三四—二〇一八)。現代の具象木彫家として屈指の実力を持っていたが、美術界とは、晩年になるまで無縁に生きた人であった。最晩年の二〇一七(平成二九)年には、大規模な個展が札幌と大阪で開催され[1]、北海道文化賞、文部科学大臣表彰(地域文化功労者)、北海道功労賞を立て続けに受賞した。とはいえ国内の美術関係者でその名を知る人は、まだまだ少ないのではないか。しかし、一度その仕事を目にすれば、超絶技巧の彫りとともに、いかに豊穣な造形世界を築いた作家であったか、驚きを持って記憶に刻まれることと思う。

経歴も稀有である。木彫り熊を専門に彫る「熊彫り」だった父のもとで、一二歳から約三年修行したのちは、独力で木彫の技を高め、自分で自分を磨き続けた。いわゆる美術教育は全く受けていない。職業訓練校や美術学校にも通っていない。公募展、コンクール展などには一切、出品したことがない。美術団体にも所属していない。北海道出身の彫刻家、砂澤ビッキ（一九三一—八九）とは、親しく交友したが、美術界と積極的に関わることはなかった。ことあるごとに「俺は、熊彫りだからな」といい、芸術家と呼ばれることを嫌った。常に職人としての原点に立ち戻り、向上心を持ち続け、孤高に自らの世界を築いてきた。

一九三四（昭和九）年、北海道美幌町生まれ。一歳で母を亡くし、幼少期は、美幌に住む祖父母に育てられた。母親がわりだった祖母の藤戸タケは、ジョン・バチェラー（一八五四—一九四四。英人宣教師、アイヌ研究家）に、一六歳で洗礼を受けたキリスト者。「ウソをついてはいけない、人に裏切られても人を裏切ってはいけない」と、藤戸に生きる道を教え、精神面で大きな影響を与えた人であった。小学校は父の出身地である旭川の近文《ちかぶみ》の国民学校に通うが、二年で自主退学。本人の弁は、「学校へ行くより彫っている方が楽しかった」。小さいころから、父や大人たちが木彫りをする姿を見ながら育ち、気づけば、「マキリ（小刀）を、おもちゃにしていた」とも。木彫り職人になるべく、父のもとで木彫をはじめたのは、一二歳であった。

以下は、修行時代の回想文。(2)

アイヌに生れ、アイヌとして育ち、すでに三十六才になった私！　熊彫職人だった父に弟子として師事、親子でありながら他人同様のきびしい日々が十二才の時から始まり、尽きることなき木彫の世界でノミと木に取組みながら二十四年の歳月を費やしてしまった。〔中略〕私の父は、職人気質の無口な人だった。思いつめたように黙々と木塊に向かう姿は、恐ろしいほどだった。「俺は、どんな木彫熊をみても、アイヌが彫ったかシャモ（和人）が彫った物か見当がつく！　アイヌであればこそ、熊を知り、アイヌだからこそ、彫上がりに何かがあるのだ」時おりこんなことを言っては、木彫に執念を燃やしていた。

父、藤戸竹夫（一九一〇―六二）は、旭川市近文に生まれた。近文尋常小学校を卒業後、大工に弟子入りし、一六歳から木彫りを始めた。父を早く亡くしたため、父方の祖父、川上コヌサ（一八六〇―一九四二）から木彫の手ほどきを受けたという。

旭川の近文は、昭和の初めから木彫り熊の生産が盛んなところで、竹夫はじめ腕の良い職人が揃っていた。なかでも竹夫は、型にはまった仕事の繰り返しに飽き足らず、新しいものに挑戦する作家的気質をもつ職人だった。熊と葡萄を組み合わせた丸彫りを最初に手がけたのも竹夫だった（**図2**）。折りたたみ式の状差しを考案したこともあった。そうした意欲と腕を買われたのであろう、札幌の老舗百貨店、丸井今井の専属の職人となり木彫り熊を卸すようになった。一九五二（昭和二七）年、納品の便を考えて、旭川から札幌市清田区に転居。一九六二（昭和三七）年、仕事場で倒れ、五二歳の若さで世を去った。

図2　藤戸竹夫《熊と葡萄》（撮影：露口啓二）

父、竹夫の指導は、厳しかった。何も教えない。道具の使い方すら手ほどきしない。見様見まねで彫るしかない。やっとの思いで熊を仕上げて父に見せても、何もいわず鉞《まさかり》でたたき割り、目の前でストーブの火にくべた。何が気に入らないのかわからない。どうやったら割られずにすむか、必死に考え、手を動かすしかなかった。

そんな日々を乗り越え、形がとれるようになってからは、五寸(約一五センチ)の「這い熊」を父と交代で彫った。まず父が粗彫りをして、藤戸がたたき鑿で削りだすというように、一体の熊を三回ぐらい往復させた。次第に父は手を入れなくなり、最後は仕上がりを確認するだけになった。

基本の「這い熊」ができるようになれば、次は「吼《ほ》え熊」。そして鮭を口に銜《くわ》えた「喰い熊」だ。さらに「立ち熊」、鮭を背負った「しょい熊」、そして「親子熊」へと進んだ。

本格的に木彫り熊を始めて三年が経った一九四九(昭和二四)年五月一五日、一五歳の藤戸は、道東の風光明媚な温泉地、阿寒湖畔にいた。阿寒の土産物店、吉田屋の女主人、吉田いしに請われ、夏の繁忙期だけ下宿しながら働くためであった。仕事は、店先で熊彫りの実演をすること。一人前の職人として働くのは初めてだったが、厳しい父から離れ、思い通りに熊が彫れるのは爽快だった。吉田屋の店頭では、丸刈りの少年が巧みに熊を彫る様子に観光客が集まり、たちまち黒山の人だかりとなった。

三年の夏を阿寒で過ごした藤戸は、武者修行に出るべく、旭川を拠点に、道内外の観光地へ自ら出向いて働いた。青森の浅虫、函館の湯の川、登別、洞爺などの観光地で、先輩たちと肩を並べ、熊を彫った。他の親方がどういう道具で、どんな風に彫っているのかを知りたかった。自分の実力も試してみたかった。

見るべきものを見て学ぶべきものは学んだという気概を胸に、阿寒に戻ったのは、八年後の一九六〇年。再び吉田屋の職人となった。一日に五寸の熊を五体彫りあげた。腕の速さと確かさは、多くの職人を見てきた吉田いしでさえ、目を見張るほどだった。

「ライバルは、いましたか」と尋ねると、答えは「おやじだ」。しかし父、竹夫は、競い合う相手ではなかったはず。父に追いつき、父を超えることが目標ではなかったか。祖母の藤戸タケからも、繰り返し「竹夫に負けない熊彫りになるんだよ」といわれて育った。

目立つことを嫌い、ものいわぬ父だったが、心に残っている言葉は、「途中でやめるな。一つのことも自分の物にできないやつは何をしても駄目だ。熊をとことん極めれば、熊以外の物にも挑むことができる」。

父、竹夫との忘れられないエピソードがある。一七歳の時、父と父の友人の知里真志保(一九〇九―六一。アイヌ語の言語学者)に連れられて、北海道大学植物園に行った。二人が話し込んでいる間、絶滅したエゾオオカミの古い剥製を見た。オオカミと対話したような気がした。戻ってきた父に「エゾオオカミを作りたい」というと、「お前は、熊彫りだべ、熊も一人前に彫れないのに何をいっているか」と一喝された[3]。悔しかった。それをバネにいつか必ずオオカミを彫ると心に決めた。三三歳になるまで一筋に熊を彫り続けた。オオカミをはじめとして、鹿やウサギなど、さまざまな北の動物をモチーフにするようになったのは四〇代、一九七〇年代後半からだ。野生動物の俊敏な動きを捉えた名作を次々と生み出した。それでも「オオカミは特別だ、満足のいくものが彫れるようになったのは、七〇歳になってからだ」といっていた。

「ほめられて、上手くなったやつはいない」と、藤戸自身がよく口にしていた。父も、決して人をほめることをしなかった。だが、死の前年に息子にかけた言葉は、「お前の鮭に負けた」。父の死後、継母から「竹喜に熊でも負けた」とうれしそうに話していたことを聞かされた。

そんな思い出話をしても、藤戸は、最後まで父を超えたとはいわなかった。先人たちがいたからこそ今の自分がある。それが大きな誇りなのだろう。そして「俺は、最後の熊彫りだ」と繰り返すのだった。

図 3　サパンペ（アイヌ男性の儀礼用冠）

図 4　旭川アイヌによる初期の木彫り熊（撮影：露口啓二）

3　木彫り熊

一九六〇年代から七〇年代にかけて、北海道は、空前の観光ブームに沸いた。函館、登別、白老、二風谷、阿寒などの温泉地や観光地は、本州からの旅行客でごったがえし、藤戸の妻、茂子さんにいわせれば、「その頃の阿寒は本当に賑やかで、原宿の竹下通りみたいだったわね」。土産物店も大繁盛。特に売れたのが、店頭で実演販売していた木彫り熊であった。二風谷在住の木彫家、貝澤徹さんも、「当時は、黒くて足が四本あれば何でも売れた」と冗談まじりに笑う。

木彫り熊の定番は、四つ足で歩く「這い熊」と鮭を銜えた「喰い熊」だ。そこから吠えたり、鮭を担いだり、さまざまなアレンジが生まれた。サイズも小指の先くらいのチビ熊から、一人では抱えられないくらいの大きな熊まで。北海道から全国に流布した木彫り熊は、家々の床の間や茶箪笥や玄関の主となり、鮭を銜えてのっそり歩く熊が、野趣あふれる北海道イメージとして広く定着した。

では、木彫り熊は、いつから北海道で、作られるようになったのか。ルーツを辿ると、系統は二つある。ひとつは、アイヌが古くからサパンペ（男性の儀礼用冠、**図3**）やイクパスイ（儀礼具）に立体的に彫りこんでいた熊の木偶を発展させたもの。主に旭川アイヌが担い手。全道各地の観光地で活躍したのも旭川出身、あるいは旭川で修行した職人たちであった（図4）。

もうひとつが、八雲《やくも》町を発祥とする系統。八雲には、尾張徳川家の末裔、徳川義親《よしちか》（一八八六―一九七六）の農場があり、徳川義親がスイス旅行で入手した木製の熊を手本に、農閑期の副業としてはじまった。一九二四（大正一三）年の「第一回農村美術工芸品評会」に出品された木彫り熊が、八雲の第一号熊とされている。

実は旭川の木彫り熊と八雲の木彫り熊は時待たずして干渉しあう。そうした木彫り熊の黎明期を『旭川市史』は、次のように解説する。

アイヌの民芸品といえば今日では熊の彫刻が代表的で、近文コタンでも早くより作ってはいたが、よく「わに熊」とか「ぶた熊」「鼠熊」だなどと悪評を受けていたようにほとんど市販にならぬ拙いものであった。ところが大正十二、三年のころ、八雲の徳川義親がスイスより土産として熊の彫刻を持ち帰り、これを見本として自農場の健全な家庭副業としてその製作を奨励したところが、始めて良品が出るようになり生産をあげる。その製作品が近文コタンに入って刺激され、市でも大いに奨励、市でいくらでも買上げることとする。

旭川は、北海道の中でも、早くからアイヌの手工芸と観光が結びついた土地であった。きっかけは、一九〇一（明治三四）年にはじまる陸軍第七師団の部隊の移転。アイヌが居住していた近文コタンと第七師団の敷地が隣接しており、師団の隊員や工事関係者が連日のようにコタンの見学に訪れるようになったのである。そこで、いち早く観光に目覚めたのが、近文コタンの首長で、藤戸の曽祖父にあたる川上コヌサであった。コヌサは、自宅に宝物館を併設し、彫り物、ゴザ編み、踊りの実演をし、土産物を販売した。また一九〇〇年に山田集珍堂、一九〇三年に神崎商店、一九二六（大正一五）年に土産店・佐々木豊栄堂が開業し、店先にはさまざまなアイヌ細工が並んだ。大正末ころからは、熊の木彫りが作られるようになり、はじめは「わに熊」「ぶた熊」と揶揄されるほど拙かったが、八雲の刺激を受け、さらに東京美術学校の羽下《はが》修三や旭川出身の加藤顕清の講習会を受けて、彫りの技術と表現がめざましく向上したと『旭川市史』はいうのだ。

藤戸の家には、川上コヌサや第七師団の隊員との記念写真が多く飾られている。立派なヒゲをたくわえたコヌサ、熊の子を連れているアイヌ女性、子どもを膝にのせる師団の幹部たち。それらの写真を見るだけで当時の賑わいが伝わってくる。

大正から昭和前期にかけての旭川の観光全盛期。曽祖父の川上コヌサが観光業で采配をふるい、父、竹夫はじめ、若き熊彫りたちが腕を競いあった。その熱気を肌で感じながら、藤戸は少年時代を過ごしたのだ。

ところが、近年メディアで取り上げられ、話題となったのは、八雲の木彫り熊であった。北海道の純正品に見えた熊がスイス土産を原型にしていて、しかも徳川義親が関わっていたという意外性が注目を集めたのであろう。八雲町には、木彫熊北海道発祥の地碑が建立されるまでになったが、八雲は、八雲の木彫り熊の発祥地であり、北海道の木彫り熊を代表するものではない。函館、洞爺、登別、阿寒など、北海道各地の観光地で鑿を振るったのは、旭川アイヌの流れを汲む職人が大半だったのだ。ちょうど旭川で修行した藤戸が阿寒で熊を彫ったようにだ。

藤戸は、木彫り熊の発祥と発展に、旭川アイヌがどう関わったかについて、熱を込めて次のようにいう(4)。

私は昭和九年の生まれですが物心のついた頃、近文で育ち小学校も二年程通いました。父を含む熊彫り職人が大勢いて、昼間はあちこちから熊を彫る音がしていたものでした。夜は酒を片手に仲間同士集まり互いの熊の品評会で時にはケンケンガクガクと賑やかなものでした。やがて十二歳になった私も父のもとで彫りはじめるのですからその時代の顔ぶれや空気を身をもって覚えています。

かつて熊彫りの先輩として眩しく見えていた職人の名前を次のようにあげる。「砂沢市太郎、小沢カンシャトク、松井梅太郎、空知タケシ、空知タツオ、伊澤浅次郎、藤戸竹夫、間見谷喜文達でありました。互いに競い合い、切磋琢磨しながらもそれぞれの個性を存分に発揮した熊を彫っていたものです。そしてその弟子たちの彫ったものを見れば、どの親方の流れかすぐに分かったものです」。

さらに、八雲が、木彫り熊の発祥地として、町をあげてPRに取り組んでいることに対し、

大正一三年に八雲で彫られた熊が、北海道の木彫熊第一号ではない。明確な年月日を示す記録がないというだけで、よく調べることもせず鵜呑みにしてきた木彫熊の歴史について、アイヌ側からの異論がないのをいいことに現在まできてしまった。元来アイヌは文字にして残すという習慣がない民族であった。また、暮らしていくのに必死だった彼らにとって「最初に」「誰が」「どこで」などということは眼中になかったし、どうでもいい事だったのだ。しかし、残されたものを観て、もっと早い時期に考察・異論を唱える者が出なかったのは、誠に残念であった。和人側の記述ばかりを基本としたお粗末な説に他ならない。文字を見て、そのものの本質を観ない学者は、目を大きく見開いて真実を探求していってほしいと願うばかりだ。

と語る[(5)]。

改めて、古様を伝える旭川アイヌの木彫り熊を見てみよう。使われた刃物は、当時にあっては、マキリ(小刀)など限られた道具だけだ。表情も熊の体型も、素朴で簡素で実に愛らしい。このほのぼのとした味わいこそ、ものを作ることへの純粋な喜びから生まれるものであろう。

アイヌは、古くからイナウやイクパスイなどの儀礼具、生活用具、狩猟用具まで、マキリ一本で、巧みに削り出し、そこに独自の文様を刻んできた民族である。何を作るにも心を込め、とりわけ儀礼具は、美しく飾ること

を信条としてきた。どういう木からどのように木取りをするのか、どのように削り、彫るのか。木とともに生きるための知恵と技を受け継ぎ、発展させてきたのだ。ものづくりの精神は、木彫り熊の制作においても同様である。しかも熊は、アイヌにとって最も重要なカムイ(神)、キムンカムイ(山の神)である。木彫り熊は、カムイである熊を形象化し、祈りを造形化するという伝統を受け継いだものなのである。

旭川の木彫り熊と八雲の木彫り熊の違いは、発祥の時期や地域だけではない。アイヌの木彫り熊は、伝統の木彫の技がひとつに結集したものであり、藤戸はもちろんのこと、父、竹夫も先人もみな、熊彫りであることに高い誇りを持ち、カムイとしての熊を彫ることに全身全霊をかけていたのだ。アイヌだから彫れる、表現できる、伝えられるものであり、だからこそ、竹夫は、「俺は、どんな木彫熊をみてもアイヌが彫ったかシャモ(和人)が彫った物か見当がつく!」といっていたのであろう。

もうひとつ木彫り熊を語る上で、忘れてはならないのは、熊彫りたちの工房こそが、木工細工におけるアイヌの伝統技法を父から子へ、親方から弟子へと伝える極めて重要な場になっていたことだ。

藤戸にいわせれば、八雲と旭川では、材木の取り方から全く違うと強調する。旭川は、「横木這い熊」で、八雲は「縦木這い熊」。丸太を横に寝かせて彫るのか、縦にして使うのかで、木目はもちろん、ヒビの入り方も違ってくる。八雲の木彫り熊が足先だけ欠けてしまうのは、木取りが「縦木」だからだ。

つまり、木彫り熊とは、木彫におけるアイヌの伝統文化を近代から現代へと結びつけるという大きな役割を担っていたのである。さらにアイヌ・アートを生み出す揺籃となって、多くの作家が、木彫とは何か、アイヌの伝統とは何かを学び、切磋琢磨し、巣立っていったのだ。それが藤戸竹喜であり、砂澤ビッキであり、二風谷の貝澤幸司(一九六二—二〇一四)であり、現代の貝澤徹へと続いているのである。

4 怒り熊

一九六〇(昭和三五)年、再び吉田屋の職人となった藤戸は、たちまち一番の腕利き職人となった。藤戸が手がける木彫り熊は別格。熊に生き生きとした表情と動きを与えることができるものは、ほかにいなかった。そのころの仕事を象徴するのが、藤戸オリジナルの木彫り熊《怒り熊》である(**図5**)。前足で威嚇し、火を吐くが如くに怒りの形相をみせる熊。前足を振り上げているゆえ、三本足でバランスをとるのは、熟練の技の見せどころ。黒の塗装が当たり前だった中で、あえて着色せずに、木目の美しさを生かした生地仕上げも新鮮。しかもこの凄み、この気迫。

図5 藤戸竹喜《怒り熊》1964年(撮影：露口啓二)

黒くてのっそり歩くのがお定まりの木彫り熊。そこに素地のままの荒ぶる熊が登場したのである。マンネリ気味の木彫り熊業界で、のんきに鮭を銜えていた熊たちは、一気に蹴散らされたような衝撃を受けたのではないか。いうなれば怒り熊は、民芸品とか土産品の枠を軽々超えて、感情の発露あるいは自己表現としての造形作品に昇華していたのだ。

一九六四年、ついに藤戸は独立し、阿寒湖畔に民芸店「熊の家」を構えた。最初の仕事は、吉田屋の屋外看板となった巨大な熊のレリーフ。(6) 続いて横幅三メートルを超える熊と葡萄のレリーフ、さらに一本の丸太から子熊たちを丸彫りするという《群熊》シリーズへと作域を広げ、まるで巨木に挑むかのように次々と大作に立ち向かっていった。

なかでも、阿寒のイチイを材にして、葡萄の木に戯れる五頭の熊を彫り込んだ高さ二メートルの《群熊》(一九六七年)は、そのころの代表作になる。裏には、次のような銘が刻まれている。

前田光子守護尊　昭和四十二年八月二十二日　鑿をもって二十年を記念し贈　当三十三才　晩夏作　藤戸竹喜作

銘文の中の「前田光子《みつこ》」とは、阿寒湖畔一帯の森林の活性化と観光振興を担っていた前田一歩園の園長。藤戸の独立にあたっては土地を提供し、誰よりも早くその才能を見抜いていた人物である。

藤戸から入魂の大作を受け取った光子は、亡き夫である前田正次の一三回忌にあわせて造仏供養したいと仏像制作を依頼した。等身大、一木造りの本格的な仏像である。もちろん光子は、藤戸ならばできると確信し、ここから大きく飛躍できると予見していたのだろう。

だが藤戸にとっては、大変な挑戦であった。熊が彫れるなら、どんなものでも彫れると信じ、とことん熊を彫り続けてきた自負はあった。とはいえ熊しか彫ったことのない熊彫りである。奈良時代からの伝統を持つ造仏に挑むことができるのか。細かな儀軌(決まり事)に即して仏像が彫れるのか。一介の熊彫りでいるのか、真の熊彫りとして生きるのかの分かれ道。絶対に乗り越えなければならない試練であった。

翌一九六八(昭和四三)年、その年は、仏像を彫ることだけに専念すると決めた。京都奈良に一週間滞在し、仏

図 6　藤戸竹喜《杉村フサ像》1993 年(撮影：露口啓二)

教を学び、古仏の姿形を目に焼き付けた。秋、アトリエに前田一歩園の山から切り出したイチイの大木が運びこまれた。「来る日も来る日も大木とにらめっこをし、悩みつつ、ようやく最初のまさかりを入れ[7]」、翌年六月に完成。観音立像は、《樹霊観音像》と名付けられ、阿寒正徳寺《しょうとくじ》に安置された。

渾身の力をこめて《樹霊観音像》を彫り上げた藤戸に、各方面から肖像彫刻や観音像の依頼が舞い込むようになった。一九七一年、札幌ソビエト領事館からレーニン生誕百年を記念する《レーニン胸像》を依頼されたのを皮切りに、東海大学から《東海大学総長　松前重義像》(一九七三年)や佐藤浩市主演の映画「敦煌」の制作記念《趙行徳立像》(一九八八年)を手がけた。

さらに一九九一(平成三)年からは、先人たちの肖像彫刻に着手した。エカシ(長老)やフチ(祖母)の姿を等身大で刻み、先人たちの生きてきた証を形にしたいという思いからである。

カムイノミ(神への祈り)の祭司として全道各地に赴いた《日川善次郎像》、祖母《藤戸タケ像》。旭川で活躍したエカシ《川村カ子《ね》ト像》。藤戸にとって姉のような存在だった《杉村フサ像》(**図6**)。父方の曽祖父《川上コヌサ像》。さらに二〇一三年には、藤戸タケの父、ヤイタンキの姿を《ふくろう祭り　ヤイタンキエカシ像》に結実させた。

先人たちの肖像彫刻の嚆矢は、実は竹夫であった。木彫り熊のかたわら、エカシ像を彫っていたのだ。ただ藤戸に手を触れさせることはなかったという。

一九七〇（昭和四五）年八月二二日、三六歳になった藤戸は、次の文章を残している。[8]

熊彫のかたわら父と共にアイヌ風俗の中から、エカシ（長老）とフチ（祖母）の立像や座像を彫っていた。実際にアイヌとしての生活をした私には、その堂々たる風格を備えたエカシや民族の哀愁を秘めたるフチの姿には、深い感銘を受けていた。しかしこの仕事を心残りにしながら父は去りました。

父の職人としての姿や人間としての姿、その精神的な影響を強く受け、来たるべき日あらば、アイヌ風俗を彫ることに自分の生涯を掛けてみたいと思っていた。

原始的な狩猟民族であったアイヌではあるが、世界屈指の民族叙事詩「ユーカラ」を持ち、そして木彫工芸は、どの他の民族にも持ち得ない独特の技法と表現力を持ち、高く評価されていた。このすばらしい民族の伝統をなんとしても受継がなければならない。

肖像彫刻はいうまでもなく、藤戸の作品に登場する人物は、だいたいモデルがいる。どの作品が誰かをインタビューしていると、「そういえば、おやじだけ、彫っていないいな」とぽつり。「いや、《怒り熊》がおやじだ、いつも怒っていたからな」。

一九七〇年代、アイヌの先人たちの姿を刻む一方で、一九七七年からは、熊だけでなく、野生動物の俊敏な動きをとらえた連作に力を注いだ。以下は、そのころの藤戸の言葉。[9]

図 7　藤戸竹喜《鹿を襲う熊》1977 年（撮影：露口啓二）

私は十二歳にし熊彫りの世界に入った。今年で三十一年。熊の強さ、恐ろしさ、また、おどけたしぐさ、可愛らしさ。これらをただひたすら彫り続ける。〔中略〕狼も熊も、野性は野性のままにあってほしい。獲物を襲う熊、じゃれあうおどけた熊で。私は一生彫るであろうこれらの熊を。

その時期の代表作が《鹿を襲う熊》（**図 7**）だ。二頭の熊に襲われて、牡鹿が、右へ左へと必死に逃げている。後ろから一頭の熊の手が伸び、もう一頭が木の上から鹿めがけて飛びかかるというもの。なんと熊の巨体が宙を舞うその一瞬が、見事に表現されているのだ。

藤戸の制作スタイルは、台座をふくめた一木による丸彫りである。つまり背景も動物も一体。この作品でいえば、台座も鹿も熊も立木もひとつの木の塊から、彫り出されている。木という素材を知り尽くした上での空間構成。超絶技巧ともいうべき迫真の表現力、動物たちの動きに背景を与えるという物語性。とどまるところを知らない創作意欲。堰を切ったように藤戸は、制作に邁進した。モチーフも、エカシ（長老）やフチ（祖母）の姿から、オオカミ、ウサギ、リス、フクロウさらにラッコ、シャチ、エビ、カニなど、北の動物から海の生き物まで一気に広がった。

ただし、それらは写実に見えて現実の再現ではない。すべては頭の中から生み出された情景、湧き出る物語の一場面なのだ。「木を見ていると、そこに彫るべき姿が見えてくる。簡単だ、じゃまなものをよければいい」と語っていた。「彫っていて間違えることはないのですか」と尋ねると、答えはきっぱり「ない」だった。


調査で随分、藤戸宅を訪ね、いろいろな話をうかがった。アイヌの伝統についても、聞きたいと思いながら、結局話題にすることはできなかった。「藤戸さんにとって、アイヌの伝統とは何ですか」と聞いたら、どんな言葉が返ってきただろうか。


おそらく木彫り熊であり、熊を彫ることであると、答えたのではないか。

藤戸は、いわゆるアイヌの伝統的な木工芸、イタ(盆)やマキリ、タバコ入れを手がけることはなかった。またアイヌ文様のあるなしにかかわらず、木製の椅子や机など家具の類も作ることはなかった。例外といえば、じゃれあう熊がいるニマ(器)や、持ち手が蛇になっているニマ、電球の下で小さな熊が読書している電気スタンドとか。めずらしく鹿の角を素材にした椅子があることはあるが、手すりに小さく熊の顔が刻まれている。モチーフは一貫して、熊や鹿、オオカミなど北の動物であり、シャチやカニなど海や川に生きるものであり、敬愛するエカシやフチの姿なのだ。

ある時、「藤戸さんは、どれも生命あるものを彫っていますよね」というと、驚いたように「そうか」といっていた。だが間違いない。藤戸が触れるもの、生み出すものは、生命あるものだけなのだ。素材は、石や金属と違い、根を張り、枝を伸ばし、人よりも長い年月を生きてきた木。そこに表現するものも生命あるものの形。

熊を原点にしながら生命ある木に生命の形を刻む。それが、藤戸竹喜の生涯をかけた仕事であった。

5　終わらない旅

二〇一八(平成三〇)年一〇月二八日、木彫家、藤戸竹喜の通夜が、阿寒湖温泉の正徳寺で営まれた。前田光子からの依頼に応じて奮闘した《樹霊観音像》を安置している寺である。

葬儀場には、あふれんばかりの人がいた。東京、大阪から駆けつけた親交の厚い人々の顔があった。遺影は、写真家、露口啓二さんによるポートレート(図8)。もちろん露口さんもご夫妻で札幌から急行していて、私は、露口さんの車に同乗させてもらい、札幌から阿寒まで三〇〇キロメートル、四時間の道を移動することができたのであった。通夜が終わり、駐車場まで歩いた。冷たい風。見上げると、漆黒の空にまたたく星がちらばっていた。

図8　藤戸竹喜ポートレート 2017年
(撮影：露口啓二)

日帰りで阿寒から戻った私は翌日、東京出張のため、ちょうど告別式が始まるころ、新千歳空港にいた。不安定な天気で、雨が降ったり止んだり。搭乗口から外を見ると、滑走路に美しい虹の輪がかかっていた。不思議なことに、同じく大阪から葬儀に駆けつけ、帰路、女満別《めまんべつ》空港にいた国立民族学博物館の齋藤玲子さんからも、虹の写真がメールで届いた。女満別空港に向かう途中、見事な虹の輪を見たというのだ。

あとになって、茂子さんから聞いた話だが、四カ月の入院を終え、霊柩車が阿寒湖畔の入口にさしかかった時、シマフクロウが大きな翼をはばたかせて横切ったそうだ。

アイヌの人々が、コタンの守り神として崇めてきたフクロウだ。天然記念物だが、今は絶滅危惧種となり、滅多にその姿を見ることができない。

「藤戸さんを迎えに来てくれたのですね」と私。「そうね、シマフクロウが飛んだり、雨が降ったり、虹がでたり。藤戸が向こうの世界にいって、自然界がざわついたのかもしれないわね」と茂子さん。「そうそう、阿寒では、寺から棺を出す時は、まるで滝が降ってくるような、すごい土砂降りだったんですよ。まるで何か意志が入っているような」とも。

藤戸竹喜の造形世界の全貌をはじめて紹介できたのは二〇一七年秋から翌年にかけて開催した「現れよ。森羅の生命――木彫家 藤戸竹喜の世界」展(以下、「藤戸竹喜の世界」展)であった。全国二会場で、札幌芸術の森美術館のあと、大阪の国立民族学博物館に巡回。ありがたいことに私は、この展覧会に企画委員長として構想段階から関わらせていただいた。前述の露口さんは、この展覧会で全作品を撮影した写真家。また虹のメールを送ってくれた齋藤玲子さんは、企画委員のひとりに加わっていた。

二会場すべてが閉幕し、二〇一八年三月二二日、作品の返却で、藤戸宅におじゃました時のこと。「五十嵐くん、話がある。次は九〇歳で展覧会を開きたい」。藤戸さんが九〇歳の時、私は、いったい何歳で、どこで仕事をしているのだろう、主催は？ 予算は？ 会場確保は？ とつまらぬ要件が頭をかけ巡ったが、口から出た言葉は、「はい、わかりました。九〇歳ですね。わかりました」。八三歳の作家は、ほっとしたような表情を浮かべ、何度もうなずいた。

二〇一三年、北海道立近代美術館で代表作一八点を紹介した「AINU ART 風のかたりべ」展では、大作《ふくろう祭り ヤイタンキエカシ像》を発表した。二〇一七年の「藤戸竹喜の世界」展では、約二〇点の連作《狼と少年の物語』を発表した。どちらも展覧会のために時間と労力を費やした新作であった。九〇歳の展覧会では、何が飛び出すのか。そのためのステージにしなくては。きっと構想を練りはじめているはず。熊の新作ではないかと、その時に直感した。

「熊を彫り続けて七〇年。熊こそが私の原点であり帰り着く所です」とは、「藤戸竹喜の世界」展の図録に寄せた言葉。同展開幕の日のインタビューでも、「次は、何を作りますか」という問いに「熊」と答えていた。[10]

木彫家・藤戸竹喜。熊を彫ることが始まりであり、極めることが目標だった。最後、未完の熊を遺したのは、人生とは終わらない旅であることを、私たちに告げたかったのかもしれない。

藤戸さん。今日も自然がざわついています。今、どこで熊を彫っているのですか。

（1）「現れよ。森羅の生命――木彫家 藤戸竹喜の世界」展。札幌芸術の森美術館（二〇一七年一〇～一二月、入場者一万二〇〇〇人）のあと、大阪の国立民族学博物館（二〇一八年一～三月、入場者二万五〇〇〇人）の全国二会場を巡回。
（2）藤戸竹喜『想記』（板に墨書き）、一九七〇年。
（3）藤戸竹喜「私と狼のこと」『現れよ。森羅の生命――木彫家 藤戸竹喜の世界』（図録）、二〇一七年、一九六頁。
（4）藤戸竹喜『木彫熊の歴史について』私家版、二〇一七年。
（5）齋藤玲子「藤戸竹喜と木彫り熊とアイヌ文化――旭川から阿寒湖、そして世界へ」注3前掲図録、二一七頁。
（6）「熊のレリーフ」は、一九六四年五月制作、幅一七八・高さ二七六・厚さ四五センチ。吉田屋本店の屋外看板として五〇年以上設置されていたが、現在は店内に保管。
（7）藤戸竹喜（聞き手・山崎真理子）「私のなかの歴史　熊彫りとして⑦」『北海道新聞』夕刊、二〇一四年一〇月六日。
（8）注2前掲書。
（9）藤戸竹喜『藤戸竹喜と熊』（熊の家パンフレット）、一九七七年ころ。
（10）『月刊みんぱく』二〇一八年二月号、二一―九頁。

第2章

「伝統」と「アート」の葛藤と融合

――たえまない修練と模索の現場から

貝澤　徹

はじめに

イランカラㇷ゚テー。こんにちは。

私は、北海道平取町二風谷アイヌコタン（集落）で、一九五八年に生まれ、同地で育ち、家業の土産物店でアイヌ伝統工芸品とアイヌ・アートを制作してきました。ここでは、アイヌ木彫の「伝統」と、個人の表現としての「アート」との間で、葛藤を抱えながらも両者の融合へと進んできた私の歩みを振り返り、未来に向けての思いを、一人の工芸家として述べます。

《ウコウク》（五六頁、**図⑧**）と題した作品は、二〇一三年の早春に北海道立近代美術館（札幌）で開催された「AINU ART　風のかたりべ」展に向けて、前年に制作したものです。ウコウクとはグループで輪唱のように歌詞を繰り返し、つないでいく歌唱法です。踊りの所作にも時にウコウクがあります。作品に込めた私のメッセージ、コンセプトは後述しますが、それを読む前に、皆さまには、本書に掲載された《ウコウク》をはじめとする作品をご覧いただき、自由に何かを感じ、考えていただければ幸いです。

1　先祖のこと

江戸後期から明治にかけてのアイヌ工芸は、北海道における当時の斬新なアイヌ・アートであると、私なりに解釈しています。北海道開拓期に「エゾ細工」または「アイヌ細工」と言われ、新しい創作も加えながら求めに応じて生産されてきたものです。

二風谷には、昔からアイヌ工芸についてのウパㇱクマ(言い伝え、故事来歴談)があります。たとえば、幕末に生まれた二人の名工、一八六〇年生まれの貝澤ウェサナㇱと一八六二年生まれの貝澤ウトレントㇰはよく知られています。

図1　貝澤ウトレントㇰのイタ(盆)(個人蔵)

一九〇七(明治四〇)年には、私の曽祖父である貝澤ウトレントㇰの作品を宮内省が買い上げています。また、一九一三(大正二)年に開催された大阪での明治記念拓殖博覧会に、ウトレントㇰはイタ(盆)を出品しています。彼は、なかなかの行動派のようでした。最近、自分ではその貝澤ウトレントクの「四代目」と自負しています。

同じ工芸家として、今、私が二名の作品を見ると、個性が表れていると感じます。ウトレントクの場合、アイヌ文様の主要なモチーフであるモレウ(「ゆるやかに曲がる」の意味)を強調する特性があります(**図1**)。

現在、アイヌ文様は「左右対称」であると言われることが多いのですが、ウトレントㇰのイタには、意図的に文様の「脈」または「気」を変える彫り方が見受けられます。今となっては、何故そのように変えたのか、推測するしかありません。先人の方が、アイヌ文様のひとつの典型(パターン)を踏まえながらも、変化をつけて自由に彫っていたと感じられます。

この二名の作品は、「二風谷の大きな遺産」となっています。多くのアイヌ資料・工芸品の中でも、制作者が明確なものはわずかです。その中で、二名のイタ(盆)によって、二風谷における一〇〇年以上の工芸の歴史が立証されました。これにより二〇一三年の三月に、北海道で最初の「伝統的工芸品」(伝統的工芸品産業の振興に関する法律に基づく)として指定を受けることができたのです。

2　沙流川流域・二風谷という環境

次に、二風谷の工芸の歴史に触れつつ、私が個人的に経験した「二風谷という環境」について述べたいと思います。

私は一九五八年生まれですが、その直後の一九六〇年代は、二風谷が大きく変化していく時代にあたります。幼少期を振り返ると、「アイヌ工芸の環境」に触れていたと、あらためて実感します。

母方の祖母、貝澤ハギは、アイヌ工芸品を持って各観光地のアイヌコタンへ行商に行く時に、孫の私を連れて歩きました。記憶にあるのは、白老の旧アイヌコタンでの行商、洞爺湖や登別方面、あるいは阿寒湖アイヌコタンへの行商などです。このことを考えると、アイヌ伝統工芸品を制作する人が、二風谷以外の各アイヌコタンでは少なかったのだろうかと思います。

ある時などは、建物の中の部屋に入ると丸いメガネを掛けた人が居て、祖母と話していました。後に、その場所が北海道大学の児玉作左衛門《こだまさくざえもん》教授(本書一七七頁、第7章注7参照)の研究室であったと知る訳です。私の幼少期の心にその場のことが刻まれ、記憶に残っています。

図2　二風谷共同作業所内の作業風景(月刊『ダン』1997年6月号)

このように一九六〇年代の二風谷は、各観光地へのアイヌ伝統工芸品の供給地から、次第に二風谷アイヌコタンとして、土産物制作・販売を行う観光地へと変化していきました。

ここで考えてみたいことは、当時、北海道の他のアイヌコタンでは少なくなりつつあった木彫りのアイヌ文様をほどこした工芸品が、何故、二風谷では多く継承されていたのか、作り手はアイヌ文様の工芸品にこだわったのか、ということです。

図2の写真を見ていただくとわかるように、観光土産品の「木彫り熊」と「アイヌ伝統工芸品」を一緒に制作している様子が見られます。

時代が変わる一九六〇年代に、二風谷で、アイヌ文様の木彫りと、近代に創られた木彫り熊やニポポ人形など観光土産品とを並行して制作してきたことは、地域の遺産を受け継ぐ戦略として考えると、その意味は大きいでしょう。後継者である私たちは、伝統を絶やさなかった先人に対し、感謝すべきと思います。

そして今日に至るまで、二風谷の工芸家は、それぞれがプライドを持って、決して他の人の真似をせず、自身の独自の作風をもって制作に取り組んできました。そのプライドを培ったのが、二風谷の先人たちの気風です。伝統を絶やさず、他方で時代の求めに応じた新たな作品制作に励んだ先人からのバトンを、今もつないでいます。

3　「伝統」の見直しのプロセス——個人として、また民芸組合の一員として

ここで、私自身の「伝統」の見直しのプロセスについてお話ししたいと思います。

本格的に「木彫」を始めたのが一九七七年です。白老の高校を卒業し、二風谷に戻ったのが一八歳で、今年で四四年目になります。その当時を振り返ると、私の木彫り人生に良い影響を与えてくれた人たちが、幾人もいました。まず、幼少期は、祖母の姿、一〇代には、両親の木彫りとアットゥシを織る働く姿を見て育ちました。両親は、私が継いでいる「つとむ民芸」を、一九七〇年に開業しました。

二〇代はじめ、彫刻を始めて二年目には、阿寒湖の彫刻家、藤戸竹喜氏に出会いました。話をするようになったのは後のことですが、独自の主題と写実表現を追求するその生きざまに大きな影響を受けました。さらに三〇代前半には、それまで手掛けなかったアイヌ伝統工芸品を彫る方向へと私を導いた二風谷アイヌ文化博物館(一九九二年開館)学芸員の吉原秀喜氏、そして、私に最初のアイヌ伝統工芸品複製を依頼してくださった民具蒐集家で在野の民俗学者、青森の田中忠三郎氏に、出会いました。この三〇代前半から、私の伝統とアートをめぐる葛藤が始まるのです。

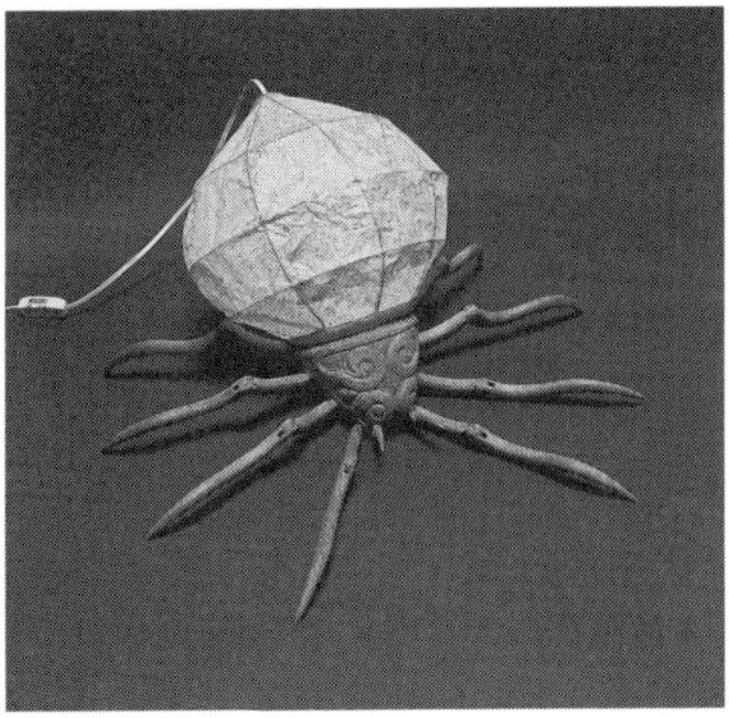
図3　貝澤徹《ヤオシケプ／クモ》
(平取町立二風谷アイヌ文化博物館蔵)

後には、マンローコレクションの複製、北海道大学植物園(北海道大学北方生物圏フィールド科学センター耕地圏ステーション植物園所蔵資料)の複製などの機会に、多くの方にお世話になり、伝統の木彫りのアイヌ文様についての勉強の機会をもらいました。

そして四〇代になり、アイヌ工芸の伝統技法を踏まえた自分なりの現代表現が必要だと考えるようになりました。そこで思いついたのが、《ヤオシケプ／クモ》(**図3**、平取町立二風谷アイヌ文化博物館蔵。五二頁、**図③**も参照)です。ある朝、自分の店の掃除をしていた折、払った巣から降りてきた、クモのま

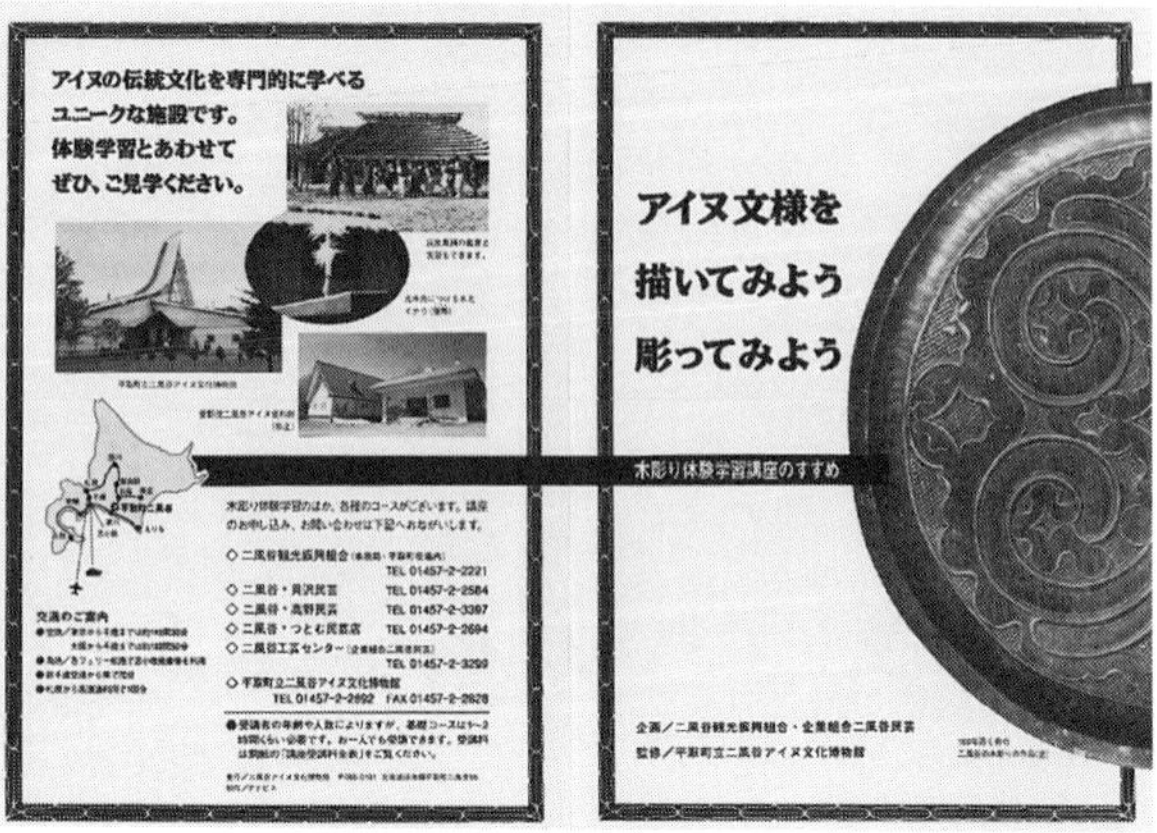

図4 「アイヌ文様を描いてみよう彫ってみよう」パンフレット

るい腹の形が、アイヌ文様のように見えたのがきっかけです。アート的な作品を意識して制作しました。ここから「伝統技法」と「アート」への融合と進む訳です。

その少し前には、二風谷の他の工芸家と共に、伝統の見直しに関わる活動を行っています。一九九〇年代半ばを過ぎるころには、観光の在り方も変わりつつあり、二風谷の地でも「体験観光」が多くなり始めました。そこで、二風谷民芸組合の工芸家と「アイヌ文様を描いて彫る」木彫体験を始めました(**図4**)。

ところで、私には四歳年下の弟(故貝澤幸司*)がいました。修行時代には共に父の工房で木彫に取り組みましたが、それぞれ自分が彫りたいもの、思いつくものを表現してきました。私とは違い弟は当初から、アイヌ文様を施したイタ(盆)などの伝統工芸品を制作していました。彼の彫りはとても繊細で、実に切れ味が良い点が特徴です。

また、私たち兄弟の共通の趣味は釣りでしたが、弟の方がより熱心で、魚は、彼の自由な木彫表現のテーマになっていきました。貝澤幸司によるアイヌ・アートを代表する作品と言えば、《幻想》(五四頁、**図⑤⑥**)や《ぬし》(五五頁、**図⑦**)が挙げられるでしょう。《幻想》では、川の中を泳ぐ魚の動きを的確につかみ、鰭《ひれ》の動きまでを表しています。また《ぬし》は、まるく太ったアメマスが、葉巻をくわえながらパソコンに向かう姿をユーモラスに表現しています。画面には釣りのルアー(疑似餌)がずらりと並んでいて、検索に余念がない様子です。こうしたユーモアあふれる表現は弟の独壇場です。またルアーどころか、実にたくさんの魚種を、見事に彫り分けることができました。実は、私も魚を彫ってみたことがありますが、彼にはかなわないと思って止めました。

弟とは「森と川のいぶき――兄弟展」（札幌芸術の森工芸館、一九九八年）や「北の木彫り・兄弟展」（東京、ギャラリー・モーツァルト、二〇一〇―一二年）など、一緒に作品を並べる機会もありました。振り返れば、アイヌの木彫家、ひとりひとりの個性と伝統の厚みを、見てくれるお客さんにアピールしたいとの想いを、私たちは共有していたと思います。それはまた、今にいたるまで、二風谷という地域の木彫家に共通する想いでしょう。

さて、二風谷の地を離れての大きな事業としては、一九九七年、大阪の国立民族学博物館にて、「アイヌ文化振興・研究推進機構」の発足記念イベントで、「アイヌ文様を彫る、木彫り体験」を提供しました。参加してくださったお客様にも喜ばれ、関係者の方々にも好評でした。二風谷には「アイヌ工芸」を脈々と受け継ぐ工芸家が存在することを認識していただく機会となり、大きな成果だったと思います。

ギャラリー展示や制作実演の場で、お客さんからかけられる言葉は、とても励みになります。たとえば二〇〇一年、アイヌ文様が北海道遺産に選定された折、北海道庁・赤レンガ建物前で、民芸組合の仲間三人とアイヌ文様の制作実演を依頼される機会がありました（二〇〇四年にはアイヌ口承文芸も選定される）。その時、私は、三人全員がイタ（お盆）を彫るのもつまらないと思い、木彫で柔らかい布のような表現を試み、その上にアイヌ文様を施した小品を携えて行きました。すると二人の女性のお客さんが立ち止まり、「珍しいわね。素敵だわ」と言って、予約をしてくれました（販売はできない場でした）。《樹布／イタ》（五一頁、**図①**）は、こうして生まれたのです。

＊貝澤幸司（一九六二―二〇一四）の作品、および年譜と言葉は、『アイヌからのメッセージ――ものづくりと心』（二〇〇三年、二六頁）、『AINU ART　風のかたりべ』（二〇一三年、一二八頁）の展覧会図録などに掲載されている。

4 「AINU ART　風のかたりべ」展のインパクト

ここからは、先に述べたアイヌ伝統工芸の技法を踏まえた、近年のオリジナル作品について、さらに詳しく紹介したいと思います。先にも触れたように二〇一三年二月に、北海道立近代美術館において「AINU ART　風のかたりべ」展が開催されました。

それ以前から、私は、アイヌ工芸家による作品の美術館での展示が、なぜ無いのだろうか、と疑問に感じていました。なぜなら、現代のアイヌ工芸には、先人の「模倣」ではなく、今を生きるアイヌの感性が息づいていることを、もっと積極的に表す必要があると感じているからです。その意味で、この展覧会には、阿寒湖の藤戸竹喜さんや滝口政満さんなど、尊敬する現代作家の独創性溢れる作品と共に、私のものも展示されることになり、大きな喜びでした。さらに、このような機会は、次世代のアイヌ工芸家の取り組みに、良い選択肢を与えたと考えます。

この頃、五〇代前半の私は、メッセージを込めた作品の制作を手掛けるようになっていました。二〇一一年の《アイデンティティ》(五七頁、図⑨。六六頁、図㉒)は、「ア・ウタリ(仲間)」に、「あなたの心の内にあるファスナーの位置はどこですか」と、問い掛けた作品です。日本人として生きるか、精神文化を大切に生きるか、アイヌ民族として生きるかという私自身への問いかけでもあります。友人には、「君が作品になっている」と言われました。確かに、この作品は「私の内面から生れた作品」だと感じます。

冒頭で紹介した二〇一二年の作品《ウコウク》(五六頁、図⑧)は、ウポポ(女性が室内で輪になって座って唄う歌)を題材に、アイヌ民族の一世紀(一〇〇年)を表現しました。フチ(おばあさん)の手から、現在も文化は、「ウコウク」

されて、次世代へと受け継がれているというメッセージを込めました。また、フチの手に施された「シヌイェ(入れ墨)」は、二風谷に生きた過去のアイヌ女性を、映像などの他者による記録とは違って、私の大切な記憶として表しました。彼女たちの文化を、継承、表現したいという私の思いの表現です。

5　二つの近作について

最近の作品、二〇一八年九月に大英博物館にリニューアルオープンした日本ギャラリー(三菱商事日本ギャラリー)のために制作した《精神再び》(‘Spirit Reborn’ Kewtum kanna-suy)(六四頁、**図⑳**)は、アイヌの守り神フクロウが孵化し、殻を破って卵から出ようとする瞬間を表現しています。展示責任者であったニコル・クーリッジ・ルーマニエールさん(セインズベリー日本芸術研究所・研究担当所長、当時大英博物館の学芸員を兼任)からは、フクロウをテーマに、という依頼でした。三つのスケッチを送りましたが、担当の方々は、フクロウとその卵を別に描いた私のスケッチを選びました。しかし、制作を開始した私は、次世代のアイヌの人々への願いをこの作品に込めることにしました。破られる殻と共に、その「巣」を表現したのです。

次の世代が、その羽ばたきを準備する巣は、私たちを育てた二風谷のようなアイヌコタンです。足元、私たちの故郷を大切に、またその遺産をしっかりとみつめて欲しいという願い、メッセージを託しました。

最新作のもうひとつは、二〇二〇年七月に開館した国立アイヌ民族博物館のために制作した《アペフチカムイ／火の神様》(六五頁、**図㉑**)です。アイヌ文化の伝統に、カムイそのものの姿を彫るという例はありません。けれども、アイヌにとってアペフチカムイは特別な神さまだという考えが私の中にもありました。そして、「もしも彫るならば、この神さましかない」「一度は彫ってみたいのはアペフチカムイ」だと思ってきました。

というのも、私の家族の歴史の一コマに、この神さまに関わるエピソードがあり、それが深く心に刻まれているからです。先に述べたように、弟の幸司と私は魚釣りが趣味でよく一緒に出かけていました。冬のある夜、薪ストーブの傍らで、翌日の漁場について二人で熱心に相談していると、両親が私たちをこんな風にたしなめたのです。「アペフチカムイの前で、これから行く場所を喋ってしまうと、先まわりしてすべて告げられてしまい、何も釣れなくなってしまうぞ」と。

実は両親は、日ごろからアイヌのことを子供たちに教えようとか、伝えようとかいう姿勢ではありません。むしろ、あまり話題にしないようにしているのだろうと感じてきました。ところが、そんな父母の中に、尊い神さまとして祖先が祈りを捧げてきたアペフチカムイの言い伝えが生きていたのです。たとえ、アペオイ(囲炉裏)のあるチセに暮らしていなくとも、つまり囲むのが薪ストーブ、石油ストーブであっても、火には尊い神さまが住んでいると感じます。こんな風に、アイヌ文化は、意識しなくとも私たちの心に息づき、身に備わって、ふとした折に言葉や行動に現れるものなのではないでしょうか。先年、国立アイヌ民族博物館から作品制作の依頼をいただいた折、アペフチカムイを彫ってみようと私が考えた背景には、こんな経験があったのです。

また、アペフチカムイは老女の神だから、大好きだった祖母(先述した貝澤ハギ)の顔を表すことにしました。尊敬する阿寒の木彫家、藤戸竹喜さんが、祖先や先達を彫った素晴らしい人物像のことも頭をよぎりました(本書二九頁、第1章図6《杉村フサ像》参照)。祖母の貝澤ハギは、とても行動力があり、営業力もある人でした。各地を精力的に歩きまわり、二風谷でつくられる民・工芸品の販路を、数多く開拓した人です。ウポポイ(民族共生象徴空間)、その中でもとくに国立アイヌ民族博物館は、アイヌ文化の情報を広く世界に発信する広告塔でもあります。だから、そこに展示される大作といえばアペフチカムイ。そしてフチ、貝澤ハギのイメージで彫る。そこには迷いは、ありませんでした。

6　どのように継承していくのか

さて、ここで、皆さんにも考えていただきたい問題があります。現在、二風谷アイヌコタンにおいても、木彫工芸の分野の継承者が少なくなっています。現代社会は、多くの情報が簡単に得られる時代で、ネットで「アイヌ工芸」と称し、アイヌではない人たち、ア・ウタリ(仲間)の伝承活動に関わっていない人たちが制作した作品が、多く販売されています。それらの作品は「本物」と言えるのでしょうか。誰が、それらを「区別」してくれるのでしょうか。

また、私は、ここで真剣に考えるのです。和の文化の場合でも、「血、DNA」または「一子相伝」で伝えられてきた古来の伝統芸能である「能」や「歌舞伎」のように、あるいは、手仕事の「陶芸」や「生け花」のように、代々受け継ぐ芸能家、芸術家、職人、がいるわけです。「アイヌ工芸」の継承についても、まだ、考えるべき余地はあると感じます。

工芸関係者の中には、アイヌ工芸家を育てる環境、「専門学校」のようなものが必要だという見解があります。私もそう思います。また、生業として職人が働ける環境が必要です。私の意見としては、工芸家には「生活の糧」となる産業、つまり、観光、土産物店は、やはり大切です。

観光土産品の制作に携わっていた一〇代から二〇代の頃、私は、「貝澤」姓が表に出るのは避けたかった。アイヌに多い姓ですし、アイヌであることをいつも意識させられるからです。しかし、次第に私は、木彫に自己表現を追求し、アイデンティティを問いながら、作品にメッセージを込めるようになりました。そして現在では、この名前でメディアに取り上げられ、さまざまな場で作品や制作について語っています。けれども、時々ふと、

図5　労作《樹布／カパラミㇷ゚》の完成を喜ぶ貝澤徹(撮影：吉原秀喜)

「貝澤」姓で登場する私の存在を目にして、嫌な思いをしているアイヌがいるのではないかと思うのです。若い世代の意識は大きく変わったと実感しますが、アイヌへの差別や偏見がなくなったとは言い切れないからです。それだけに、良い作品を世に出していかなければいけない、恥ずかしくない仕事をしようと考えるのです。

「伝統」と「アート」をめぐる「葛藤」のくりかえしは、これからも続くと思います。「伝統」は、先人が「生活の糧」として継承してきた大切な部分です。また、「アート」は、アイヌ民族の一員である自分として、最も大切にしたい精神的表現のできる部分です。今日になって、アイヌとしての内面を表現しやすい時代になったのかもしれません。

おわりに

私の木彫人生を振り返ると、手本を示したり、刺激と目標を与えてくれたりする多くの人々に出会うことのできる、恵まれた環境だったと言えます。もちろん、日々の努力も大切です。

曽祖父ウトレントクは、アイヌ工芸の技法を残してくれました。祖父母、両親は、貧困からの脱出、生活向上にむけて、日々働き続けました。私は、今の時代を生きる「アイヌの精神」を表現し続けて行くことが、自身の大切な仕事だと思っています。

私が個人的に好きなアイヌ語のことばがあります。

「カント　オロワヤクサッノ　シネプカ　イサム」(天から役割なしに降ろされた者は一つもない)

私は、「アイヌ工芸」と「アイヌ・アート」で、私なりの役割を、これからも表現していくつもりです。そして、

「アイヌ　ネノアン　アイヌ」(「人間らしい人間」)

後の人が、私の生き様や作品を評価して、そのように言ってくれるとしたら幸いです。先輩たちは、そのような思いをもって、この「アイヌ　ネノアン　アイヌ」ということばを大事にしてきました。

アイヌ文化のバトンをつなぐ作り手の一人として、若い世代には足もとにある先人たちや私の作品からも、大いに何かをつかみ取り、伝統のアイヌ文様の木彫りの技術をみがくと共に、新しい表現に挑戦し、自分自身の精神的表現を果敢に試みて、アイヌ・アートの世界を一層豊かにしていってほしいと願っています。

追記

本稿は二〇一三年一一月一六日に開催された国際シンポジウム「先住民文化遺産とツーリズム：生きている遺産の継承と創造」(「セッション2　どのように継承していくのか」、北海道大学アイヌ・先住民族センター主催、会場北海道大学学術交流会館)における貝澤徹による報告原稿を大幅に増補、改稿したものである。オリジナルの原稿は、別に英国(ロンドン)のオックスフォード大学でも発表された。本稿成立の過程では、池田忍と吉原秀喜が質問を重ね、これに対する応答や考察を貝澤が加筆した。また注や情報の整理などにも池田・吉原両名が関わった。

貝澤徹の経歴や工芸家としての経験を伝える文献は、すでに複数刊行されているが、特に、貝澤自身による報告、エッ

セイ、インタビューに基づく論説には、以下のものがある。
- 貝澤徹・米田(吉原)秀喜編『アイヌ伝統工芸振興のための課題と方策に関する共同研究――北海道平取町二風谷における事例研究と提言』二風谷観光振興組合、一九九八年。
- 貝澤徹「プロフィール・言葉と作品」(財団法人アイヌ文化振興・研究推進機構編『アイヌからのメッセージ――ものづくりと心』(図録)、二〇〇三年、一二四―一二五頁)。
- 貝澤徹「言葉と作品」(財団法人アイヌ文化振興・研究推進機構編『アイヌからのメッセージ 二〇〇七――現在から未来へ』(図録)、二〇〇七年、七六―七九頁)。
- 貝澤徹「プロフィール・言葉と作品」(山崎幸治他編『テエタシンリッ テクルコチ(先人の手あと)――北大所蔵アイヌ資料 受けつぐ技』(図録)、北海道大学総合博物館/北海道大学アイヌ・先住民研究センター、二〇〇九年、二二―二七頁)。
- 貝澤徹「アイヌ伝統工芸と現代作品のバランス」山崎幸治・伊藤敦規編『世界の中のアイヌ・アート 先住民アート・プロジェクト報告集』北海道アイヌ先住民研究センター、二〇一二年、七一―九一頁。
- 内田順子「現代のアイヌアートの収集と展示」(『歴博』一七七号、国立歴史民俗博物館、二〇一三年三月、二〇―二三頁)。
- 内田順子「アイヌ文化の伝承のあり方と観光――白老と二風谷の場合」(『国立歴史民俗博物館研究報告』一九三集、二〇一五年二月、七三―九四頁)。
- 貝澤徹「(エッセイ)出会い」公益財団法人アイヌ文化振興・研究推進機構編『現れよ。森羅の生命――木彫家 藤戸竹喜の世界』(図録)、二〇一七年、二二二―二二三頁)。

【貝澤徹の世界】

図① 《樹布／イタ》
2006年(公益財団法人アイヌ民族文化財団〈以下，財団と略記〉蔵)

図②《ハンクチョッチャ／トンボ》
2008 年(財団蔵)

図③《ヤオシケプ／クモ》
2012 年(貝澤徹蔵)

図④ 《ニンニンケッポ／ホタル》
2010年(財団蔵)

図⑤ 貝澤幸司《幻想》
1998年(個人蔵)

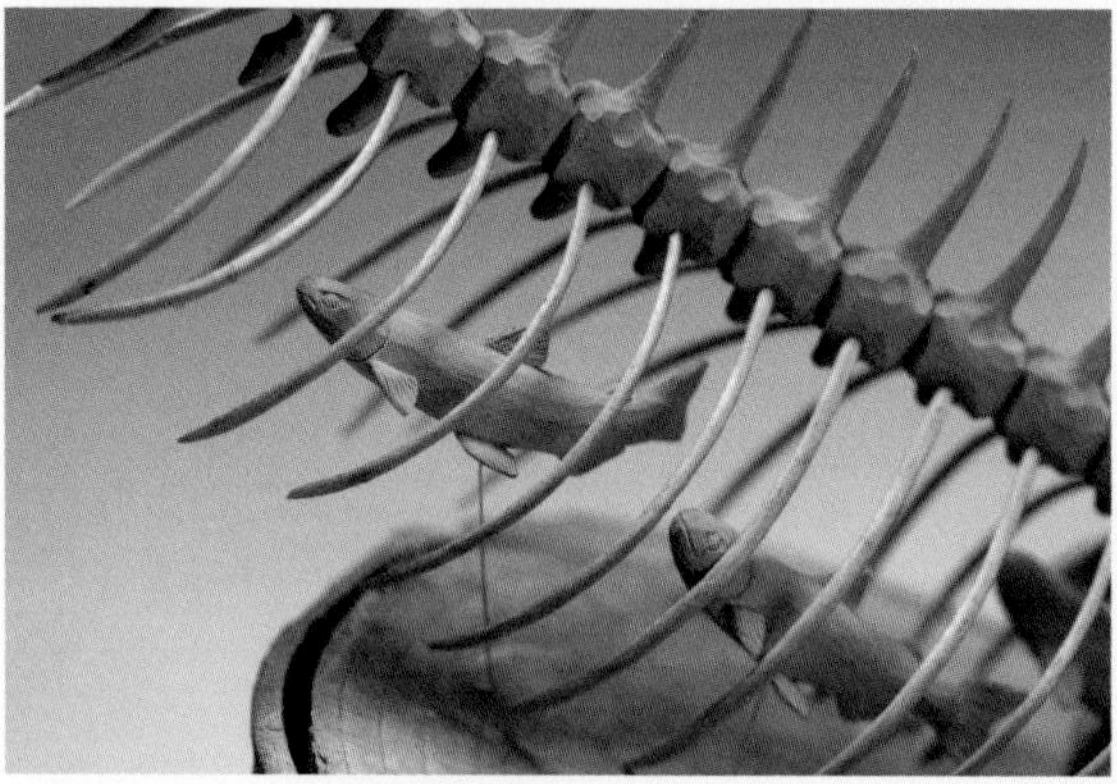

図⑥ 貝澤幸司《幻想》の部分

図⑦ 貝澤幸司《ぬし》
（札幌市 アイヌ文化を発信する空間「ミナパ」に展示）

図⑧ 《ウコウㇰ》
2012年(国立歴史民俗博物館蔵)

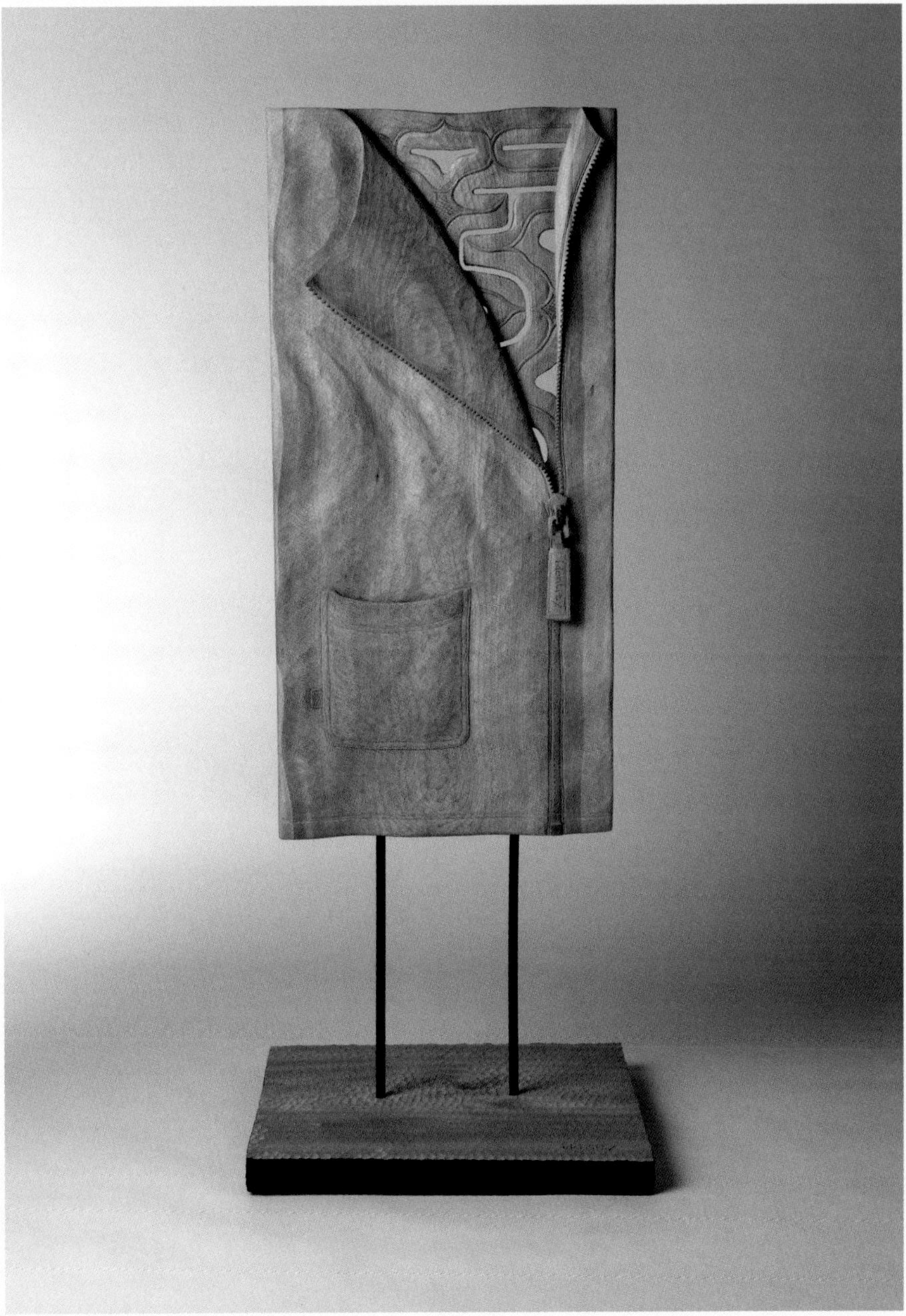

図⑨ 《アイデンティティ》
2011 年(財団蔵)

図⑩ 《ハンチングニマ》
2010年（個人蔵）

図⑪ 《ハンチングニマ》ニマ（器）としての使い方

図⑫ 《キムンカムイの手》
2015年(財団蔵)

図⑬ マキリ
（ウェブサイト「二風谷アイヌ匠の道」より）

図⑭ ニポポ人形
2015年(藤谷誠氏と合作，個人蔵)

図⑮ 中村政人氏個展「明るい絶望」会場風景
(アーツ千代田 3331)

図⑯《IWOR-UN-PASE-KAMUY／その場所を見守る尊い神様》
2019 年（札幌市 アイヌ文化を発信する空間「ミナパ」に展示）

図⑰《IWOR-UN-PASE-KAMUY》
（部分）

図⑱　沙流《さる》川中流域，荷負《におい》の景観
（撮影：吉原秀喜）

図⑲　二風谷「北の工房つとむ」にて
（撮影：吉原秀喜）

図⑳ 《Kewtum kanna-suy (Spirit Reborn)／精神再び》
2017年(©The Trustees of the British Museum)

図㉑ 《アペフチカムイ／火の神様》
2020年(写真提供：国立アイヌ民族博物館)

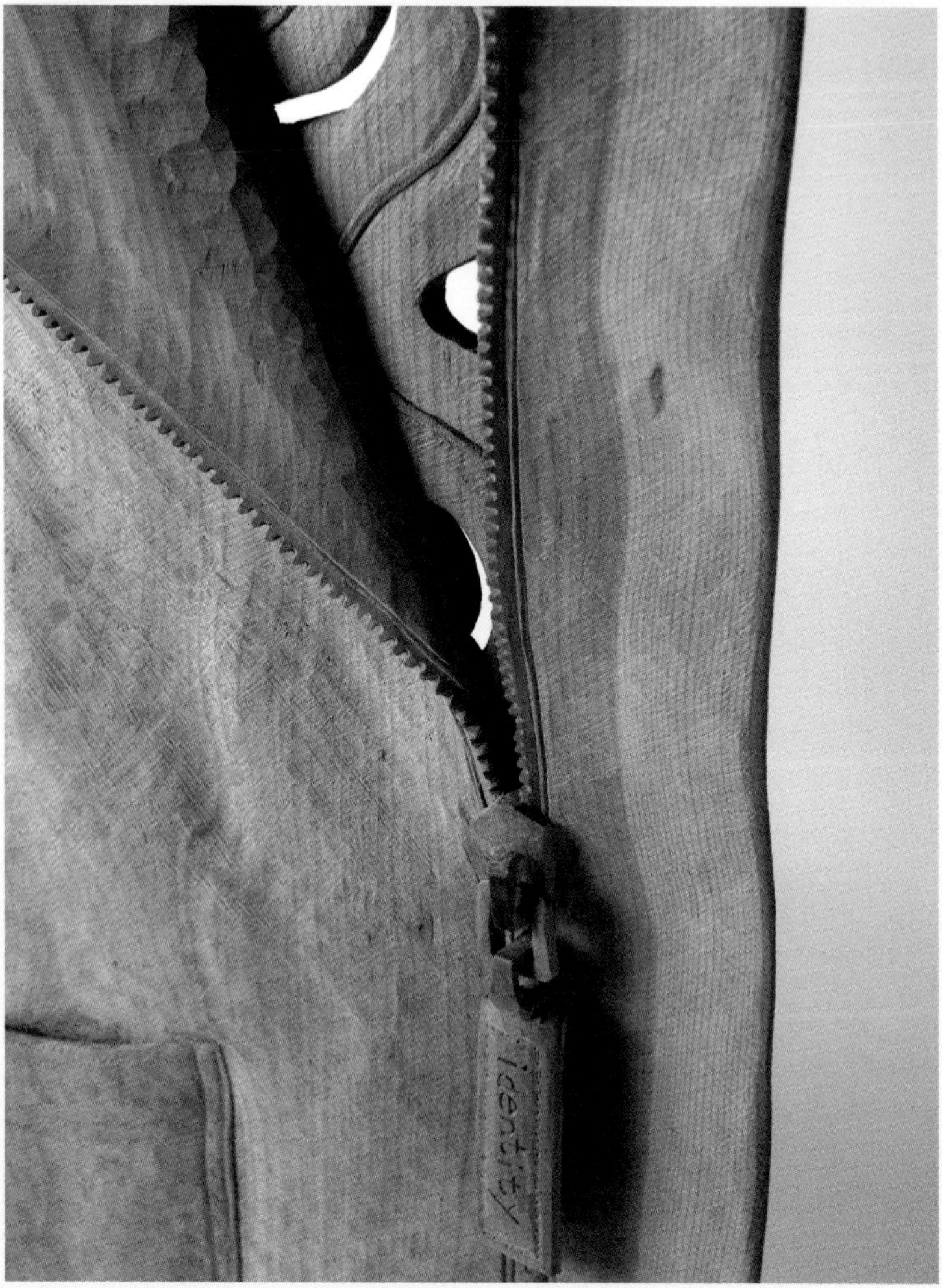

図㉒　《アイデンティティ》(図⑨)の部分

第3章

砂澤ビッキとチカップ美恵子の軌跡と表現

池田　忍

私は彫刻をし続けている。あるときは、かみさんの椅子であったり、食べるための器を作ったり、そして抽象的な彫刻を制作しているのだが、この生活のなかの彫刻と、制作を分類はしない。アイヌ民族とは天性的に造形性をもっていたのであり、私はアイヌを意識していない。意識しないところに出るものこそ、本質なのではないかと考えている。

砂澤ビッキ「木彫のこころ」(『日本の伝統工芸1　北海道・東北』ぎょうせい、一九八五年、九一頁)

美しく気高い祖母の励ましの夢だった。美しく刺繡した着物を広げて、私に説明してくれた。いくら説明しても、のみこめない私を祖母が叱った。祖母の声で目が覚めた。ああ、あのような美しい着物がほしい。天然色の美しい夢を見たのだ。

チカップ美恵子「母(伊賀ふで)の日記をひもとく」(『アイヌ文様刺繡のこころ』(岩波ブックレット、一九九四年、九―一〇頁)

はじめに

本稿では、変化する社会、時代の中で、自らの表現を模索し、制作を続けた二人の作家と作品を取り上げる。一九三一年生まれの砂澤ビッキ、四八年生まれのチカップ美恵子。その生年には一七年の差があり、生まれた土地や環境は異なる。それぞれを取り巻くアイヌ民族の暮らしは、この間にも大きく変化した。幼い砂澤ビッキは、祖父母世代のアイヌの物質・精神文化を身体に染み込ませて育つ。他方、チカップ美恵子にそれは十分には与えられず、母を通して、失われたアイヌ文化に対する強い憧れと誇りの種を受け取った。

とは言え、両者にとって、身近なアイヌ文化は変容を遂げ、失われつつあるものとして存在していた。それゆえに、自らの立脚点を求めて移動し、アイヌ民族の内と外に、多くの人々との出会いを求め、深い交わりを結んでいく。

以下、二人にとって「伝統」と呼ぶには遠く、しかし大きな存在だった「アイヌの造形」が、未知の人々に交わり、新たな芸術・知に触れ、作品を作り続ける実践の中で、問い直されていく過程を追いたい。言い換えると、「アイヌであること」が、どのように認知・自覚され、それぞれの表現の立脚点となるに至ったかを検討する。同時に、他者からの意味づけや解釈に抗い、時にそれらを取り込み、内在化させて、自己と人々の期待に応答しつつ作り続けた二人の作品を見つめる。アイヌの「伝統」、あるいは「自然との共生」といった紋切り型の枠組みから解き放ち、そうした言説を歴史化した上で、二人の先駆者たちの制作を、新たな解釈の可能性に開いてみたい。

1　砂澤ビッキの木彫――拡張する身体、手仕事の痕跡と「装飾」

造形の環境――旭川・阿寒・鎌倉

近年、再評価の機運が高まる木彫家・砂澤ビッキ(一九三一―八九。ビッキは蛙の意味で、彼の幼時の愛称。長じて作家としての活動においても自らBIKKYのサインを用い、周囲の人々からもこの名で親しまれてきた)は、北海道の中央、大雪山・十勝岳連峰の山々に臨む旭川市の近文《ちかぶみ》地区に生まれた。石狩川・忠別川・牛《う》朱別《しゅべつ》川・美瑛川など、本来アイヌ語を語源とする幾筋もの川が流れる盆地の一角である。

明治の初期、開拓が始まる以前には、和人によって上川《かみかわ》盆地と名付けられた広い範囲がアイヌの人々の生活圏(イオル)で、複数の集落(コタン)があった。屯田兵や本州各地の農民など和人の入植が始まると、交通の要衝や肥沃な土地から追い立てられ、狩猟や漁労などの生業を次第に奪われたアイヌの人々は、石狩川沿いの近文に移り住む。一九世紀の終わりに陸軍第七師団が置かれた旭川は、軍都として発展し市街地が形成された。一八九九年には「北海道旧土人保護法」が制定される。この後は同化政策の一環として付与される給与地での就農が、支援もなく勧められた。

さらに悪いことに近文では、商業資本による横領の企てをきっかけに、将来の払い下げを期待した旭川町(当時)が、給与予定地を北海道庁から一括で預かり、官有地としてアイヌに貸し付けた。ビッキの父・砂澤市太郎(トアカンノ)と母ベラモンコロは、一九三〇年頃から始まる給与地返還運動に加わり、幼子のビッキを伴って上京する。アイヌ細工の露店実演販売をしながら資金を稼ぎ、夫妻らが関係省庁、有力者に請願に回ったエピソードは、近代アイヌ史においてよく知られている。[1] しかし、ビッキの芸術が紹介される際に、こうした背景が詳しく取り上げられることは少ない。

そもそもビッキは、他のアイヌの表現者とは異なり、ほぼ唯一、生前から美術館に、つまりアートの文脈で作品が出品/展示されてきた作家であり、近年相次ぐ個展でも、そのオリジナリティ(独創性)が強調される。生まれ育った民族の文化環境は、「素地」や「源泉」のひとつと認められるも、そこからの飛躍こそが重視されてきた。

例えば「木魂《こだま》を彫る　砂澤ビッキ展」(二〇一七年、神奈川県立近代美術館)図録の巻頭文で、水沢勉は、「後年、圧倒的なスケール感あふれる彫刻家へと成長するための素地は、疑いなくこの幼年期に接したアイヌの文化伝統に根ざす木工芸に養われた」[2]と述べる。また、「砂澤ビッキ――風」展(二〇一九年、札幌芸術の森美術館)の解説では、両親がアイヌ文化の伝承者であったことに言及、幼少期の環境を「彼の造形性の源泉」と見る。[3]彫刻と並行して制作された木製アクセサリーや室内装飾品を取り上げる箇所では、その表面に彫られた文様に注目、父から小刀(マキリ)を用いた伝統的木彫、母からアイヌ文様刺繍を学んだとし、そこから「複雑な線の組み合わせによる独自の文様」、すなわち「ビッキ文様」が生まれたと言う。[4]

さらに「狭義のアイヌの「伝統」にとどまらない」異文化、幅広い芸術との遭遇が、ビッキ作品の特徴を生み、その成熟に深く寄与したと考えられてきた。水沢勉は、ビッキの故郷、近文には、未だアイヌの信仰に根ざした風俗が息づいていたと指摘する一方で、クリスチャンであった両親、特に熱心な母の信仰により、砂澤家が英国聖公会の伝道所となり、日曜学校が開かれる環境にあったと記す。また、一般には「伝統」と誤解されがちな木彫り熊は、観光土産として発展した近代化の産物であったと述べ、[5]アイヌ文化の混成性(ハイブリディティ)を、ビッキ芸術の背景に見出す。このような議論は、文化の本質主義を退ける近年の文化研究の視点を共有するものと言えよう。

年譜に従えば、一〇代の頃には北海道立農業講習所に学び、父と共に開拓に従事したビッキは、絵が好きで馬や牛を描いた。[6]戦後、旭川市街地の画材・民芸品店の二階を拠点に集まっていた若者たちと芸術を論じ、流行であったアンデパンダン展開催に至る熱気に触れる。[7]

とは言え、先行研究はこぞって、ビッキにとっての決定的な最初の転機は、一九五三年の上京にあったと見る。父の没後、観光客相手の木彫で生計を立てる暮らしの最中に、阿寒湖畔で出会った恋人と共に、彼女の出身地、神奈川県鎌倉へと移り住んだ。そこで、フランス文学者・澁澤龍彦のサークルに加わり、夏は阿寒、冬は鎌倉で過ごす数年の間に、ビッキは、未知の芸術・思想に触れ、中央の美術界に作品発表の場を得て世界を広げる。「砂澤ビッキの詩と本棚」展(二〇二〇年、北海道立文学館)は、澁澤を中心とする交友関係、シュルレアリスムやエロティシズムの流れを汲む文学、思想関連の著作、現代美術、人類学、自然科学におよぶビッキの読書体験に光を当てた。(8)

また、ビッキと民芸の作家・河井寛次郎との出会い(一九五九年)にも注目が寄せられる。河井による短期集中的な木彫面制作と、十余年を隔ててのビッキの一〇〇点にも及ぶという「木面」シリーズとが関連付けられた。(9)

以上、展覧会・研究史を振り返ると、砂澤ビッキが、その知と造形・イメージの両面にかかわり、豊かな水脈・人脈から養分を汲み上げる過程に関心が注がれ、詳細が明らかにされてきたと言えよう。他方、ビッキ作品の芸術性、精神性についての語りとその枠組みは、ほとんど変化していない。独創性の根幹と到達点として、常に「自然」とのかかわりがクローズアップされてきた。展覧会や関連書籍のタイトルに、「風」、「木魂」、「樹氣」といった言葉が用いられてきたのもそれゆえであろう。

自然への再帰と自覚

年譜に戻ろう。一九五九年、北海道・旭川に戻り、「ビッキの店」を構える阿寒と行き来しながら抽象彫刻の制作・発表を続けた。一九六七年には札幌に転居、七〇年代はアイヌ民族の復権運動に関与する傍らで、札幌や旭川のギャラリー、釧路や帯広の喫茶店、そして東京の有力画廊で精力的に展覧会を開催した。この頃までは、都会を制作と作品発表の場としたビッキだが、一九七六年の夏は旭川郊外、かつて父と入植した雨粉《うぶん》(現・旭川市神居町共栄)の山中にテントをはり、野外生活を送る。

二年後の七八年には、誘いを受けて、北海道の北端に近い中川郡音威子府《おといねっぷ》村筬島《おさしま》の廃校をアトリエとし、豊富な材木を用いた制作に邁進する。音威子府への移住が、ビッキにとって最後、最大の転機とみなされ、この文脈において彼の芸術と自然とのかかわりが強調されてきた。一九八三年一〇月から翌年一月にかけて、北海道生活文化・スポーツ交流事業の派遣員としてカナダのブリティッシュコロンビア州に渡り、同地の先住民族ハイダの彫刻家ビル・リードと出会う。彼らの伝統を受け継ぐ意志に貫かれた暮らしに触れ、同地の材木でビッキは制作する。北米先住民のトーテムポールを見て、素材とする木、そこに表される動物の造形の呪術性・象徴性に触発される。(10)

音威子府時代のビッキは、自然との交流について、大いに語った。晩年の代表作、《四つの風》(札幌芸術の森野外美術館に一八八六年設置)に寄せる文章には、「自然の中を彷徨」し、「自然と交感し、思索する」自らを登場させ、「自然は、ここに立った作品に、風雪と言う名の鑿《のみ》を加えていくはずである」と記した。(11) 五メートルをゆうに超える四本のアカエゾマツを、背中合わせに四方の風を受けるように配置する《四つの風》は、最初の一本が二〇一〇年に倒れて以後、倒壊と風化が進み、今、作品は自然に帰りつつある。風雨、風雪を受け列柱が屹立していた跡地には、倒れて割れ、粉々になった木片に、植物が芽吹き育っている(本書一六三頁、第6章図5)。そこに立つと、四季折々の風の貌が見えてくる。

振り返れば、抽象表現を知り、彫刻家としてスタートを切った五〇年代末から、ビッキは、「アニマル」そして「テンタクル」(下等動物の突起、触手を意味する)をテーマに、有機的な形態を探り、触覚世界の造形化を試みてきた。八〇年代の「TOH」「集呼吸」そして「風」にちなむシリーズは、全面に刻まれた細かな鑿目が波打ち、一部を抉《えぐ》られ緩やかにカーブする材木が組み合わされて、ユニークな形態が現れる。木の種類によって異なるが、近寄って表面を見ると、亀裂や小さな噴火口のように現れる穴/節からは、木の生命、「樹氣」が泡立つ。厳しい風雪の跡をとどめる瘤や空洞、節に語りかけるように鑿で木を刻むビッキは、手を通じて自らの身体を外部の木に拡張していく。

だが、一歩引いて見れば、このような造形とその解釈を通じて、木と作者の生命の一体化という一種の「神話」が生み出されてきたとも言える。作品と作家自身とを「自然」を介して強く結びつける語りは、なによりも卓抜な造形力、そして「自然の中で生きる」ことを希求し、実践したビッキの生き方と言葉によって裏打ちされているだけに、説得的で、なかなか抗いがたい(12)。

「装飾」の普遍性と時代性

しかし、社会に対し鋭敏に反応し、強く働きかけた砂澤ビッキという作家を、巨匠列伝の枠組み、神話から解き放つことで見えてくる魅力がある。再評価の機運が高まる今、ビッキとその作品を歴史に位置づけ、現在につなぐために、ここでは以下のふたつの視座を提示してみたい。

ひとつは、「装飾」(13)という概念の導入である。ビッキ芸術の本質と結び付けられ、「源泉」として言及されてきた諸造形との関係、あるいは「自然」といった意味から一旦離れてみよう。そして、作品に施された文様、全面を覆う鑿痕のリズム、視覚と触覚を刺激する木の形態が、空間に延び、空間を占め、空間を生成する様態を見つめ、「装飾」と捉えてみる。すると、ビッキ作品は、大文字の「美術」の外に広がる世界の多様な造形実践のひとつとして、立ち現れてくるのではなかろうか。作品は、自己表現や個人の独創性、精神性といった近代美術の価値観から解き放たれ、それらをジャンル横断的に見わたすことが可能になる。

今一度、ビッキの作品を振り返ってみよう。渦巻と組み紐を組み合わせ迷宮のような三次元性を備えた文様に覆われたアクセサリーや室内オブジェ(《樹鈴》、中原悌二郎記念旭川市彫刻美術館蔵、**図1**)がある。ビッキは、一九六一年に旭川の「アイヌ民芸センター」(代表・五十嵐広三)、一九六七年に札幌のスタンドバー「いないないばぁー」

図 3　砂澤ビッキ《午前三時の玩具》1987 年（札幌芸術の森美術館蔵．出典図 1 に同じ）

図 4　砂澤ビッキ《樹華》1983 年（北海道立近代美術館蔵．出典図 1 に同じ）

図 1　砂澤ビッキ《樹鈴》1977 年（中原悌二郎記念旭川市彫刻美術館蔵．札幌芸術の森美術館編『砂澤ビッキ 風を彫った彫刻家——作品と素描』マール社，2019 年）

図 2　砂澤ビッキ「いないないばぁー」店内内装，1967 年（現存せず．北海道立近代美術館編『TENTACLE 砂澤ビッキ展』北海道美術協力会，1994 年）

の店内装飾を手がけた。今は存在しない後者の店内写真を見ると、まさに反復的な文様を施したパネルの反復が、増殖するように空間を埋め尽くしている(**図2**)。

また「午前三時の玩具」の名でシリーズ化された小ぶりの木彫作品は可動の仕掛けを持ち、そのパーツは外部へと展開する(《午前三時の玩具》、札幌芸術の森美術館蔵、**図3**)。《樹華》は、皮を剥いだ無数の柳の枝を、参加する大勢の人の手で組み立てる、集合的で可変性を持つ造形である[14](北海道立近代美術館蔵、**図4**)。「TOH」「王と王妃」「風」のシリーズは、木の表層に手の痕跡を残し、窪みや亀裂によって空間を内部に孕み、なだらかなカーブとエッジが連続し、塊は絶妙のバランスで組み合わされる。線と面と塊がつくる様々なリズム、音色が空間に溢れ、響く(《風に聴く》、札幌芸術の森美術館蔵、**図5**)。

図5　砂澤ビッキ《風に聴く》1986年(札幌芸術の森美術館蔵.『樹氣 砂澤ビッキ展』札幌市芸術文化財団, 2001年)

「装飾」の潜在力は、「アート」の概念を押し広げ、従来のジャンルの階層秩序によって規定された「美術」>「装飾」=手工芸といった上下関係を無効化する。この視座を導入することで、ビッキの木彫作品と、次に取り上げるチカップ美恵子の刺繍作品とを同じ土俵に置き、考察、鑑賞することができる。

ふたつめは、改めてビッキが同時代のアイヌのひとりとして、民族にどうかかわったか、あるいはかかわらなかったかを検証することである。この試みは、本書第10章に譲りたい。関連して指摘しておくならば、ビッキと「自然」との交流は、同時代のアイヌによる文化運動のナラティブ、また和人によるアイヌ文化の意味づけのナラティブに通じる。ただし、その文脈は、チカップ美恵子の場合がそうであるように、独自の位相を持つ。

2　チカップ美恵子のアイヌ文様刺繍——「ラタシケップ[15]」な文化の創造を求めて

造形の環境——釧路から東京へ

チカップ美恵子(一九四八—二〇一〇。チカップはペンネームで、アイヌ語で「鳥」の意)は、北海道東部、太平洋沿岸の中核都市、釧路市に生まれる。阿寒湖から広大な釧路湿原、さらに太平洋岸に沿って続く湿原まで、そこは希少な動植物の宝庫だ。かつて湿原の周囲にアイヌのコタンが点在し、広い生活圏(イオル)があった。港として発展し市街地が形成されるにつれ、また川に遡上する鮭の捕獲が和人の漁業組合によって禁止され、アイヌの人々は移住を迫られた。

さて、アイヌ文様刺繍家として知られるチカップ美恵子だが、遺された作品の数は決して多くはない。亡くなった翌年、『チカップ美恵子の世界——アイヌ文様刺繍と詩作品集[16]』が出版され、続いて、北海道内の主要公立美術館ではじめてアイヌ現代作家の作品を大きく取り上げた「AINU ART　風のかたりべ」展(二〇一三年、北海道立近代美術館)にも、その作品が展示される。この展覧会は、過去の無名のアイヌの手仕事と、現代作家を同時に展示することに主眼を置いていた。彼女が制作した数少ない民族衣装、そしてタペストリー類や服飾小物などの布アートが、「伝統」の継承と創造の文脈の中で提示された。

とは言え、本書所収の五十嵐聡美(上記展覧会の企画者)や山崎明子が論じるように、現代の作家、とりわけアイヌであることを自らの立脚点とした表現者が、「伝統」を受け止め、これに向き合いつつ自らの表現を生み出す過程に踏み込み、その詳細を明らかにすることは容易ではない。それぞれの環境に応じた葛藤や選択があり、時代状況、周囲の人々との関係、寄せられる期待への応答を経て、作品は少しずつ変化し、作者のアイデンティティは更新されていく。

残念ながら「AINU ART　風のかたりべ」展に、砂澤ビッキの作品は出品されなかったが、その理由は、世代がやや上で、没後年月を経ていたからと言うよりも、彼の作品が「アイヌ」の伝統的造形から飛翔し、既に「アイヌ」を切り離した「アート」の文脈で認知・評価されてきたという認識がかかわっていたのかもしれない。しかし、両者の関係は、分離不可能ではないのか。チカップ美恵子の場合は、どうだったのだろう。

彼女がアイヌ文様刺繍に本格的に取り組んだのは、結婚し、関東に移り住んでいた二五歳の頃であった。それまでは油絵、人物画を描いていたが、絵画では到底プロになれないと思い、「一生を通してやれる仕事をしたい」と考えた。「そう決意したとき、母に習った刺繍なら、アイヌ民族である自分のアイデンティティも培っていけると思った」と記している[17]。六七年に亡くなった母の日記を読んだのもこの頃であったと言う[18]。チカップにとって、自らの「アイデンティティ」は、アイヌ民族であることと不可分に、しかし自立を志す年代には未だ確立されず、刺繡によって培うことができる可塑的なものとして、事後的に言及されている。

アイヌ文様刺繡家の主張——母なる自然の回復を求めて

アイヌ文様刺繡を始めた彼女は、北海道の兄に送ってもらった本でそれを学ぶが、模倣の域を出ていないと悩み、苦しんだ。幼い娘を伴って北海道へ赴き、ひたすら資料館や博物館を回る中で、先人の手になる民族衣装と向き合った結果、答えを教えられたと彼女は書く。なぜ、実物を見なければならなかったのか。

上記のエピソードは、彼女がアイヌ文様刺繡にのめり込んだ一九七〇年代後半ではなく、一九九四年に出版された『アイヌ文様刺繡のこころ』に記されている。この中で、彼女は、本物を見る前には、「私の刺繡は自分のものになっていなかった」、〝刺繡を自分のものにする〟とは、「一針一針にこめられた女たちの祈りうた」「いとおしいひとへの愛のメッセージ」に気づき、受け止めることだったと書く。そして、漁狩猟・採取民族だったアイヌの暮らしは、恋人同士が「鳥たちのうた声や風のささやきに季節の移ろいを感じ、山野をかけまわり、自然界のカムイたちと言葉を交わす」「ロマンある生活」だったと主張する。[19]

このようなチカップ美恵子の語りに対しては、近年、歴史社会学の立場からの批判的な言及がある。[20] 新井かおりは、アイヌ民族による自文化の歴史や語りを、日本社会に流通する多数者による言説(自己像/他者像双方のアイヌ・イメージ)やその構築過程に対比し、両者のずれや関係を探り、浮かび上がらせた。その中で、チカップを原告とするいわゆる「肖像権裁判」の過程で提示された彼女の言説を取り上げ、上記のような美化されたそれと、和人研究者による伝統的なアイヌ文化観とは、非歴史的という点で似通っていると指摘する。確かに、新井が言うように、美化されたアイヌ像は、野蛮とされてきた過去の和人の言説を裏返したに過ぎず、そのイメージに適合しないアイヌは否定される。また、新井は、チカップの主張が、同時代に装いも新たに登場する和人による言説、すなわち「(アイヌを)自然と共生する民族」とみなし、さらには「原日本人」と結び付けるナラティブ(哲学者・梅原猛に代表される)の隆盛と、時を同じくして現れたことにも目を向けている。

さてこの裁判は、遡る一九六五年、一七歳のチカップが、NHK札幌放送局制作の映画「ユーカラの世界」に出演した際のスチール写真が、北海道開拓百年を記念する学術書『アイヌ民族誌』(第一法規出版、一九六九年)に無断転載されたことを知ったことに始まる。映画の構成者で写真を撮影し、上記の本に提供したアイヌ文化研究家に抗議するも、納得できる回答を得られなかった。また、同書が全体として「アイヌは滅びゆく」という認識の下で構成されていることに対し、チカップは声を上げ、八五年五月、肖像権侵害と名誉毀損で訴訟を起こした。

一九八八年の和解(実質的には勝訴)に至るまで、アイヌ民族の意志と主張を訴え続けたこの裁判は、世界的な民族運動の流れに掉さすものとして注目を集めた。また、差別や偏見、あるいは存在の否定や無視が常態となっていた当時の日本社会に一石を投じることになった。

だが、チカップの著作を探ると、その怒りの原点は、写真を撮影されたことではなく、母・伊賀ふでが「差し上げるように」とチカップに持たせた刺繍のマタンプシ（鉢巻き）を、「この文様はにせ物だ」と言いながら受け取った、研究者の言葉に深く傷つけられた記憶にあったと記されている。[21]「肖像権裁判」は、アイヌ文化の担い手（表現者）＝主体としての母と自らを回復する闘争であったとも言えよう。

先に紹介したように、新井かおりは、チカップ美恵子による「ナルシシズムに満ちたアイヌ観」は、この「（美化された）アイヌ像の承認を（他者に）半ば強要するようであって、他者との関係を阻んでしまう」と述べ、これが「アイヌに関わるアイヌ・和人支援者、研究者のコミュニティの中で、無視できないモデルストーリーとなった」と指摘する。[22]このような側面があったことは確かであろう。しかし、アイヌ文様刺繍家としてのチカップ美恵子にとって、「肖像権裁判」を闘った八〇年代半ば以降、「アイヌの自然観」は、表現の源となり、活動を広げる上で、不可欠な拠り所となった。

彼女は、和人によって破壊されたアイヌの精神世界を、アイヌ文様刺繍を例に語り始め、また制作を通じてアイヌ文化の再生、創造に励んだ。裁判所に提出された陳述書の冒頭には、アイヌ本来の精神世界として「自然界の神々と共に生きる」姿が、男たちの漁狩猟と女たちの刺繍を例に語られる。「刺繍を施すとき、それは、そのものを生けるカムイ（神）に仕立てることだった。そして、その一針一針は独特な抽象文様となり魂を結んだ」[23]との一節は、アイヌ文様の意味についてのひとつの解釈だが、彼女ひとりのものとは言えない。幼少時から親しみ尊敬の念を捧げる伯父の山本多助の思想、言葉や文章を参照している。[24]

同時に、山本の妹でアイヌ語の詩や日本語の詩と日記を残した母の言葉を反芻し、そこに表された自然へのまなざしを共有した痕跡が認められる。一九九〇年に制作が始まるカレンダー（二〇〇二年まで）によって、風景の中に刺繡作品を配したイメージを発信する頃には、作品タイトルにアイヌ語が次第に用いられるが、それらは母のアイヌ語の詩のタイトルやモチーフとの相関性が高い[25]。母のアイヌ語の詩とは、彼女が受け継いできたウポポ（歌）に他ならず、チカップはその言葉を、彼女の創作の源泉として用いていった。

図6　チカップ美恵子《レサッ・レラ／夏風》1990年代後半（佐藤辰美コレクション）．『チカップ美恵子の世界――アイヌ文様刺繡と詩作品集』北海道新聞社，2011年

沖縄と出会って――深まる「共生」の思想

さらに注目すべきは、そのアイヌ文様刺繡の表現の変化である。

チカップが自らの手元で保管していた刺繡作品八八点のうち、制作年代の判明する八〇年代後半以降の作品を順に見ていくと、次第にひとつの作品に用いられる糸の色数が増えていくことに気づく[26]。また、色彩が豊かになるだけではなく、文様刺繡の配置にも変化が伺われる。従来からの方法に加え、新たに基本的パターンを組み合わせた小さな文様の単位を反復して布全体に展開する作品があらわれてくる。例えば《ピカタ・レラ／南風》《レタラ・オタ／白浜》（一九九八年）、《レサッ・レラ／夏風》（一九九〇年代後半、**図6**）などがそれにあたる。いずれも南国の沖縄をイメージした作品だが、一定の文様の単位を布一面に展開している。また沖縄で入手した木綿や麻の布を用いたと思われる作品も複数確認できる[27]。

チカップの沖縄訪問は[28]、一九八七年にはじめて連続して二度実現するが、後に展覧会開催を目的とする訪問を九四年（那覇市リウボウ美術サロン）、九六年（南風原文化センター）、九七年（名護博物館）、二〇〇〇年（本部町立博物館）と重ねている。エッセイの中でチカップは、沖縄を訪れた際に地元の工芸家にもらった苧麻《ちょま》織《おり》にアイヌ文様刺繡を施した作品が仕上がったこと、名護博物館での作品展の折にもらった芭蕉布《ばしょうふ》を前に「いずれこの芭蕉布とアイヌ文様の心をじっくり創造して、南北のチャンプルー(混ぜこぜ文化)にしたいと思う」と想いを巡らせている。[29] 沖縄で調達したウコンで布を染め、これにアイヌ文様刺繍を施すと「ほどよく調和し、南北の趣が小気味よく伝わってくる」とも記した。[30] 祖先神(守護神)崇拝の共通性や昆布の流通を例に挙げ、アイヌ・モシリと沖縄のつながりに言及し、南北の植生の違いに由来する色の相違に注目した上で、アイヌ・モシリの冬の自然のモノトーンを基調とする世界と対照的な極彩色にあふれる沖縄を結び、「アイヌ文様刺繍に沖縄の華やかさを拝借し、南北のチャンプルー(琉球語)＝混ぜこぜ文化を模索していきたい」と述べる。[31] 彼女が言う「沖縄の華やかさ」とは、もちろん彩りに満ちた景色、自然を指すのだが、ここに沖縄を代表する工芸、紅型《びんがた》との出会い、そこからの借用(「拝借」)を想定することには無理があるだろうか。

チカップには戦後の廃墟から紅型を復興した城間栄喜《しろまえいき》氏の経験に心を寄せるエッセイがある。[32] また交流の催しやパーティーの場で、紅型をまとう踊り手たちの琉球舞踊を鑑賞する機会もあったことがわかるが、紅型の表現から学んだ痕跡を、著作の中に具体的に見つけることはできなかった。しかし、鉱物から得られる「顔料」の赤・朱、青、黄とそれを混ぜて得る緑、紫、白を混ぜて作る中間色を用い、モチーフとする植物や動物を、それ自体が持つ固有の色から離れて、自由な彩《いろどり》を可能にする「紅型」の華やかさは、沖縄の自然に通じる。また、型紙を連続して置くことで繰り返す「かたち」(文様)、とりわけ戦後の復興紅型においてはじめて描かれることになる沖縄由来の植物モチーフを、小さな型紙を連続的に置いて表す作品には、豊かな色数に加え、筆で染める際の暈《ぼか》しによって動きと光が備わることに注目したい。

これに対し刺繍という技法は、言うまでもなく染織とは全く異なるが、彼女の技をもってすれば、リズミカルな一針一針の目の連続によって、強い線が布地から立体的に浮かび上がり、影を生む。さらに同系色の糸のステ

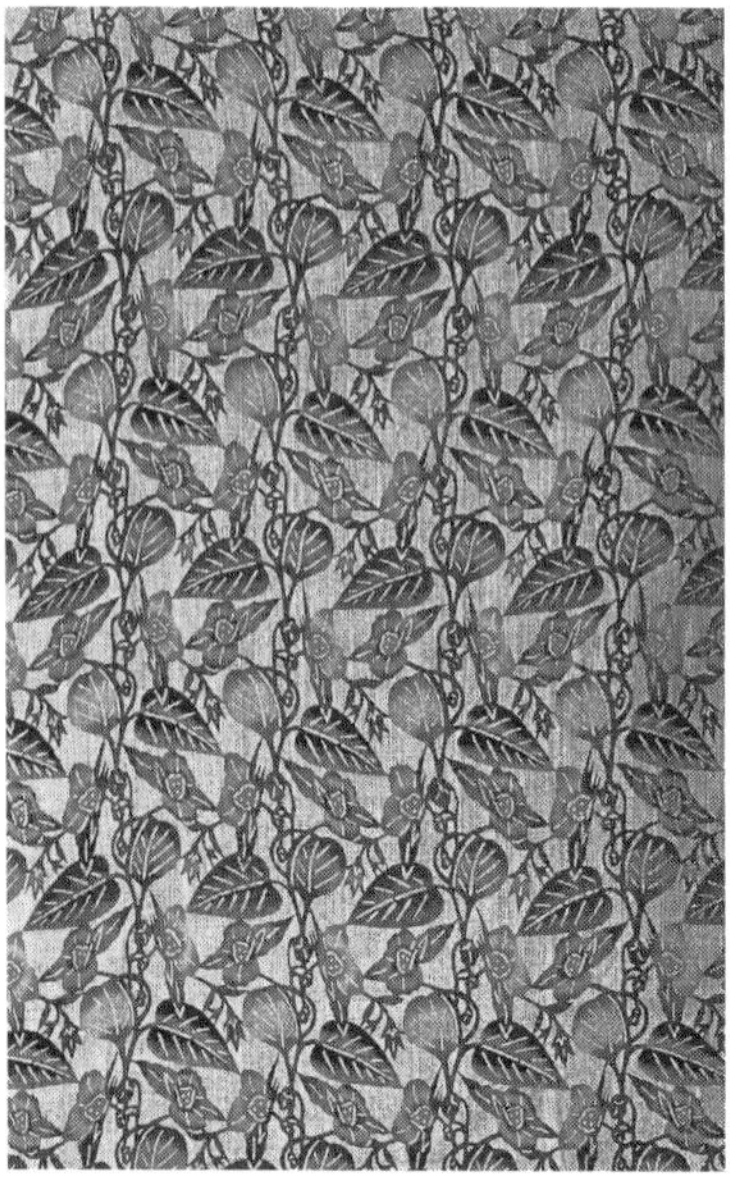

図8　玉那覇有公《芭蕉蔓草文様両面紅型衣装》1998年（沖縄県立博物館・美術館蔵．与那覇一子『沖縄　染織王国へ』新潮社，2009年）

図7　チカップ美恵子《フレベンナ／虹の歌》2002年（出典図6に同じ）

ッチを寄り添うように並べて刺すことで、グラデーションが生まれる。その中の明るい糸によるステッチがハイライトの効果をもたらし文様に輝きが備わる。二〇一一年に出た作品集の表紙を飾り代表作となる《フレベンナ／虹の歌》（二〇〇二年、**図7**）や《ピリカ／美しい》（二〇〇一年）では、小さな単位の文様の繰り返しと、卓越した刺繍の技術によって、やがては消えゆく光のきらめきを表している。材質を超えた文様の動静と光の表現、装飾の魅力と特性の共通性ゆえに、例えば現代紅型の名匠として知られる玉那覇《たまなは》有公《ゆうこう》（一九三六―）の《芭蕉蔓草文様両面紅型衣装》（一九九八年、**図8**）と並べてみたくなる。

　チカップは、「沖縄の華やかさを拝借」してつくる「南北のチャンプルー文化」を希求し、それはアイヌの「ラタシケップ＝混ぜこぜ文化」に通じると言う。「交易で木綿衣が移入されてからのアイヌ民族の衣裳は、いわば日本文化とのラタシケップ＝混ぜこぜ文化」だったと彼女は考える。沖縄の厳しい戦後に、関係者の強い意志で復興した紅型の歴史、そこで伝統を受け継ぎながら創造された新たな表現に触発されて、チカップの刺繍文様の集大成とも言うべき「フレベンナ」が生まれたと想像することは、飛躍に過ぎるだろうか。

チカップは、「異文化とのラタシケップには、〝共に生きる〟という真実と未来を創造するエネルギーがある」と述べる。そして、「このラタシケップの思想をアイヌ文様刺繍のモチーフに、人間として、自己としての至福を追求していきたい(33)」と願った。

長い伝統を持つ沖縄の紅型は、受け継いできた型紙や道具類のすべてを戦争に奪われ、経済的基盤の崩壊、社会的需要の消滅に直面してなお、断絶の危機を乗り越え再生し、新たな表現を生んだ。奪取と破壊の後で、「伝統」を復興するのみならず、従来は表現されなかった在地の植物や風景に取材する「かたち」(文様)を創り、紅型は再生し復興した。その歴史への共感と共に、美しい沖縄の自然の表象に触れたことが、チカップ美恵子のアイヌ文様刺繍に新境地をもたらす要因のひとつとなった可能性を指摘したい。

おわりに

エリック・ホブズボームが、近代において「「伝統」は創られる」(*The Invention of Tradition*, 一九八三年。前川啓治他訳『創られた伝統』紀伊国屋書店、一九九二年)と喝破して久しい。近代国民国家によって否定されたアイヌ文化を自らの立脚点とし、制作を通じてアイデンティティと表現とを同時に模索した作家たちの葛藤は、一層複雑である。多数者の言葉を通してアイヌ文化が語られ、自らを規定(抑圧/期待)すると感じた時、表現者は激しく抵抗し反発する。あるいは、時に無視することで、否応なしに「伝統」を意識する。他方で、自らを力づけ、解放し、新たな制作へと導くのもまた、意識的に倣うことで培った技術としての「伝統」ではなかったか。作り続ける行為の最中に、「伝統」は解体され、再生し、作品に結実していった。その意味において、砂澤ビッキとチカップ美恵子は、アイヌの造形を更新しながら、唯一無二の表現世界を切り拓いた先駆者だったのである。

(1) 榎森進『アイヌ民族の歴史』第九章(草風館、二〇〇七年)、金倉義慧『旭川・アイヌ民族の近現代史』II章(高文研、二〇〇六年)他。両書には、一九三二(昭和七)年六月に上京したアイヌ地返還要求上京委員会の上野駅頭での集合写真が掲載され、そこには母ベラモンコロに抱かれるビッキの姿も写っている(榎森、四九七頁。金倉、三五六頁)。
(2) 水沢勉「砂澤ビッキ――木魂と呼び交わし生まれる無限のかたち」同展図録、一〇頁。
(3) 札幌芸術の森美術館編『砂澤ビッキ　風を彫った彫刻家――作品と素描』マール社、二〇一九年、四六頁。
(4) 注3前掲図録、六一頁。
(5) アイヌの「熊彫り」については、本書第1章(五十嵐)、水沢が参照する浅川泰『砂澤ビッキ――風に聴く』(北海道新聞社、一九九六年、六八―七〇頁)、池田忍『手仕事の帝国日本――民芸・手芸・農民美術の時代』(岩波書店、二〇一七年、二〇四頁)他参照。
(6) 浅川、注5前掲書、八三頁。
(7) 浅川、注5前掲書、七〇―七七頁。
(8) 日本のシュルレアリスム、アイヌ文学、ビッキとの交流に焦点化した北海道文学の動向を併置した年譜(「ビッキと時代性」)、ビッキの文章、会場構成等を紹介するパンフレットが編集・配布された。
(9) 橋秀文「砂澤ビッキの〈木面〉シリーズをめぐって」(注2前掲図録、六六―六九頁)に詳しい。ビッキ自身、河井寛次郎、浜田庄司、バーナード・リーチとの「伝統と創造」をめぐる歓談を、後に回顧している(「木彫のこころ」『日本の伝統工芸I　北海道・東北』ぎょうせい、一九八五年、九〇―九一頁)。
(10) 浅川、注5前掲書、一二二―一三〇頁。注3前掲図録、九一―九三頁。
(11) 『札幌芸術の森野外美術館図録』一九八六年、八六頁。
(12) 評伝に『風の王』(柴橋伴夫、響文社、二〇〇一年)、『ラストカムイ』(芦原伸、白水社、二〇一九年)がある。吉田ルイ子をはじめ多くの写真家が撮影した、ビッキの肖像写真の影響も考慮に入れたい。最近では、井上浩二・マリエによる『四つの風　砂澤ビッキの創作世界』(砂澤凉子監修、北海道新聞社、二〇二〇年)が刊行され、音威子府のアトリエとその周辺、創作現場のビッキの写真が、未発表の創作童話、メモや絶筆と共に紹介された。

(13) 天野知香「「装飾」の潜在力」(総論)『美術フォーラム21 特集「装飾」の潜在力』四〇号、二〇一九年、二一―三〇頁。この論考の(注1)において天野は、便宜的に日本語の「装飾」を、飾る行為やその結果を示す全体的概念として、「文様」という言葉を、そのために用いられる個々の部分的装飾を意味するものとして用いている。
(14) 《樹華》については、夫人の砂澤凉子が、柳の枝を集めその皮を剝ぐ作業過程を振り返り、「「作品に参加して作り上げて行く」というビッキのひとつの制作姿勢がよくわかる作品であると思う」と造形の意義を指摘している(「風籟――「四つの風」の声を聴いた」『樹氣 砂澤ビッキ展』図録、二〇〇一年、六五頁)。
(15) アイヌ語で「混ぜたもの」という意味。豆類、様々な山菜や野菜を柔らかく煮て潰し、獣油や魚油などであえる料理。萩中美枝・藤村久和・村木美幸他『日本の食生活全集四八 聞き書き アイヌの食事』(農山漁村文化協会、一九九二年)、計良智子『フチの伝えるこころ アイヌの女の四季』(寿郎社、二〇一八年、一六頁)参照。
(16) チカップ美恵子(刺繡作品・エッセイ・詩・イラスト)、植村佳弘(写真・解説)『チカップ美恵子の世界――アイヌ文様刺繡と詩作品集』北海道新聞社、二〇一一年。
(17) チカップ美恵子『アイヌ文様刺繡のこころ』(岩波ブックレット)、岩波書店、一九九四年、三三頁。
(18) 植村、注16前掲書、一四三頁。
(19) 注17前掲書、三八―三九頁。
(20) 新井かおり「戦後のナラティブ・ターンから眺めるアイヌの諸運動と和人によるアイヌ研究の相克」『応用社会学研究』五六号、二〇一四年。
(21) チカップ美恵子『風のめぐみ アイヌ民族の文化と人権』御茶の水書房、一九九一年、一七六―一七七頁。
(22) 注20前掲論文、二三二―二三三頁。
(23) 一九八八年六月三日提出の陳述書(現代企画室編集部編『アイヌ肖像権裁判・全記録』現代企画室、一九八九年、二五四頁)。
(24) 池田忍「アイヌ・アートをめぐる「物語」の現在《前編》――享受者の視点から可能性を考える」『歴史=表象の現在II――記憶/集積/公開』(上村清雄編、千葉大学大学院人文社会科学研究科研究プロジェクト報告書 第二九四集)、二〇一五年三月、二二八頁。
(25) 例えば、代表作の一つ《フレベンナ/虹の歌》は、母のノートの一九六五年一〇月八日付の詩(釧路地方の歌/ウポポ)をモチーフとする。伊賀ふで(麻生直子・植村佳弘編)『アイヌ・母(ハポ)のうた 伊賀ふで詩集』(現代書館、二〇一二年、四七―四八頁)参照。

(26) 注16前掲書には、植村佳弘により残された九二点の中から完成作八八点が撮影・掲載されている。また同書掲載の作品リストによれば、三分の一弱の作品は制作年代が不明であるが、表現や素材を手がかりに推察すると制作が確実に八〇年代前半以前に遡る作品は少ない。

(27) 注16前掲書中の「チカップ美恵子刺繡作品リスト」(一五二―一五七頁)に記された素材、技法、特徴についての記述参照。

(28) チカップ美恵子は「肖像権裁判」の頃から、民族の尊厳回復と権利獲得を目指す運動にかかわり、頻繁に海外に赴く。八五年七月の国際婦人年世界会議NGOフォーラム(ケニア・ナイロビ)を皮切りに、九〇年代以降はアメリカ、ロシア(サハリン)、ノルウェー、ブラジル、インド、台湾と続き、各国の社会的マイノリティーとも連帯して国際会議や交流イベントに出席、発言を続けた。

(29) チカップ美恵子『アイヌ・モシリの風』NHK出版、二〇〇一年、一四三頁。

(30) チカップ美恵子「ウコンの色」『毎日新聞』一九九五年一一月二七日(注29前掲書、六八頁に再掲)。

(31) チカップ美恵子「アイヌ民族の文化と私」河合隼雄・中沢新一編『現代日本文化論1　私とは何か』岩波書店、一九九八年、一六七―一六八頁。注32のエッセイにも同様の主張が見える。

(32) チカップ美恵子「心を紡ぐ」『同朋新聞』一九九八年一月一日(注29前掲書、一三〇―一三一頁に再掲)。

(33) 注31前掲評論、一六八頁。

第4章 イラスト表現の可能性

小笠原小夜

はじめに

私の母はアイヌ、父が和人である。私は事務員として働きながら自らのルーツを学び、時にアイヌに関わるイラストを描き暮らしている。絵を描くことは幼少期から好きであったが、まさか将来、伝統的アイヌ文化をCG（コンピュータ・グラフィックス）で描くことになろうとは、想像すらしたことがなかった。好きなことを続けた結果、思ってもいないところで自分の世界が広がったことに驚いている。

もともと私はアイヌ民族に関連した絵がとても嫌いだった。ひと昔前は、絵本や小説の挿絵など、薄暗く重苦しいタッチのものばかりだったからだ。絵のみならず内容までも重い。日本の昔ばなしや、外国の童話など、かわいらしい絵の物がたくさんある中、アイヌがテーマになるとなぜこうも陰鬱なイラストばかりなのか。歴史的背景や貧困、差別など和人が持つアイヌのイメージが、目につくたびに嫌な気持ちになった。

1　作品について

ポストカード

私がアイヌとして自己表現する作品展に初めて参加したのは、首都圏在住の若いアイヌが集まり結成したAinu Rebels のグループ展だ。ステージパフォーマンスを通しての表現が多かったが、二〇〇九年に一度だけアート作品展をしたことがある。私を含め、普段そういったこととは全く無縁だったメンバーたちが、何かを思い思いに形にするのだ。とてつもなく唐突であり、面白い企画である。当日、ギャラリーに並んだ作品は、イベントタイトル Cup Kamuy（月、太陽）をモチーフにしたデザイン画、アイヌ刺繍を施したハンチング、タペストリー、自身を描いた油絵など、メンバーたちの意外な特技や内面表現を知る機会となった。

私はアイヌに関わりの深い動物と、アイヌ文様をイラストにした作品を一〇点持ち込んだ。どちらも私が好きなモチーフである。

- 単語を覚えるためイラストにアイヌ語を描き込む。
- アイヌ民族の世界を明るく楽しく描く。

この企画の時に決めた自身のテーマ二つは、その後も私の描くイラストに共通している。明るく楽しい画風とは、日本社会が想像するアイヌ民族の重いイメージに対する反骨的な思いでもあり、「革命、既成概念を打ち破る」との意味を込めた、Ainu Rebels というグループ名に思いを重ねた。

この時の作品は後にポストカードとなり、現在も博物館のミュージアムショップで販売されている（本書九九頁、**図①**）。イラストの中にはアイヌ語が書きこまれていて、誰かがポストカードを送るたびに、誰かにアイヌ語が一つ届くのだ。

大判カレンダー

私の作品で、時々目撃情報をいただくのが、(公財)アイヌ民族文化財団発行のカレンダー(九〇頁、**図1**。一〇〇―一〇一頁、**図②**)である。アイヌ関係施設や道内の図書館、保育園など、人が集まる場所に貼ってあるので目に触れやすく、私＝カレンダーというイメージを持つ方もいるようだ。A２サイズ(縦五九四ミリ、横四二〇ミリ)の一枚もので、二〇一三～二〇二〇年と関わってきたが、初めて描いたのが一羽の巨大なコタンコㇿカムイ(シマフクロウ)だ。アイヌの世界ではキムンカムイ(ヒグマ)と共に位の高い動物神と言われている。翌年、提案したキムンカムイは残念ながら不採用、巨大動物シリーズへの道が絶たれた。悩んだ結果、アイヌ文様をメインに、ペヌㇷ゚(イケマ)など有毒で狩猟や魔除けに使われる植物や、物語の中で雄弁だと語られる鳥のエヤミ(ミヤマカケス)を描いた。後日、遠方に住む方から「ペヌㇷ゚を描いたね」と連絡をいただき、植物に気づく人がいたことがとても嬉しかった。

そこで三年目にはレㇷ゚ニハッ(チョウセンゴミシ)という赤く甘酸っぱい実を、四年目はハッ(ヤマブドウ)、五年目にマウ(ハマナス)、六年目にアハ(ヤブマメ)、七年目にニセウ(ドングリ)という具合に、アイヌの暮らしに関わりの深い植物をアイヌ文様に絡める定番スタイルが生まれた。ある時、来年は何の鳥？と聞かれ、初めて気づいたのだが、三年目までなぜか鳥ばかりを描いていたのである。というわけで四年目以降は鳥以外の動物、海獣、と意図的に対象物を変えていった。人物やコタンの風景、文様のみのバージョンなども検討されたが、結果、なぜか動物シリーズという展開になっている。

このカレンダーには、カタカナ表記で月ごとにアイヌ語を記している。それは、一月は睦月《むつき》、二月は如月《きさらぎ》、三月が弥生《やよい》といった和風月名のような表現なのか？と聞かれることがあるが、アイヌの四季はもともと一二分割

図1 大判カレンダー(2013〜2020年．公益財団法人アイヌ民族文化財団．2013・2014年，2017〜2019年版は100–101頁に掲載)

2015年：レㇷ゚ニハッ(チョウセンゴミシ)，ニウウェオ(エゾリス)，アッ(エゾモモンガ)，チㇷ゚タチㇼ(クマゲラ)，エソクソキ(アカゲラ)，エニコカラセㇷ゚(コゲラ)

2016年：ハッ(ヤマブドウ)，チロンヌㇷ゚(狐)，トンコリ(弦楽器)

2020年：シリカㇷ゚キナ(オカトラノオ)，シリカㇷ゚(メカジキ)，サメ(サメ)，エレクㇱ(タラ)，ニナ(ヒラメ)

されてはいない。地域や個人の表現の違いにより様々であるため、月名をアイヌ語で表すのは難しいと判断。そこで一月はシネㇷ゚(一つ)、二月はトゥㇷ゚(二つ)、三月はレㇷ゚(三つ)、といったアイヌ語の数字になっている。一一月からシネㇷ゚イカㇱマワンペと急に言葉が長くなり、難しいが面白い。これは「一つ・余り・十」という意味で、これで一一ということになる。数は様々な場面で使えるので、ぜひとも覚えて欲しい単語である。

点字カレンダー

NPO法人ユニバーサルデザイン絵本センター発行の点字カレンダー(一〇二頁、**図③**)は、ボランティアで作られ、毎年盲学校にプレゼントされている。一年ごとにテーマは様々で、二〇一九年は「日本の先住民族アイヌ」。法改正により初めてアイヌが先住民族だと明記された年を記念するタイトルだ。

曜日や日付は点字になっており、撫でるとツルツルした本の表面は触っていてとても気持ちが良い。カラフルなカレンダーをパタパタ開き裏返すと、一枚の大きなカレンダーになるのだが、紺白のツートンカラーで様子が一変する。裏面は色弱の方が見やすい色合いになっているそうだ。アイヌ語の子音表示も工夫され点字で表現されている。面白いことにイラストも立体的な印刷で表されている。携わっている方々の思いやアイディアが凝縮しており、私の知らなかった世界に関わらせていただいた貴重な作品である。

アイヌ語木製カルタ

二〇一三年、千葉県佐倉市にある国立歴史民俗博物館の第四展示室(民俗)がリニューアルされた際、アイヌの展示コーナーが拡張され、伝統的な物だけでなく現代アート作品も並んだ。その中に私のアイヌ語木製カルタ(一〇五頁、**図⑥**)がある。この作品は、アイヌ語を学ぶ現代アイヌの現状を表している。日常生活の中でアイヌ語を覚えたいという私の思いと、地域や時代により素材やデザインが異なる個性的で魅力的なアイヌ刺繍を知って欲しいという思いを形にした。カルタの裏面は木板に刺繍をはめ込み、アイヌの男性は木彫り、女性は刺繍を手仕事にしていることを素材でイメージした。

普通のカルタと違うのは、頭文字を一文字とするのではなく、単語を覚えるために一単語を丸々表記しているところである。現在、アイヌ語学習者はローマ字表記で学んでいる。アイヌ語の発音がより正確になるからだ。そこで、子供向けのカタカナと、ローマ字の二種類を同時表記した。のちに、このカルタをベースに教材用として紙で作られたものがある(一〇六頁、図⑦)。カルタを知らない海外の方たちと遊ぶ機会があったが、ローマ字表記だったのですぐに遊べたことが嬉しかった。イラストからアイヌ文化を紹介したり、応用編としてカルタを二〜三枚並べ、文法の学びへステップアップしたり、同じカルタを二セット用意し、神経衰弱をするなど、トランプのように繰り返し遊びつつアイヌ語を学べる。

重複もあるだろうが、今まで四五〇単語にイラストを描いてきた。作品作りが学びとなり、そして一応、私はこれだけの単語を覚えたはずなのだ。

《hure hunta》

国立民族学博物館所蔵の作品《hure hunta》(一〇八—一〇九頁、図⑨)は、赤い札という意味で、北海道レッドデータブックを元に、絶滅種となった動植物を描いている。アイヌの物語には、幻となってしまったエゾオオカミやカワウソなどがたびたび登場するのだが、他にどのような生き物の命が失われてしまったのか気になっていた。意外だったのはトキである。今まで読んだアイヌの物語にトキが出てきたことはなく、北海道には存在しないと勝手に思い込んでいたのである。トキのアイヌ語名が不明だったため、イラストには鳥の総称である「チカㇷ゚」

と記した。絶滅とは生態系が狂うだけでなく、そこに関わる言語や文化もろとも失われていくことなのだと改めて実感した。先祖たちが見ていたであろうその姿を、子孫である私は見ることができない。

図2 kotan／村——先祖たちが見ていた景色(2015年)
食材の宝庫である山川に囲まれ，アイヌの伝統的家屋チセが点在する豊かなコタン(村)，そこには行けない私が，狩猟の際に建てるクチャ(仮小屋)から見ている．

2　イラストによる差別的表現

架空部族のキャラクター

私は、お小遣いを手にするとすべて駄菓子に投資するような子供だったのだが、小学校高学年から中学生ぐらいになると、微々たる予算をやりくりし、好きなキャラクターの文房具やグッズをコレクションし始めた。動物や、かわいい二等身のキャラクターなど、いろいろある中から私が惹かれたのは、槍を持ち腰ミノ姿、褐色の肌の架空部族だった。寒さ厳しい北国育ちの私は、暖かそうな南国の雰囲気や、見たこともないヤシの木に憧れたのだ。

しかし、いつの間にか記憶から消え去ったのは、自分が大人になり興味の対象が変わっていったからだとばかり思っていた。だが、懐かしく思い調べてみると、当時、あるキャラクターの容姿が差別的な表現であると世の論争となり、それに伴い意図的に消されたキャラクターの一つであるという事実を知り、驚いた。グッズを購入することで、自覚することなく知らず知らずのうちに差別する側に加担していたということになる。本人にそのつもりや意識がなくても差別が起きてしまうケースもあるのだ。

過去のこととはいえ、今、アイヌ民族差別と向き合っている私は、このことを知って衝撃を受けた。イラストという表現一つが、国境を越えた人権問題ともなりうる。自分たちのことだけではなく、周囲の他文化も理解していかなければこのような悲劇が起こるのだ。何かを表現する時には、このような責任が伴うということも、私は意識しなければならない。

動物の名称

アイヌ語で狐のことを「チロンヌㇷ゚」という。イラストと解説を展示した際、それを見た和人の方から、他にも呼び名があるのだから、たとえば「ケマコㇱネカムイ」にしては？と言われた。「足の軽い神」という意味だ。チロンヌㇷ゚とは、アイヌ語で「我々が殺すもの」という意味なので、残酷だと思われたのかもしれない。しかし、呼び名が違うのは方言差であり、狐が狩猟の対象だったと一目でわかるこの呼び名は、アイヌ民族の暮らしを知るのにとてもわかりやすい。

この一件以来、私のイラストには、鮭とイサパキㇰニ(魚を叩く棒)、子熊とヘペライ(花矢)、鹿とマキリ(小刀)など、魂送り儀礼や狩猟、解体を思わせる組み合わせが増えた。死を不吉だ、忌み嫌うものだと思うから差別が生まれるのだ。命をいただくことは、目を伏せ避けることでなく、生きるうえでごく自然で必要なことなのだと思う。

衣装の打ち合わせ

以前、民族衣装の前身頃の打ち合わせが逆であると指摘されたことがある。古い写真や映像を見ると、右前であったり左前であったり、どちらでもなかったりと様々である。日本の風習では、着物が左前だと死装束のようで縁起が悪いから気になる人もいるのだろうと思い、配慮するようになった。
　しかしある時、強制的な日本人化(同化政策)に逆らってアイヌ文化を大切にした男性のイラストを描くことになった。和人の風習に習い右前に描くところを、ここは逆向きで描きたいと思ったシーンであったが、やはり人づてに「打ち合わせが逆では？」という声が届いた。後日、打ち合わせを逆に描くことについて危惧する理由が判明した。和人絵師により描かれた古いアイヌ絵は、アイヌ民族が何もわからず卑しい民族であるということを誇張し蔑むため、わざと不吉な要素である左前で描いてきたとのこと。そのような政治的、差別的意味が込められているとわかったため、打ち合わせを逆に描くことは私がアイヌを貶しめて描いているともとれるのだ、と思い至った。それ以後、近代同化政策後については和装に習った装いに、それより古い時代については、すべてではないが逆向きに描くようになった。当事者である私が描くことで、そういった負の意味合いを払拭していきたい。

図3　北海道新聞まなぶん「ミンタㇻ(広場)」(2016年〜)毎月1回連載，子ども向けにアイヌ文化を紹介するコーナーでイラストを担当．第一部「テーマ別に紹介」，第二部「先人たちの物語／シンリッオルㇱペ」，第三部「おはなし語りながら聞きながら／ネウサㇻ　イエコㇿ　ヌコㇿ」．

　和人の北海道進出によりアイヌの風習がどのように変化していったのか。私自身に関わることで言えば、アイヌ語の名前は曽祖母が最後となり、一族は皆日本語名に変わった。アイヌ女性の風習であったシヌイェ(入墨)もそうだ。土葬とクワ(墓標)は、私の幼少期に和人の風習に習った墓石へと建て替えられた。祖父が亡くなってから一族のイチャルパ(先祖供養)は行われていない。

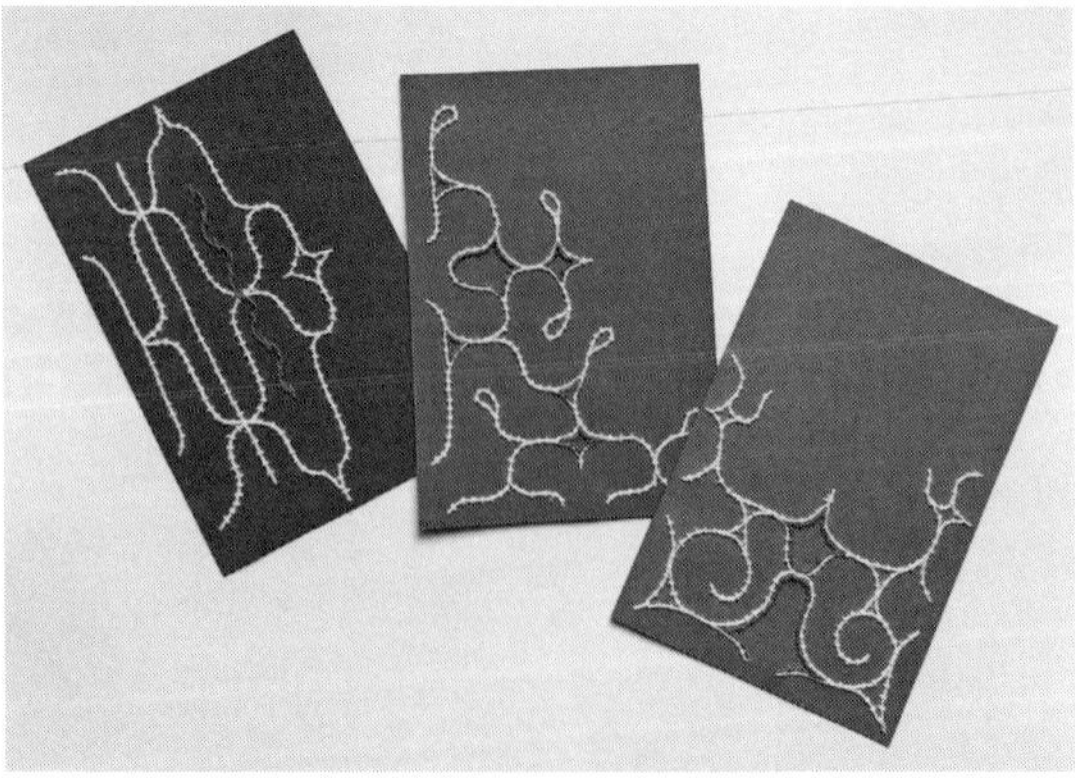

図 4 《kanpi ikarari》(紙刺繡)2018 年
アイヌ刺繡の素材を布から紙に変えたハガキサイズの作品．同じ手法で，本書のカバー《kikir kamuy ru kar》(虫の神が道を作った)を作成．木の虫喰いの跡が美しい文様になっていたという言い伝えを，イカラリという刺繡法で表現した．

今、アイヌ語を覚えようともがいている私がいる。過去だけではない、今もアイヌの状況は変わり続けている。その変容や民族、文化の違いなどもイラストで表現していきたい。まずは風習の違いを認め合えるほど互いの文化を知ることが大切だ。ちなみに私が普段着ている民族衣装は打ち合わせの無いタイプである。

3　アイヌ文様をめぐる違和感

人気漫画や小説の影響、国立アイヌ民族博物館のオープンなど、今までになかった大きな動きの影響もあってか、近ごろアイヌ文様風デザインが商品やチラシ、出版物に使われているのを多く見かける。ネットのフリー素材などは無料で自由に使える手軽さから、急速に目につくようになった。しかし中には、近隣の他民族風デザインをアイヌ文様と取り違えていたり、しっくりこない曖昧なアイヌ文様や、奇抜過ぎてアイヌが眉をひそめる色、デザインが出まわり、おまけに間違えたアイヌ語や解説が添えられたりなどしていたら、もう絶望的だ。アイヌ文化の崩壊である。気づいた時にはすでに商品化されていて取り返しがつかないことも多い。こういった当事者抜きのアイヌ文様の発信は、作る側、使用する側、共に意識が希薄であり、表面上でしかアイヌ文化に興味がないのだろうと思える。

アイヌ文様は左右対称であるとも言われがちだが、民族衣装で言えば、手縫いの歪みや布、刺繡糸等、材料の使い方により完全な左右対称化は不可能であり、中にはあえて左右非対称の文様を狙う作り手もいる。近年、こういったアイヌ文様の個性が、切り紙によるアイヌ文様作成や、グラフィックデザインによって歪みのない完璧なラインとなり、美しく左右対称、または上下対称、均一に描かれるようになった。文様の部分的な抜き取り、意図せぬ文様の結合など、様々な要因によっても違和感は生まれてくるのかもしれない。

以前、アイヌ文様が大胆にデザインされた、既製品と思われるワンピースの女性を見かけた。伝統的な文様を抜き取ったと思われるデザインだが、どこか違和感がある。よく見ると、民族衣装の背文様がまるごと正面にきていることに気づいた。しかし、そうしたものを目にした後には、どうにもできないモヤモヤだけが残る。アイヌ文様が広がると共に、アイヌ民族の存在も周知されるであろう期待と、違和感を持った時の不快感、そういったものに対峙した時のどうにもできないストレス。こういったことが日々繰り返されている。

4 イメージの転換

ある時、アイヌの年配女性が私のイラストを見て、「私は昔からアイヌを描いた絵が嫌いだったの、だってなんか暗いでしょ。けど、こういう可愛い絵があると嬉しいね」と言った。私が長年うつうつと感じていたのとまさに同じ思いをその人が抱いていたことに驚き、自分以外にもそう感じていたアイヌがたくさんいたのかもしれないということに初めて気づいた。描かれるだけでなく、自分たちの思う世界観を当事者それぞれが発信していくことの大切さを改めて感じた。

近年、アイヌ文化の振興事業により、アイヌや専門家による監修がなされた可愛らしい子供向けの絵本や、物語のアニメなどが作られるようになった(本書第8章、中川裕「メディアの中のアイヌ文化」参照)。今後もこの状況が広がっていけば、私やあの年配女性のように、暗い気持ちを抱くアイヌや子供も少なくなるだろうと嬉しく思う。そこからアイヌ語やアイヌ文化に興味をいだく人も増えている。だが、こういった施策の場以外でも、個人や企業が独自に発信する違和感あるアイヌ文様やアイヌ語を監修する、何らかのシステムが必要である。アイヌ民族に関わる内外のネガティブイメージや、慣習的な固定観念を転換していくためにも、同時進行で監修対策が求められる。

おわりに——広がる世界

これまで、アイヌ語の習得で苦しむ最中に生まれたものや、抱いた疑問の中から生まれたものなど、自分の思いを表象してきた。そのかたわら植物を描き続けたり、狩猟道具を描き足したりと、周囲の人たちから得た反応が、私の作品を変えてきたとも言える。二〇一九年一一月上旬には、カナダ国立美術館のÀbadakone（世界各国の先住民族アートが集まる展覧会を中心に、ワークショップ、パフォーマンスなど多様なプログラムにより構成されている催し）で、アイヌ語木製カルタが展示されたことによって、アイヌにとどまらず世界の先住民族アートに対し、一層の関心を寄せるきっかけができた（一〇四頁、**図⑤**）。

好きなイラストから始まり、自身のルーツを見つめ直し、アイヌ文化を学び表現し、先住民族アートへと関心が広がっている私の世界。進んでいくうちに思わぬ選択をしたり、想像だにしなかった道が開けたと思える時などは、アイヌの世界で言われるトゥレンカムイ（憑神）によって突き動かされてきたのかもしれない。そう思うかたわら、一部を除き、物の形を具象化することをタブー視してきたアイヌ文化を、イラスト表現している現代アイヌの私がいる。

【小笠原小夜の世界】

図① アイヌ語ポストカード
(2008 年)

2013
1 シネㇷ゚
日 月 火 水 木 金 土
1 2 3 4 5
6 7 8 9 10 11 12
13 14 15 16 17 18 19
20 21 22 23 24 25 26
27 28 29 30 31
2 トゥㇷ゚
日 月 火 水 木 金 土
1 2
3 4 5 6 7 8 9
10 11 12 13 14 15 16
17 18 19 20 21 22 23
24 25 26 27 28
3 レㇷ゚
日 月 火 水 木 金 土
1 2
3 4 5 6 7 8 9
10 11 12 13 14 15 16
17 18 19 20 21 22 23
24/31 25 26 27 28 29 30
4 イネㇷ゚
日 月 火 水 木 金 土
1 2 3 4 5 6
7 8 9 10 11 12 13
14 15 16 17 18 19 20
21 22 23 24 25 26 27
28 29 30
5 アシㇰネㇷ゚
日 月 火 水 木 金 土
1 2 3 4
5 6 7 8 9 10 11
12 13 14 15 16 17 18
19 20 21 22 23 24 25
26 27 28 29 30 31
6 イワンペ
日 月 火 水 木 金 土
1
2 3 4 5 6 7 8
9 10 11 12 13 14 15
16 17 18 19 20 21 22
23/30 24 25 26 27 28 29
7 アㇻワンペ
日 月 火 水 木 金 土
1 2 3 4 5 6
7 8 9 10 11 12 13
14 15 16 17 18 19 20
21 22 23 24 25 26 27
28 29 30 31
8 トゥペサンペ
日 月 火 水 木 金 土
1 2 3
4 5 6 7 8 9 10
11 12 13 14 15 16 17
18 19 20 21 22 23 24
25 26 27 28 29 30 31
9 シネペサンペ
日 月 火 水 木 金 土
1 2 3 4 5 6 7
8 9 10 11 12 13 14
15 16 17 18 19 20 21
22 23 24 25 26 27 28
29 30
10 ワンペ
日 月 火 水 木 金 土
1 2 3 4 5
6 7 8 9 10 11 12
13 14 15 16 17 18 19
20 21 22 23 24 25 26
27 28 29 30 31
11 シネㇷ゚イカシマワンペ
日 月 火 水 木 金 土
1 2
3 4 5 6 7 8 9
10 11 12 13 14 15 16
17 18 19 20 21 22 23
24 25 26 27 28 29 30
12 トゥㇷ゚イカシマワンペ
日 月 火 水 木 金 土
1 2 3 4 5 6 7
8 9 10 11 12 13 14
15 16 17 18 19 20 21
22 23 24 25 26 27 28
29 30 31
sayo
kotankor kamuy
コタンコㇿカムイ
アイヌ民族はシマフクロウのことをコタンコㇿカムイと呼び、村を見守るカムイ（神）として敬い、大切にしてきました。
アイヌ民族の誇りが尊重される社会の実現を
財団法人アイヌ文化振興・研究推進機構

図② 大判カレンダー
（2013〜2020 年．公益財団法人アイヌ民族文化財団．2015・2016・2020 年版は 90 頁に掲載）

図③ 点字カレンダー
(2019年．NPO法人ユニバーサルデザイン絵本センター)

図④　メールマガジン用カレンダー

(2013〜2019年．公益財団法人アイヌ民族文化財団)

毎月届くメールマガジンに，
イラストと共にアイヌ語が一つ入ったカレンダーが添付されている．

図⑤ カナダ国立美術館
Àbadakone での
アイヌ語木製カルタ(図⑥)
展示風景(2019 年 11 月)

図⑥ アイヌ語木製カルタ
(2010年．国立歴史民俗博物館蔵)

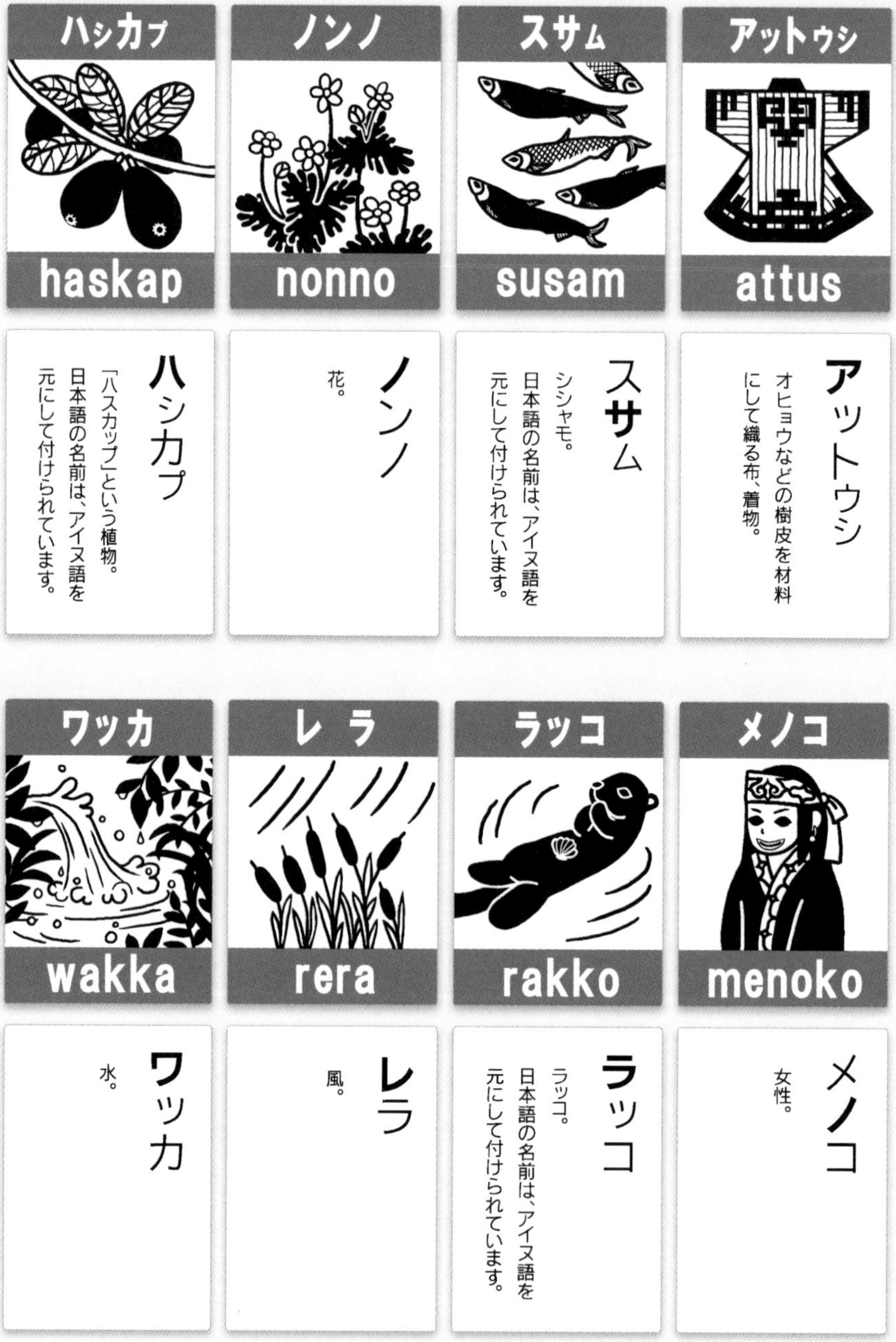
ハシカプ
haskap
ノンノ
nonno
スサム
susam
アットゥシ
attus
ハシカプ
「ハスカップ」という植物。日本語の名前は、アイヌ語を元にして付けられています。
ノンノ
花。
スサム
シシャモ。日本語の名前は、アイヌ語を元にして付けられています。
アットゥシ
オヒョウなどの樹皮を材料にして織る布、着物。
ワッカ
wakka
レラ
rera
ラッコ
rakko
メノコ
menoko
ワッカ
水。
レラ
風。
ラッコ
ラッコ。日本語の名前は、アイヌ語を元にして付けられています。
メノコ
女性。

図⑦ アイヌ語テキスト教材カルタ
(2011年, 公益財団法人アイヌ文化振興・研究推進機構)

図⑧ アイヌ語テキスト教材「ukoniroski」
(2014 年．公益財団法人アイヌ文化振興・研究推進機構)
棒をさして駒のように進める木製の遊び道具「ウコニロシキ」を紙で制作．
遊びながらアイヌ語で方向を指す言葉を覚えられる．

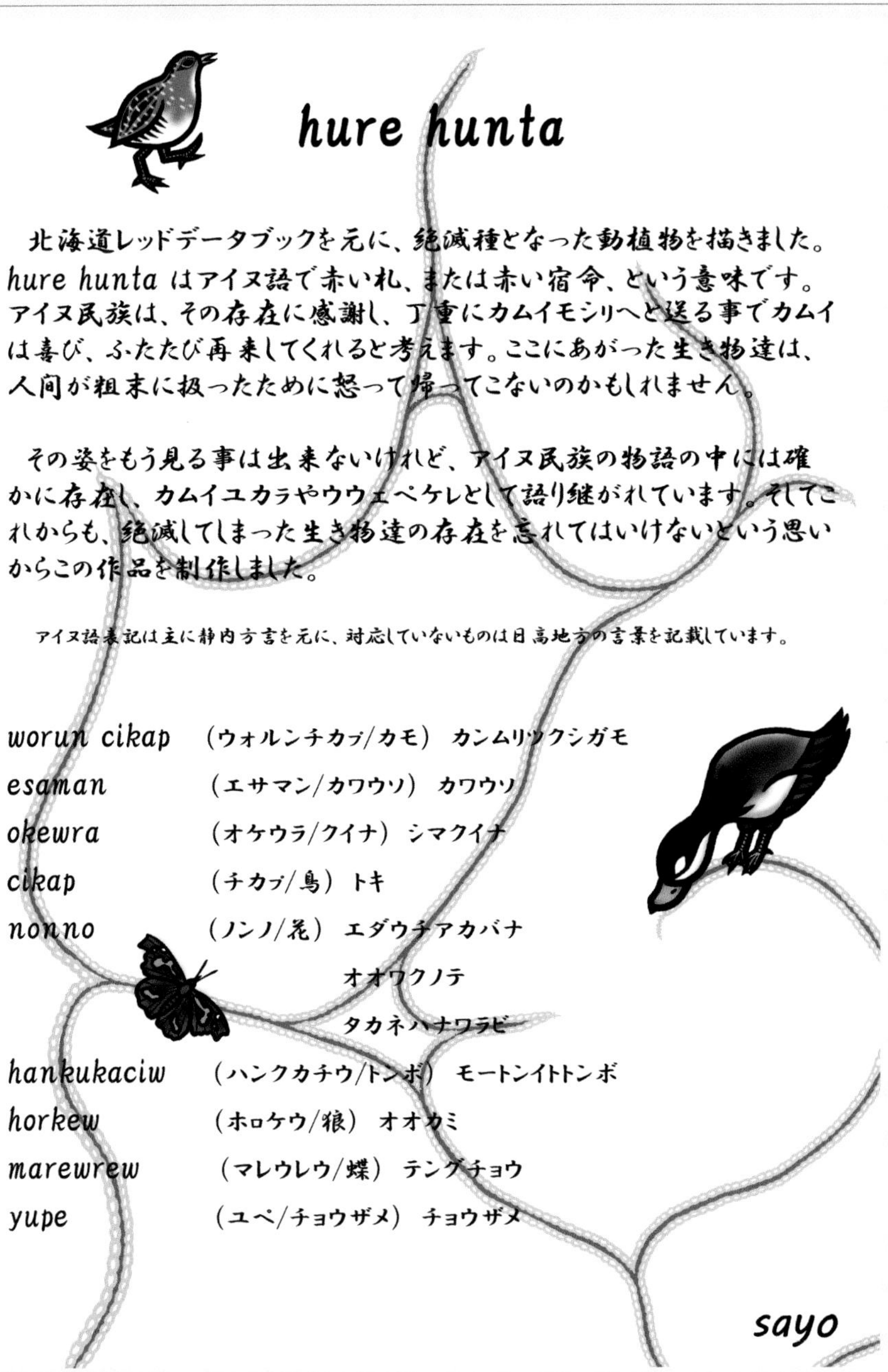
hure hunta
北海道レッドデータブックを元に、絶滅種となった動植物を描きました。hure hunta はアイヌ語で赤い札、または赤い宿命、という意味です。アイヌ民族は、その存在に感謝し、丁重にカムイモシリへと送る事でカムイは喜び、ふたたび再来してくれると考えます。ここにあがった生き物達は、人間が粗末に扱ったために怒って帰ってこないのかもしれません。
その姿をもう見る事は出来ないけれど、アイヌ民族の物語の中には確かに存在し、カムイユカラやウウェペケレとして語り継がれています。そしてこれからも、絶滅してしまった生き物達の存在を忘れてはいけないという思いからこの作品を制作しました。
アイヌ語表記は主に静内方言を元に、対応していないものは日高地方の言葉を記載しています。
worun cikap （ウォルンチカㇷ゚/カモ） カンムリツクシガモ
esaman （エサマン/カワウソ） カワウソ
okewra （オケウラ/クイナ） シマクイナ
cikap （チカㇷ゚/鳥） トキ
nonno （ノンノ/花） エダウチアカバナ
オオワクノテ
タカネハナワラビ
hankukaciw （ハンクカチウ/トンボ） モートンイトトンボ
horkew （ホロケウ/狼） オオカミ
marewrew （マレウレウ/蝶） テングチョウ
yupe （ユペ/チョウザメ） チョウザメ
sayo

図⑨ 《hure hunta》
（2014年，国立民族学博物館蔵）

ホチコク
ホチコク
誰が泣いてる
泣いてる者は
かますに
私が入れて
私がさらっていくぞ

水よ目覚めろ目覚めろ
水よ目覚めろ目覚めろ
水の神様よ目覚めろ目覚めろ
水の神様よ目覚めろ目覚めろ
水を汲むために私がきたよ

小さな　ヤブマメ　泣くぞ
大きな　ヤブマメ　来い　来い

キジバトが
畑を耕す
おばあちゃんが水を汲む
奥さんが料理する
若殿様が食事する

トゥトゥッ　トゥトゥッ
私たちの川には　魚がいっぱい
綱川には魚がいない
トゥトゥッ　トゥトゥッ
私たちの川には　魚がいない
トゥトゥッ　トゥトゥッ

エゾニュウ
甘くなれ
草　甘くなれ

図⑩　鳥の聞きなし・おまじない
(2015年)

cikap
niuweo
ninum

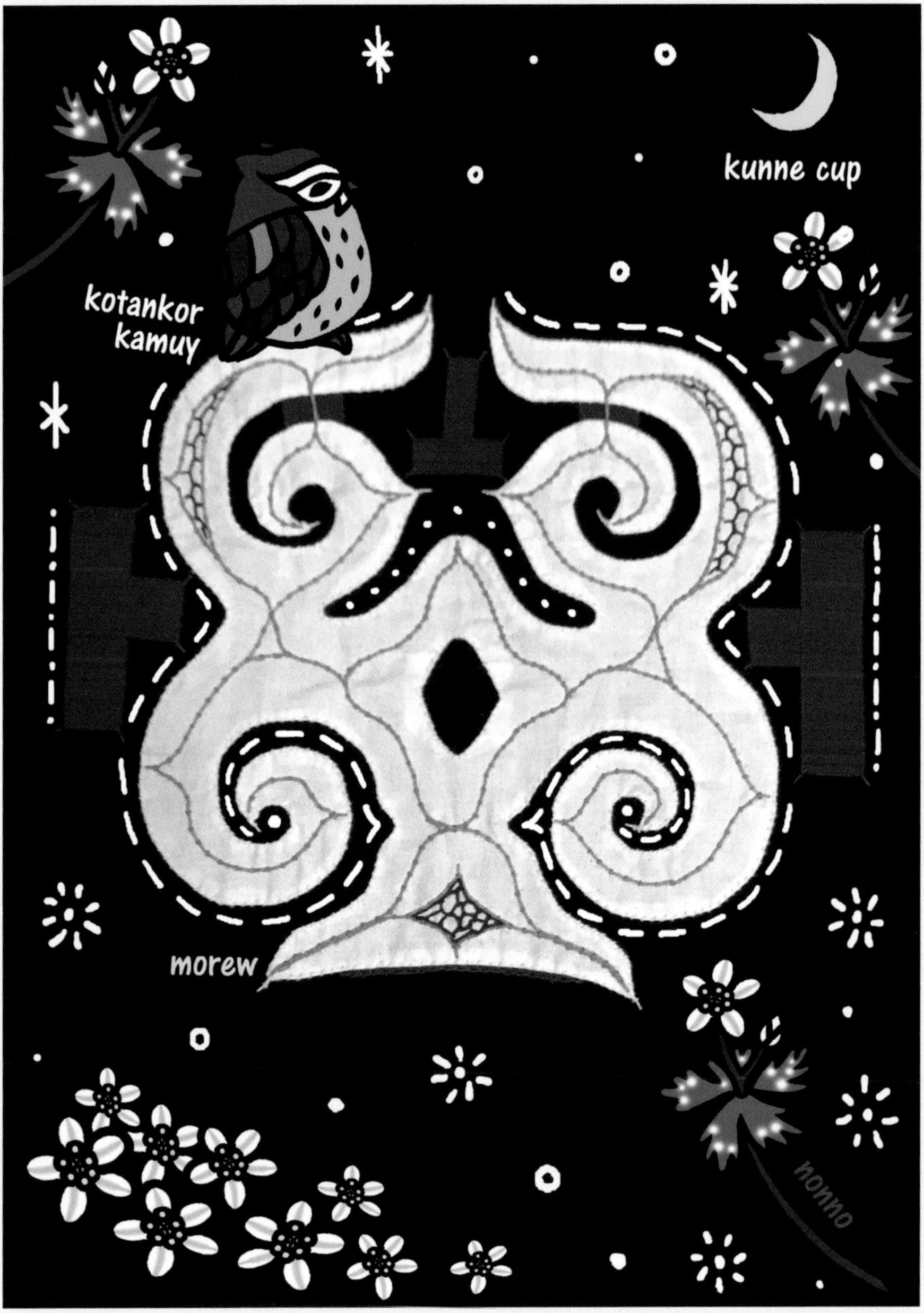

図⑪　《ikarkar ani ku=sinot》(2018年)
右は「チヂリ」，左は「カパラミㇷ゚」．
「イカㇻカㇻ　アニ　クシノッ」はアイヌ語で「刺繍で遊ぶ」の意．

図⑫ haponetay (母なる森)アイヌアート展ポスター
(2009〜2013 年)

Ⅱ

広がるアイヌ・アート

——受けとめ、分かち合う

［扉絵］
狐のチャランケ

第5章

アイヌ・アートと伝統文化の今日的継承

――北海道平取地域でのミュージアムの事例を中心に

吉原秀喜

アイヌ アナクネ キムンカムイ ノカ ヘネ ネㇷ゚ネㇷ゚ ノカハ ソモ カラ ペ ネ。ウェンサンペ コロ ペ カラ ペ アナクネ ネノ ウェンサンペ コロ ワ ア・シトマㇷ゚ ネ シコロ テエタ クㇽ ハウェ オカイ ペネ

アイヌは熊の形とかいろいろなものの形は作らないものであった。悪い精神の者が作った物、そのように悪い精神を持って恐ろしいものだと昔の人は言ったものだ。

『萱野茂のアイヌ語辞典』「ノカ：noka(形)」の項の例文より(1)

はじめに

「アイヌ・アートと伝統文化の今日的継承」を論題とする本稿は、主には筆者が自治体(平取町《びらとり》)職員として仕事をしてきた北海道平取地域における事例をベースとしている。「アイヌ伝統文化の今日的継承」は、一九九一年に新築オープンした平取町立二風谷《にぶたに》アイヌ文化博物館(2)が掲げてきた館運営の基本理念である。起ち上げの企画・準備時、そして開館後もしばらくは一人だけだった学芸員として深く関わり約二〇年間勤めたが、その間に博物

館の関連事業として始まり、後には専念するようになったアイヌ文化環境保全対策事業[3]や、イオル(伝統的生活空間)再生・整備事業[4]の担当時期も含めて、「伝統文化の今日的継承」は自身の主要な関心事だった。中でも「アート」は、掲げている基本理念のあり方を厳しく問われる分野であり続けた。

「アイヌ・アート」という用語それ自体については、どのように定義すべきで、どのように範囲を画すべき概念なのか、さまざまに意見が分かれるのではないだろうか。果たして術語として安定するのかとの疑念さえ湧く。ただ、ここ一五〇年ぐらいの時間幅でふりかえると、アイヌ・アートに関する学術的検討を志す動きが持続的・系統的に取り組まれるようになったこと自体が、大きな変化の現れとして捉えられる。なぜなら長い期間、アイヌ民族とその文化については、やがて「消えゆく民族」とか「失われる文化」といった基調のパラダイムが、一般社会だけではなく、学界をも圧倒的に支配していたからだ。しかもそれは、アイヌ・アートの主要な担い手であるはずのアイヌ民族系[5]の人びとにさえ深く浸透していた思考の枠組みのように見えた。

とは言え、表面に現れる様相とは別に、実際にはどのような考え方や想いが伏流していたのかの検証が、丁寧に行われるべきだ。それ自体が重要な調査研究課題である。そこでは次のような見解は、大方の同意をいただけるのではなかろうか。将来性などなく、衰退する一方だと見なされていたアイヌ民族とその文化、その美術・芸術分野の(過去や現在は別として)未来についての考察や評論に多くの力を投じることなど、ほとんど想定外だった状況が長く続いていた。

ところが、いざこのように主張すると、「ちがう」、「そんなことはない」、との異論が続々と寄せられるかもしれない。自分(たち)が取り組んだこんな動きがあったことを知らないのか。あの時期の、あの活動、そしてあの調査や研究にはこんな意図と成果があったのに、理解していないのか。知っていて、無視・軽視するのか。あるいは、またまた大学の先生たちが、こんどはアイヌ・アートなる分野を仕立てて予算を使おうとしているのか、などなど。

実は、かく言う筆者自身もミュージアム設営の分野では、とくに一九九〇年代に、先述の「アイヌ伝統文化の今日的継承」との基本コンセプトのもとに、他の博物館等にはあまりなかった特色ある事業、先駆的な取り組みに携わったと自負している。世に提示したい事例や知見が数多くある。その一端を、この論考で示しておきたい。[6]

このような取り組みの必要性と意義を、はっきりと掲げた系統的な共同研究が実際に進められた例は、まだ多くはないはずだ。池田忍(千葉大学文学部)を代表とする科学研究プロジェクト《アイヌ・アートの現在に見る「伝統」とジェンダー》のグループが、初発の段階から擁していた志の一つは、アイヌ・アートという営みに寄り添い、共に歩みを進めていくことだった、とあらためて確認しておきたい。

くり返しになるが、本稿は「アイヌ・アートと伝統文化の今日的継承——北海道平取地域でのミュージアムの事例を中心に」をテーマとしている。一九九一年の開設後に平取町立二風谷アイヌ文化博物館は「アイヌ伝統文化の今日的継承」の経営コンセプトのもと、アートに関わる特色ある取り組みを行ってきた。実は平取に限らず、アイヌの美術・工芸・芸能・言語・歴史・自然認識などの諸分野の再活性化に、関係資料を取り扱う各地のミュージアムは多くの寄与をしてきた。今後、そうした分野においてアイヌの人びとの主体的参画が広がり深まると、アイヌ・アートをめぐる状況もさらに好転していくだろう。二〇世紀後半期から、控えめに見ても二一世紀前半期にかけては、アートをはじめアイヌ文化全般の振興に、ミュージアムが重要な貢献をする時代だ。

1　アイヌ・アートとは?——まずは一考

アイヌ・アートについて論じるなら、なにをもってアイヌ・アートとするか、定義づけが必要だ。と、普通には考える人が多いだろう。だが、筆者の見通しを先に述べると、説得力ある定義を示すことはかなり難しく、にわかに固めることはしないつもりだ。参考までに、筆者は以前に次のような見解を提示したことがある。

自由と創造の度合は、工芸家たちが、アイヌとしての民族的自覚に、より強くこだわり依拠したときに高まる。アイヌ民族の工芸家がつくるものがすなわちアイヌ工芸なのだとする定義がありえるが、論理上あるいは倫理上、それはたんなる強弁ではないからだ。そのような定義は意外かもしれないが、つくり手をいわゆる伝統の形式的束縛から一気に解き放ちさえするかもしれない。(7)

かなり単純な見解のようにも思える。しかし、そもそもある民族としてのアイデンティティを有する人という表現自体が、少し深掘りすると、各人ごとにかなり複雑で一様ではない現実を一括りにしてしまっている。ある個人がマルチな民族的アイデンティティを有することは、ごく普通にある事象だ。他方では、「わたしはコスモポリタンであって、民族なんて関係ない(超越して生きたい)」という考え方もある。だが、自己につながる多様な系譜と背景を了解したうえで、それらをスマートに使い分けている人を見ると、筆者にはとても素敵に見える。(8)これから主流を成す生き方ではないかとも考える。

ところで、種々の図像などから受ける印象として、アイヌ文様がアイヌの美術工芸作品らしさを感じさせる重要アイテムであることには、大方の人が同意するだろう。

図1は、その有力なアイテムであるアイヌ文様を使った簡易なテストである。

a 和文化の精華の一つ、《風神雷神図》だ。この絵では、右に風神、左に雷神である。

b 上下にアイヌ文様の飾り罫を入れると、かなりアイヌ風な色合いが強まってくる。風神→RERA-KAMUY、雷神→KANNA-KAMUY とアイヌ語のキャプションを入れるとますますアイヌ色が強まるように思えないだろうか。

c　中央にTAPKAR(タプカラ＝踏舞)とのアイヌ語を入れると、風神・雷神ともにアイヌ風なタプカラを踊っているようにも見える。

アイヌ文化のテイストを活かしたパロディ作品と受け取られるかもしれない。あるいは、RERA-KAMUYとKANNA-KAMUYは、アイヌの文芸では重要な役回りをする神たちなので、和とアイヌの親和性を感じる人もいるかもしれない。

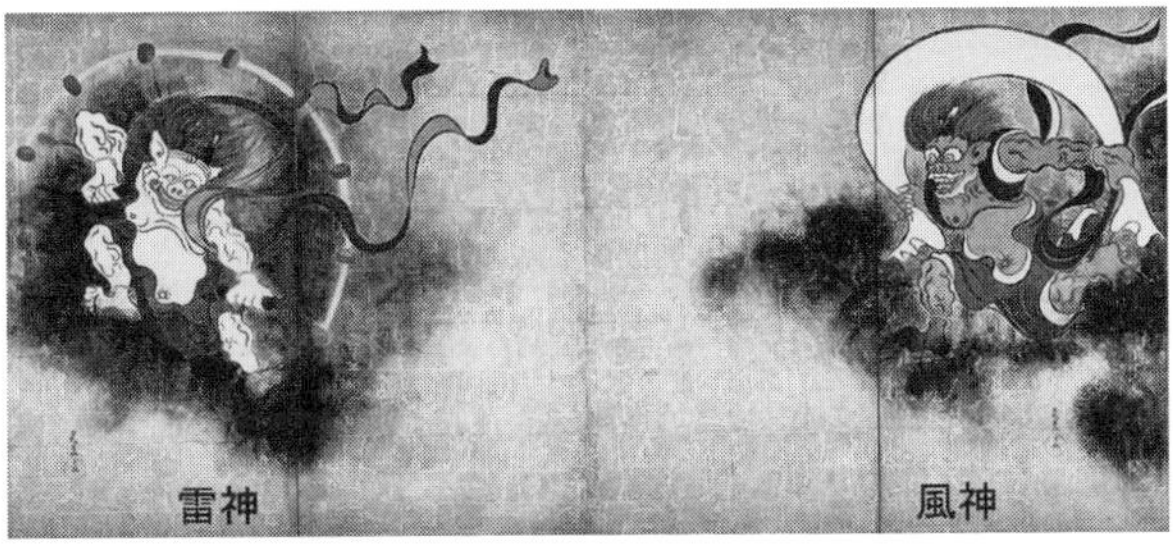

a　尾形光琳《風神雷神図》

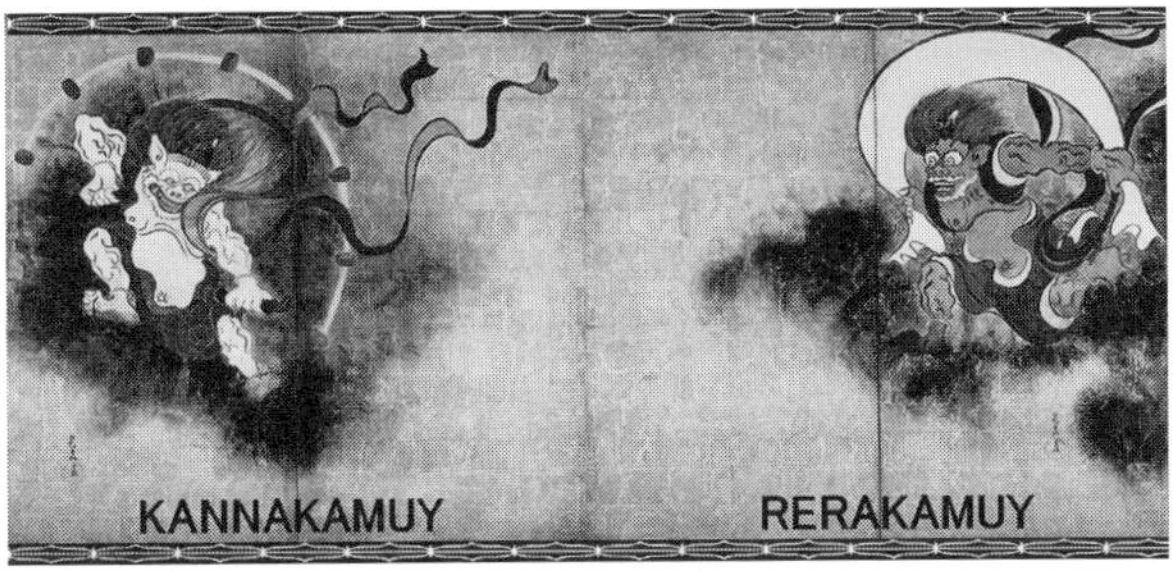

b　アイヌ語訳とアイヌ文様の飾り罫をつける(KANNAKAMUY＝雷神，RERAKAMUY＝風神)

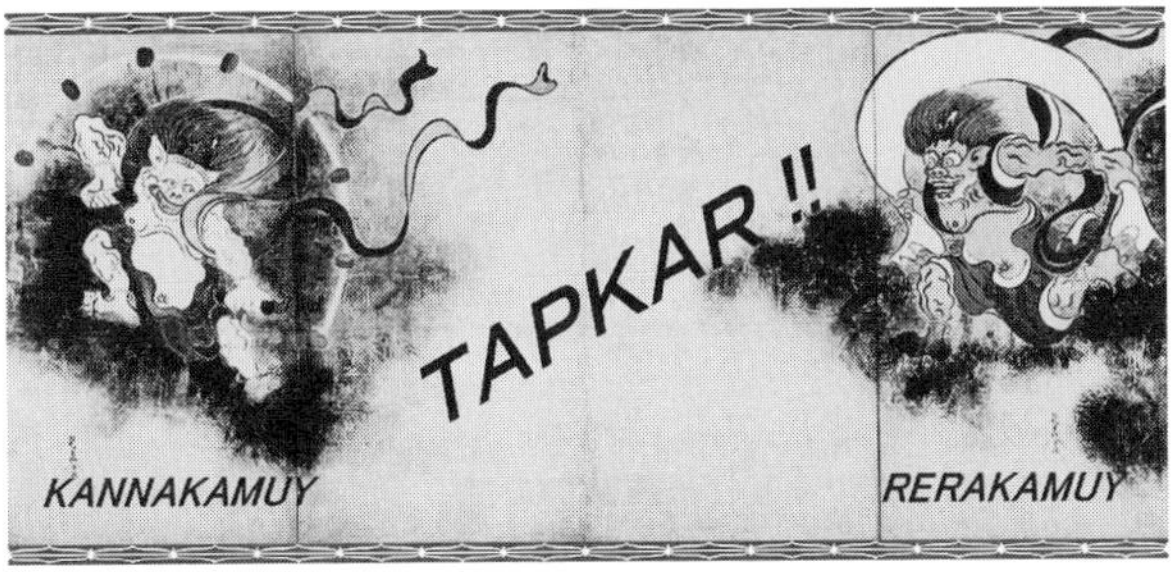

c　TAPKAR(踏舞)のロゴを入れる(相撲の四股を踏むような足の動きはTAPKARの動作に通じる)

図1　アイヌ・アート？《風神雷神図》で一考
《風神雷神図》は，俵屋宗達の作品も著名だが，画像の構図の関係上，ここでは模写を超え，宗達に対するオマージュ(賛辞)とも称される尾形光琳の作品を用いた．

一方、筆者にとって違和感を拭えないのは、冒頭で引用した『萱野茂《かやのしげる》のアイヌ語辞典』の解説文にあるように、少なくとも北海道日高地方のアイヌの間では、具象的な造形を人間がすることに、強い戒めがあるからだ。あらかじめ、伝統的文化についての知見があるかないかで、作品から受ける印象がずいぶんと違ってくるとも言える。

図2は、今風なプレゼンテーションソフトを使ったスライドの画像で、平取町で進められているプロジェクトの報告で用いられた。ここでもアイヌ文様が、この発表がアイヌ文化に関わる内容であることを如実にアピールしている。この意匠の場合、周囲をアイヌ文様の飾り枠が取り囲んでいる。画像の制作者は、発表の担当者でもある長野環(平取町アイヌ文化保全対策室)だ。彼女によれば、こうした場合には、文様が周囲を囲むのが常道という感覚が、小さいころから身についているという。魔が入るのを防ぐ気持ちもある。

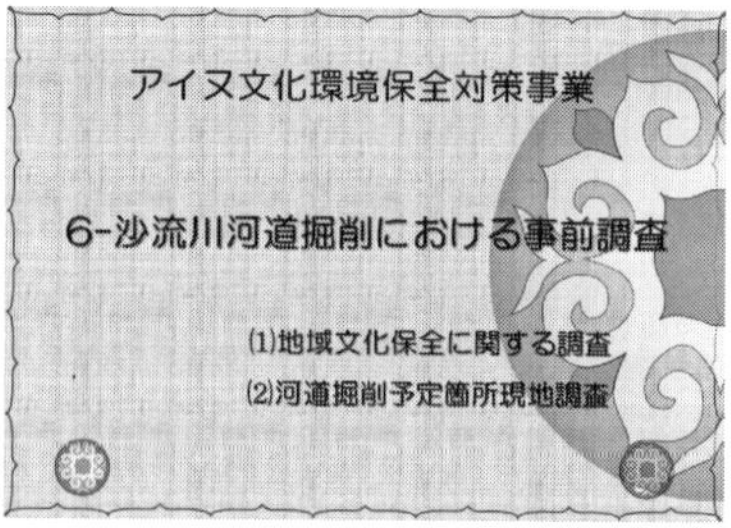

図2　アイヌ文様を生かしたプレゼンテーション用のスライド(制作：長野環)

ただ近年、アイヌ文様が魔除けのために施されるとする「伝統」言説への異議を唱える北原次郎太[9]の実証的論究が提示されたり、五十嵐聡美[10]により、イクパスイに彫り込まれた多彩な具象物のイメージに焦点をあてた新しい知見が強調されたりなどの研究の進展・深化がある。従来の常識的知見を転換していくことになるのか、地方差、個人差、年代差とか、あるいは誤解の定着・普及といったことで説明される事象なのか、そうした問題意識を踏まえた考究がさらに必要だろう。調査研究の深まりを期待しよう。

いずれにしても、アイヌ文様は訴求力・適応力が大きく、かつ持続可能性の高いデザイン・アイテムであり続けるだろう。それだけでなく、その存在感と役割が増大していくだろうことは、まちがいなさそうだ。やや楽観的に未来を展望するのは、次節に示すこの半世紀ほどの変化からの実感である。

2 アイヌ文化をめぐる状況の変化――一九七〇～二〇一〇年代

北海道平取地域におけるアイヌ民族、アイヌ文化をめぐる動きがどのように推移してきたかを、簡単にふりかえってみよう。変化をどう理解するか、という問題に留意しながらである。筆者の立場からは当然、地方自治体の行政施策、それも文化の面が強調された考察であるという点は、あらかじめお断りしておきたい。

平取という地域は、北海道全体のアイヌの人たちにとっても、とても大事な地域の一つだ。ただ、「聖地」という言い方は、なじまないし、すべきではないと考えている。もともと平取だけでなく日高地方一帯から隣の胆《い》振《ぶり》地方にかけては、アイヌ民族系の人口比が大きいところで、神的存在（カムイ）が関わる伝説・伝承の地が多い。さらに、それらは無数かと思われるほどに北海道全域にあったし、今も数多く伝世されていたり、記録が残ったりしている。また、特定の場所だけを「聖地」と抽象するアイヌ語はこれまでなかった。さまざまな宗教、とくに多数の信者を擁し世界的広がりを見せている宗教にとって、聖地とされるものは、信仰の象徴だったり、教団組織の総本山であったりする場合が多い。アイヌの伝統文化の場合、そのような意味で用いられるのは、少なくとも今のところはなじまないことに留意しておきたい。

さて、本題にもどり、平取地域におけるアイヌ民族・文化をめぐる変化の様相を、一九七〇年代から一〇年ごとに画し、各年代の特徴だと考えられる事項を提示しておこう。**表1**は、筆者自身の実感も根拠にしつつふりかえり、まとめた試案である。

① 一九七〇年代　一九七〇年代の特徴は、アイヌ民族の歴史・文化に対する再認識の動きが強まったことだ。平取地域の場合、象徴的な動きとしてイヨマンテ、クマの霊送りの儀式の再現（一九七七年）をあげたい。七〇年代当時、イヨマンテをはじめアイヌ民族が大切にしてきた伝統儀礼は、ほとんど行われなくなっていた。また、

表 1　アイヌ関係文化資産をめぐる取り組みの変遷——平取地域の場合(1970〜2010 年代)

1970 年代	アイヌ民族の歴史・文化に対する再認識 〈例〉二風谷アイヌ文化資料館の開館 1972(北海道ウタリ協会が運営，初代館長は貝澤正．のち平取町に移管)／二風谷イヨマンテ実施 1977　※記録映画『イヨマンテ 熊送り』も同年
1980 年代	「伝統を守り，未来に受け継ぐ」 〈例〉二風谷アイヌ語教室の開設 1983／アイヌ古式舞踊の国重要無形民俗文化財指定 1984／ユオイチャシ・ポロモイチャシ・二風谷遺跡発掘調査 1983〜85 年度
1990 年代	「アイヌ伝統文化の今日的継承」 〈例〉平取町立二風谷アイヌ文化博物館の開館 1992／二風谷ダム裁判判決 1997／アイヌ文化振興法制定・施行 1997／沙流川歴史館開館 1998
2000 年代	「アイヌの人たちをはじめとする地域住民の主体的参画と専門家との協働」 〈例〉「北海道二風谷及び周辺地域のアイヌ生活用具コレクション」国重要有形民俗文化財指定 2002／平取町がアイヌ文化環境保全対策事業開始 2003／平取町がイオル整備事業開始 2008
2010 年代	「アイヌ文化継承・振興の展開と深化」 〈例〉平取町アイヌ文化振興基本計画の策定 2010／町内国有林野を対象に「21 世紀・アイヌ文化伝承の森」プロジェクト始動 2012／二風谷イタとアットゥシが伝統的工芸品産業に(北海道初) 2013

＊1　各年代の 1 行目に記してあるのは，その時期を特徴付ける文言として吉原が選択，「 」で括られている場合は該当時期に実際に用いられていたフレーズを記した．

＊2　この年代観は様々な機会に提示してきたが，この表では文化，アートに関わる事項を中心に構成した．

再現を試みるのも難しい社会環境だった。

しかし、二風谷では、若い世代の真剣な取り組みによりイヨマンテの儀式が再現された。当時、北海道ウタリ協会副理事長だった貝澤正や、二風谷アイヌ文化資料館の萱野茂《かやのしげる》(一九二六—二〇〇六)を中心に、イヨマンテの儀式が古式にこだわりながら行われたことは、地域にとっては大きな出来事だった。このイヨマンテの様子は、民族文化映像研究所(姫田忠義所長)によって記録映画としてまとめられ、後世に託し活かすべき優れたドキュメント、秀逸な教材となっている。筆者はこの時のイヨマンテを実見はしていないが、体験した方々の生々しい語りにはたえずふれ、学んできた。

② 一九八〇年代　一九八〇年代に入ると、アイヌ文化に対する取り組みは、じょじょに未来志向なものへ変化していった。「伝統を守り、未来に受け継ぐ」が、文化保存団体の方針として明確に掲げられるようになった(平取アイヌ文化保存会の総会議案などを参照)[11]。それまでは、アイヌ文化に対しては、定型句のように「失われつつある」、「滅びつつある」と形容されていた。だから調査す

るのだ、記録するのだ、との文脈で説明されることがごく一般的だった。

一つの重要な転機として、アイヌ古式舞踊が国から重要無形民俗文化財に指定された（一九八四年、文部省による）ことを特筆したい。それまでは、観光地などで人寄せのために興行的に披露されることが多かったアイヌ民族の歌舞が、受け継がれるべき貴重な文化財なのだと評価された。重要無形民俗文化財としての指定をきっかけにして、アイヌの歌舞を価値ある伝統芸能として見直そうという雰囲気が醸成されていった。また、アイヌ舞踊を継承していこうとする各地の団体の活動が活性化し、関わる人びとが徐々に増えていった。

③ 一九九〇年代　一九九二年には、平取町立二風谷アイヌ文化博物館が新設され、地域に根ざした新しいミュージアムとして活動を開始した。この博物館の運営の基本コンセプトは「アイヌ伝統文化の今日的継承」である。小なりとは言え、公立博物館がこのような運営理念を掲げたことは注目を集め、その影響はジワジワと広がっていった。

二風谷の博物館はこの時期、とくにアイヌ工芸の振興に力を入れ、古い資料と新しい制作活動とをつないでいく役割を果たした。「つなぐ」役割は、民具などの資料をしっかりと調査研究すること、そうした博物館活動に地元の人たちと共に取り組むこと、この二つを重視しながら果たされていった。伝統を「活かす」面では、工芸や舞踊の体験学習講座も行うようになった。受講者は修学旅行生が多かったが、講師として教える過程で、つくり手自身もあらためて学び直すという相互作用が働き、取り組みが深まり、広がりもした。

一九九七年には「アイヌ文化の振興並びにアイヌの伝統等に関する知識の普及及び啓発に関する法律」、いわゆるアイヌ文化振興法が制定された(12)。

一九九八年に開館した沙流《さる》川歴史館は、国機関の北海道開発局が建設し、平取町が運営を託された施設だ。埋蔵文化財調査の成果の展示等を通じて、地域の人々が歴史認識を深めるために大いに寄与している。

④ 二〇〇〇年代　二一世紀に入って最初の一〇年の間には、アイヌ文化振興に関連する施策や事業が「アイヌの人たちをはじめとする地域住民の主体的参画と専門家との協働」を原則として取り組まれるようになった。その事例としてあげられるのは、筆者が担当したアイヌ文化環境保全対策事業だったり、伝統的生活空間＝イオル（ＩＷＯＲ）[13]の再生構想だったり、文化的景観保全活用事業であったりだ。

ちなみに平取町では、このイオル構想をまとめた各種文書や普及啓発資料を作成している。その一つに〈IWOR 2001〉というプレゼンテーション用ビデオがあり、地元だけでなく国関係省庁などへの啓発に用いてきた。最近になり、行政面ではあらためてこのプレゼン資料を活用しようとしているが、二〇〇〇年前後の状況を理解する史料としても貴重だ[14]。

平取地域の場合、二一世紀の最初の一〇年間で、アイヌ文化振興が自治体行政の主要な施策の一つとしてしっかり位置づけられるようになった。また、町立博物館に加え、沙流川歴史館やアイヌ文化情報センターが、文化の分野だけではない地域振興の柱となる施設としての役割を発揮するようになってきている。

⑤ 二〇一〇年代　二〇一〇年代に入ってからの象徴的な動きとしては、「平取町アイヌ文化振興基本計画」が策定され（二〇一〇年）、それにもとづいた予算措置もとられ、これまで以上に多様な施策・事業が実施されているという状況がある。

二〇一〇年代の特徴を、筆者は仮に「アイヌ文化継承・振興の展開と深化」と想定してきた。そう特徴付けたこの一〇年間のうちに、果たしてどのような進展がみられるかと期待していたが、国立アイヌ民族博物館、国立民族共生公園、そして慰霊空間を含む民族共生象徴空間[15]を二〇二〇年に開設する動きが進展している。それに先立つ二〇一九年五月の「アイヌの人々の誇りが尊重される社会を実現するための施策の推進に関する法律」（アイヌ施策推進法）の施行と共に、「展開と深化」のスピード感、スケール感は予想以上だ。アイヌ・アートにとっては、いままでになかった好環境が形成されつつあると考えるべきであろう(16)。

3　アイヌ・アートとミュージアムとコミュニティ

前項では、アイヌ文化をめぐる状況の変化について、一九七〇年代から一〇年ごとの区切りでの説示を試みた。次には観点を変えて、アイヌ・アート／ミュージアム／コミュニティの関係性について、時々の必要に応じて制作した図表等を用いながら、筆者の考えを述べる。

1　「アイヌ伝統文化の今日的継承」をどう考えるか

まずは、平取町立二風谷アイヌ文化博物館の運営基本コンセプトである「アイヌ伝統文化の今日的継承」、とくに「伝統」の意味について考えてみよう。

前項で、一九九〇年代の重要な動きとして、平取町立二風谷アイヌ文化博物館の開設をあげた。「アイヌ伝統文化の今日的継承」は町立博物館の基本コンセプトである。筆者も、その設定に深く関わった。その過程では、「伝統」をどう捉えるかの考察、概念的な整理をふまえた、自身と関係者に対する叩き台の提示が不可欠だった。

表2は、こうした作業の初歩的な提示である。初歩的と言いながら、九〇年代に多用するようになった後は、修正等を多くは加えていない。博物館の見学者や行政上の視察への対応、あるいは教員や大学生に対する講義、調査のために来訪した研究者との懇談などの際に参考資料として用いてきた。筆者は素朴にすぎると自認しているが、話題として切り出すためや、先方からの質問に対する回答の素材として利用してきた。ところが、まとまった批評は肯定・否定、どちらの側からもほとんどいただけていない。そうした事情もあり、ここに紹介し、あ

表2　「伝統」への対応とその表象のさまざまなパターン――さまざまな民族，文化の事例を念頭に

<table>
<tr><td>イ</td><td>伝統的なものの積極的肯定，抽出，復元，深化，再構築など　⇒全体として伝統的なものに強くこだわり，忠実であろうとし，純化しようとする．</td><td rowspan="6">【全般的な留意事項】

◇イ～への間の界線は固定的・絶対的なものではない．
◇美術・芸術の制作であれば，個々のつくり手の作風にも振り幅がある．
◇評価の基準も社会状況や時代によって変動する．
◇なによりも表象の営為が行われる社会的・自然的環境が変化していく．
◇ある営為自体は固定的なのに環境が変わることで社会的文脈・評価が変化することもある．</td></tr>
<tr><td>ロ</td><td>伝統的なものの手直し，修正，アレンジ，時代への適合など　⇒ベースを伝統的なものにおき重視しつつも，変化を容認し積極的に企図もする．</td></tr>
<tr><td>ハ</td><td>伝統的な文脈にはまったく位置付かない，想像だにしえない展開，パラダイムの大転換　⇒しかし，時の経過と共に伝統に包含されることも．</td></tr>
<tr><td>ニ</td><td>伝統的なものの否定，拒否，破壊など　⇒伝統的なものとは明確に，積極的に一線を画そうとする．</td></tr>
<tr><td>ホ</td><td>伝統的なものの消極的な忌避，無視・軽視　⇒意識的にであれ，無意識的にであれ，他の文化伝統への同調・同化に結果する場合が多い．</td></tr>
<tr><td>へ</td><td>「伝統」なるものにはほとんど無自覚で，「ニュートラル」な状態　⇒上記のどのパターンにも容易に転化しうるし，ニュートラルといっても，環境の影響や外部からの力は絶えず作用している．</td></tr>
</table>

＊　2001年12月27日，国立民族学博物館共同研究会「伝統の表象とジェンダー」(代表＝千野香織，当時は学習院大学教授で民博兼任)における発表資料の中で提示した表を加筆修正，更新した．

らためて読者からのご意見を請いたいと考えている。

2　二〇〇二年の「変化の予兆」とその後の展開

二〇〇二年一一月に、アイヌ文化振興法制定五周年を記念するフォーラムが国立民族学博物館を会場に開催された。フォーラムの内容については、大塚和義と吉田憲司がまとめた報告書『再生する先住民文化――先住民族と博物館』(国立民族学博物館、二〇〇三年)が詳しい。筆者はフォーラム中のパネルディスカッションで、「アイヌ民族の文化活動における新しい変化の予兆とミュージアム」と題する報告をした。

図3は、その際に用いた図をベースに、本論考をまとめるにあたって更新した図だ。左右の図の対比により提示したかったのは、アイヌ民族、アイヌ文化をめぐるパラダイムが大きく転換しつつあること、今後予想される変化の構図は、民族・文化のデフレーション(収縮：左図)からインフレーション(膨張：右図)への転換であること、そこで大きな役割を果たすのはミュージアムやイオル(伝統的生活空間)、各種の学校といった

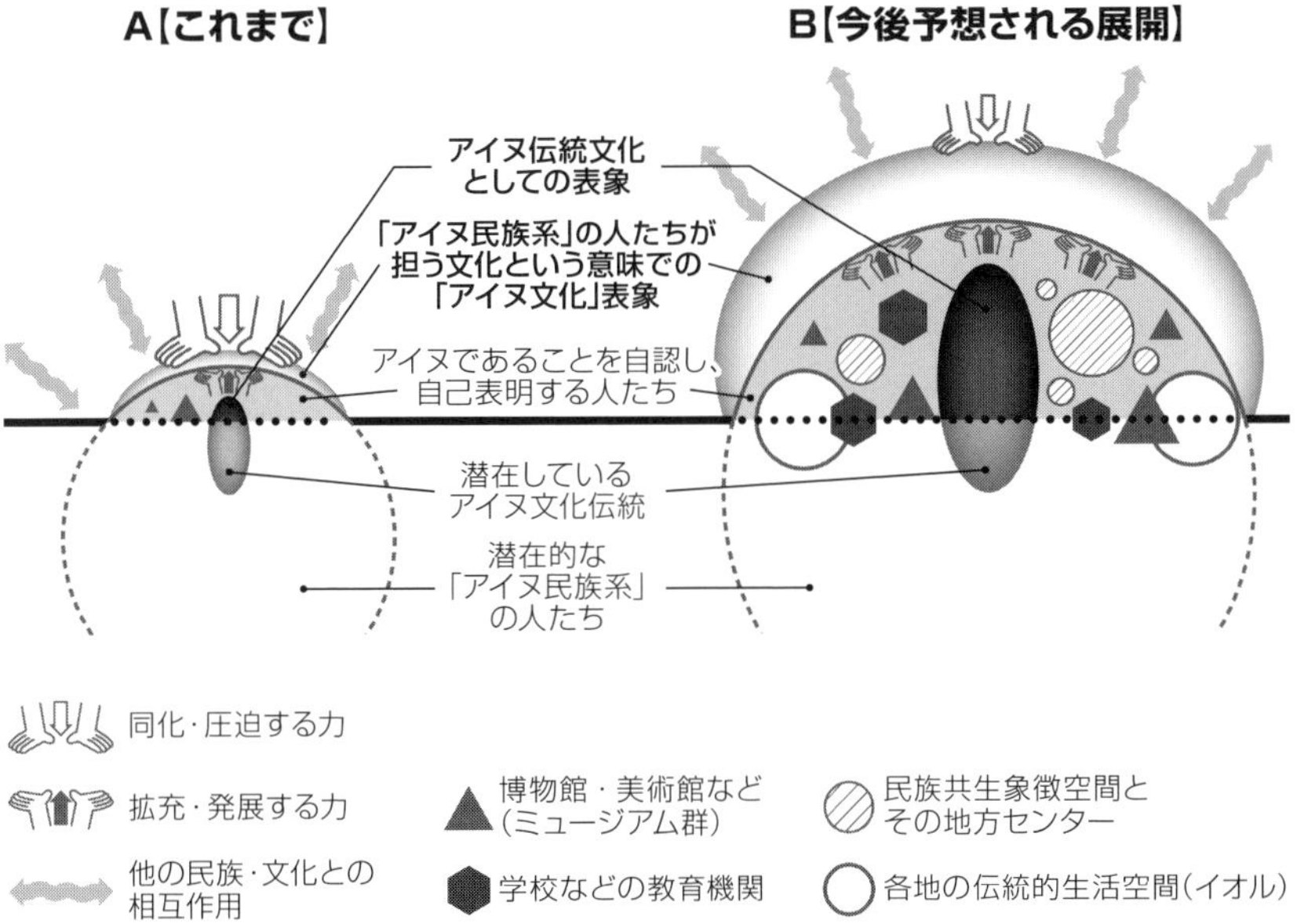

図3　アイヌ民族の文化表象において進みつつある変化のイメージ――文化的時空のデフレーション(収縮)とインフレーション(膨張)　(イラスト作成協力＝鈴木隆一朗)

教育・研究の機能をもった施設群であることなどを示している。このような変化を基調にして、美術工芸分野の振興も大いに進むだろうとの見解を表明するための概念図である。

その後の事態の推移を見ると、基本的な流れとしては図が示しているような展開になってきたと評価しても良いだろう。だがそれは、拡充だけが基調の楽天的な変化では決してない。左図にあるような収縮の動きがなくなったわけでもない。この図を叩き台として、あらためての検討や議論が進むことを期待したい。

3　アイヌ・アートと文化環境／景観

前項の、二〇〇二年の「予兆」を提示した段階では、用語としても見あたらないけれども、その後にスタートし、重要な位置を占めるようになるのが、「文化環境」・「文化景観」に関する取り組みである。〇三年に平取町がIWOR構想の一環として開始するアイヌ文化環境保全対策事業、〇五年から本格化させる文化的景観保全事業は、環境・景観の両分野の柱となるプロ

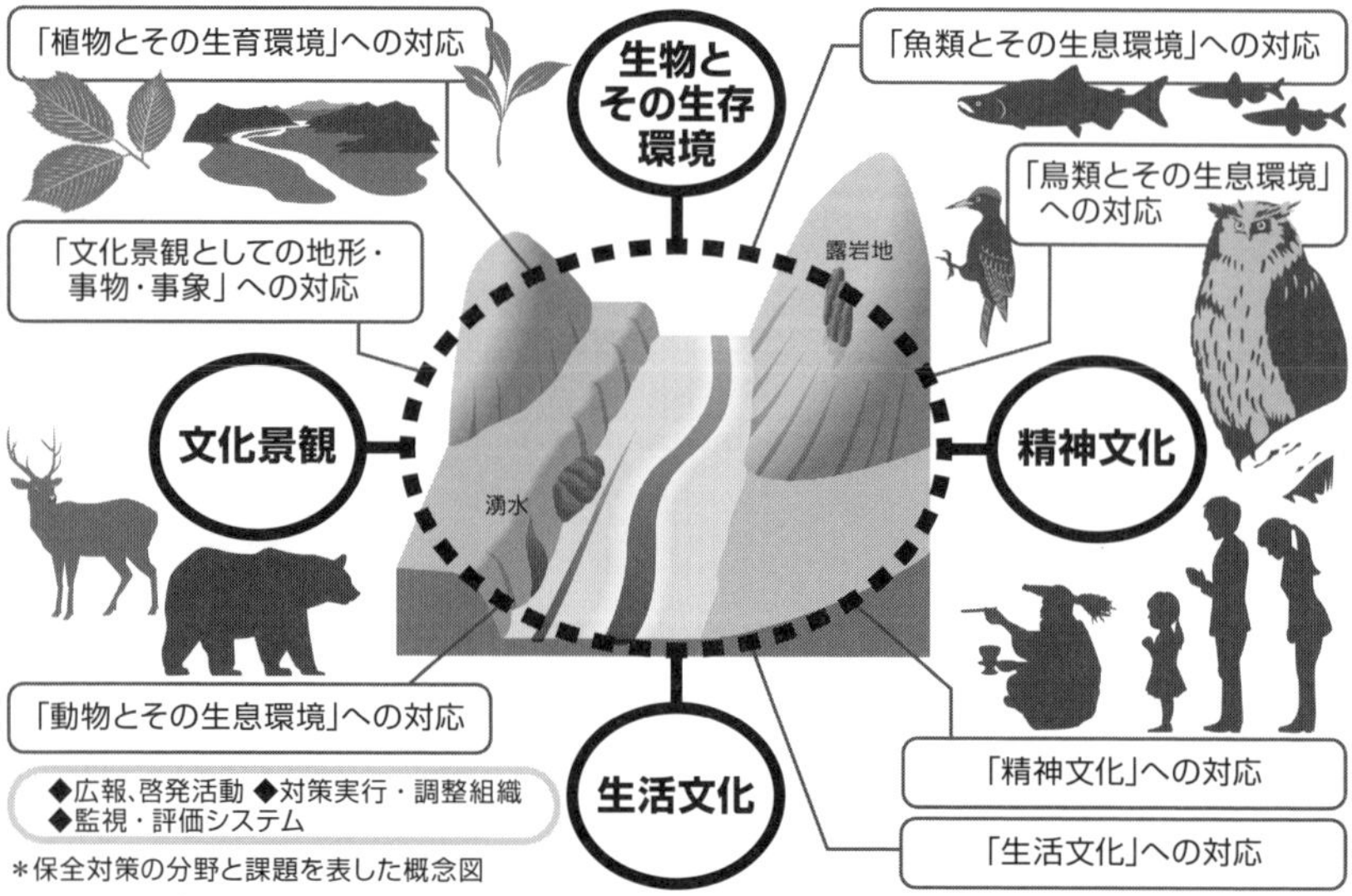

図 4　アイヌ文化環境保全対策の考え方——沙流川水系額平川における対策事例の概念図（注 3 に示した『総括報告書』の 39 頁の図を，吉原と鈴木隆一朗がアレンジ）

ジェクトだ。これらがアイヌ・アートとどう関係するか、筆者自身はいくつかの事情を考慮し、強いて論じてこなかった。だが、それぞれの分野の発展・深化のためには、今後はこの議論にも力を投じるべきだと考えている。

ここでも「初歩的」に、アイヌ・アートの観点から、**図 4**に示されているような文化環境保全の取り組みがもつ意義について、列記してみよう。

①創作・表現活動の、とくに精神面における重要な源泉の一つだと考えられる、環境と景観の保全が図られる。

②創作・表現活動において不可欠な自然素材について、多様性と量的な保全が図られる。

③伝統知、学術知など、諸分野の知見がより豊かで深くなることを通じ、創作・表現活動の可能性を広げられる。

文化環境も文化景観[17]も、アイヌ民族と地域の貴重な文化資産であり、自然的・社会的インフラと考えるべきだ。地場の美術工芸の持続性ある発展のためには、その保全が不可欠という理解が、少なくとも平取地域では広まりつつある。「素材」・「材料」と言う時、それは物質面と精神面の両面を意味すると考えるべきだ。

4　新しい生業としてのミュージアムとアイヌ・アート

二〇一九年四月、平取町二風谷地域のミュージアム群に新たに二つの施設が加わった。体験交流施設「ウレシパ」と、すでに設営されていたチセ(伝統家屋)群や平取町立二風谷アイヌ文化博物館、沙流川歴史館、アイヌ文化情報センターも囲い込んだ「二風谷コタン」[18]である。くり返しになるが、ここではミュージアムという概念をかなり広義に用いている。また、二風谷コタンの場合は、既存の施設群を包含する空間の景観的調和が図られた結果として、新たな野外博物館として機能し始めたかのような印象を与えている(**図5**)。

図5　二風谷コタンの景観．アイヌ文化を多角的に学べるミュージアムとして拡充しつつある．

二風谷コタンをはじめとする当地のアイヌ文化関連施設群で働いている人たちの数は、現在四〇名程度である。人口が五〇〇〇人を切った平取町では貴重な新興の産業、生業だと言ってよい。工芸のつくり手たちにとっても、作品の販売だけではなく、体験学習講座の講師を務めることなどにより、過去にはなかった収入源を創り出している。

経済産業省による「二風谷イタ」[19]と「二風谷アットゥシ」[20]の伝統的工芸品指定は、北海道では初めてのことであり、その価値・価格を高める契機となった。売り上げが一気に激増というほどではないが、堅調な右肩上がりの状況は、伝統的スタイルの作品の制作機会を増やし、熟達を促し、その質を高めることにもつながっている。また、経済基盤のある程度の安定は、新しい(あるいはより古風な)作風・創作にチャレンジする余裕を生み出しているのではないか。近年の状況に対する、筆者の所見である。

ミュージアム群は古くからの地場産業を活性化しているだけではない。よく言われる「観光で交流人口が増え、お金が落ちる」という意味だけではなく、それ自体が雇用と収入をもたらす自立したクラスターとして、自己増殖していく可能性も有している。

4 アイヌ・アートの持続的発展に向けて

──共同研究の成果をふまえつつ

私たちの共同研究グループが、初発の段階から共有していたねらいの一つは、アイヌ・アートという営みに寄り添い、共に歩みを進めていくことだった。この点を再確認しつつ、さらに筆者なりに、次の四点を提言したい。

提言1　アイヌ文様を使った作品のデータベースを構築し、編年を作成する

このことの必要性は、共同研究の開始時にすでに提案していたことだが、データを扱う技術や著作権等の問題で、今後の課題となっていた。

筆者がこの取り組みの緊要性をあらためて痛感したのは、「夷酋《いしゅう》列像　蝦夷《えぞ》地イメージをめぐる人・物・世界」展[21]を見学したときである。作品の実物といままでにない高精密で拡大された画像を観た際に、例えば**図6**に示したポロヤやニシコマケ[22]が身に着けている衣装や道具の文様に魅せられた。自身の不勉強もあり、こうした意匠がすでに一八世紀末にあり、しかも克明に描かれていたことに驚いた。この衣装の出自は、描かれた人たちが生活していた道東域か、それとも絵の作者が住んでいた道南域か、その制作時期は、などいくつかの疑問がすぐ浮かんだ。佐々木史郎[23]と津田命子は、図のようなルウンペと称されるタイプのアイヌ民族衣装がすでに一七世紀末から一八世紀初頭に制作されていた可能性とその地域について言及しているが、使いやすい画像データベースがあれば、調査研究上、そしてつくり手と鑑賞者にとっても、アイヌ文様の変遷のダイナミズムがつかめ、きわめて有益であろう。

図6　蠣崎波響《夷酋列像》に描かれたルウンペ風の文様(右：ポロヤの図,左：ニシコマケの図より)

提言2　「文様つかい」を育てる

古い優品ではよくあることだが、伝統の風合いや味わいを醸し出しながら、しかも自由闊達で遊び心さえ感じさせる作品は観ていて飽きが来ない。近ごろのコンクール作品などからは、新しい創作の担い手が増えてきている様子がわかり、頼もしい。あえて難を言えば、施文のデザインは、やや行儀が良すぎる感が強い。

この共同研究のメンバーでもある小笠原小夜が、研究会主催のシンポジウムのポスターに施文した作品からは、達者な「アイヌ文様つかい」がまた一人増えたなと感じた。芸の世界の慣いからすれば、書道や華道に類する「文様道」があっても良い(**図7**)。いくつもの「流派」が生まれ、競いもしつつ、すみ分けもできれば賑やかになり、さらに活性化するだろう。もちろん専門的な学校をはじめとするアカデミックな育成のシステムが整えられる必要もある。

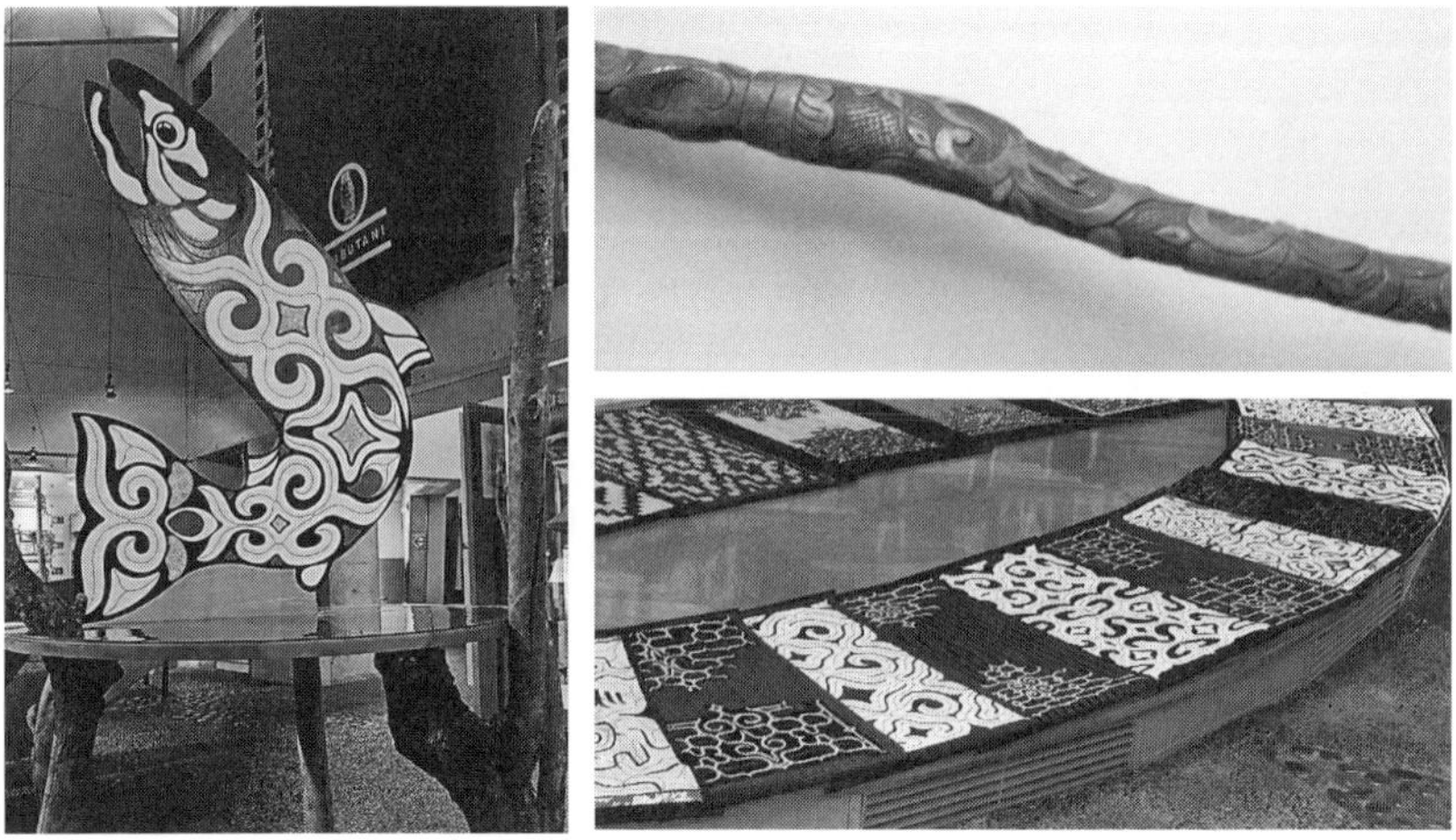

図7　古今の「文様つかい」の作品例(いずれも平取町立二風谷アイヌ文化博物館蔵)
右上　クワ(杖．作者不詳，昭和前期)　不規則な曲面への施文が見事．重要有形民俗文化財指定の資料群中の一品．1999 年特別展時にこれを模刻した貝澤守の秀品もある．
右下　展示場調光カーテン(二風谷民芸組合員合作，2001 年)　地域に伝わる多彩な文様を活かした組作品(常設展示場中空に設置前の写真)．
左　カムイチェプ(神魚．貝澤幸司，2002 年)　「現代のアイヌ木彫文化展 2002――アイヌ文様を活かす私の提案」に出展した作品(撮影＝吉原秀喜)．

提言3　アイヌ・アートに関わる批評・評論の活動を活性化する

誤解をおそれず敢えて言えば、つくり手・売り手の層が広がり発展するためには、その分野におけるプロの批評者、評論家、研究者が数多く現れ、「業界」が形成され得るくらいになると良い。また、本書のベースとなった共同研究のテーマは、研究・実践の持続的課題であり続けるものと思う。

いずれにしても、アイヌ・アートに関する議論を活性化させること。あまたの批判・反論も交わしあいながらそれを持続させること。つくり手の模索に並行し、あるいは後追いし、時に可能ならば先行もして、創作活動に対する真摯な検討を行うこと。適切な評論を発し続けるよう努めること。それらが、この分野の発展には必須である。およそ、いわゆる主流社会の「アート」の社会に存在する人材・集団・システム等は、現代のアイヌ・アートの世界に関わっても必要との前提で検討されるべきだと筆者は考えている。

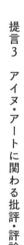

提言4 「アイヌ・アート」展をその名称で定期的に開催する

先に第2節で、一九七〇年代から今に至るアイヌ文化をめぐる状況の変化を略説した。そこでは敢えて提示しなかったが、一九九〇年代から二〇〇〇年代初めにかけて、平取町立二風谷アイヌ文化博物館が継続して実施したアイヌ・アート関連事業があった。特別展「現代のアイヌ木彫文化展」がそれで、三年おきのトリエンナーレ方式での開催だった。ここでは、各回のテーマだけを列記する。

第一回　現代のアイヌ木彫文化展一九九三――「国際先住民年」記念特別展(24)

第二回　同一九九六――シシリムカの匠たち

第三回　同一九九九――伝統と創造のダイナミズム

第四回　同二〇〇二――アイヌ文様を活かす私の提案

第一回は、平取地域以外の北海道内各地から作家の出品を得た。国連が提唱する「国際先住民年」記念と銘打った展覧会は、管見の限り、二風谷の館と国立民族学博物館(大阪)、東京国立博物館だけであった。第二回以降の出品者は平取地域の作家だけに絞ったが、毎回事前に相談しながらテーマにあわせたオリジナルな作品を制作していただき、過半は平取町が購入し博物館の所蔵資料とした。二風谷アイヌ文化博物館の体制・予算の事情や、一九九七年施行の「アイヌ文化振興法」のもとに設立された(財)アイヌ文化振興・研究推進機構が毎年度、大規模な「アイヌ工芸展」を開催するようになったことなどが理由で第四回のあとは継続していない(25)。

観光業の停滞やつくり手の減少傾向が顕在化していた時期に、一連の「木彫展」が有した意義・役割・影響等については、あらためての丁寧な整理と検討の作業が必要だと考えている。この課題の明示とあわせて、実施主体や地域、方法はともかく、「アイヌ・アート」名称を冠した定期的な展示イベントが、関係する人々と業界を育てていくだろうとの提言を、この機に公にしておきたい。

むすび

古くなり使えなくなった物や人を表す「博物館行き」という言い方がある。美術館や動物園、植物園などもふくむ広義のミュージアムの運営に真摯に携わる人たちからすれば、そのコトバこそ「博物館行き」になるべきだろう。この批判の論理、実は矛盾しているけれども。それはともかく、「博物館行き」は栄誉ある賛辞として使われるべきだと、心あるミュージアム関係者は考えているのではなかろうか。

本論考では多くの実例を示す紙幅はなかったが、平取地域に限らず、アイヌの美術・工芸・芸能・言語・歴史・自然認識など諸分野の再活性化に、関係資料を取り扱う博物館等が寄与をしてきた例は多い。アイヌ・アートの第一線で活躍するつくり手の方々は、実感をもってそれをよく了解しているのではなかろうか。彼《か》の人たちは、ミュージアムの特長をよくわかって利用している賢明なユーザーである場合が多いと、筆者は推察している。平取町とくに二風谷地区では、地域ぐるみでミュージアムの活用に習熟しつつあるとさえ思えるほどだ。こうした関わりを糸口に、アイヌの人びとの主体的参画が深まり、アイヌ・アートの世界がさらに活性化する可能性が高まっている。

今後もアイヌ・アートに関わる諸活動の進展に、ミュージアムは重要な貢献をし続けるだろう。大学等の機関や各種メディアと共に、創作活動に対する研究・教育・評論の有力な拠点となっていくのではなかろうか。また、二〇二〇年七月に始動した「国立アイヌ民族博物館」の主要ミッションの一つとして、アイヌ・アート振興が位置づけられるべきだろう。さらに連動して、北海道内外のミュージアムに対するアイヌ民族・文化の観点からする評価と点検、利活用の高度化が図られるよう期待したい。(26)

二〇世紀後半期から二一世紀前半期にかけては、ミュージアムがアイヌ・アートをはじめアイヌ民族とアイヌ文化に関わる活動の転換と活性化に重要な貢献をした時代として評価されるだろうと筆者は考えている。その場合、ミュージアムの諸活動に対するイニシャティブを強め、主要な担い手ともなっていくべきなのは、アイヌ民族系の人たちであるべきだ。それがなぜなのかは論ずるまでもない。と、言いたいところだが、現実には多くの議論を重ねる必要がある。これまで以上に真摯に検討を続けるとしても、結論自体は単純で、この見解の妥当性は理解者を増していくだろうし、大局的には社会の要請や時代の潮流とも一致していると、楽観している。

(1) 萱野茂『萱野茂のアイヌ語辞典』三省堂、一九九六年、三六三頁(増補版、二〇〇二年)。

(2) 平取町立二風谷アイヌ文化博物館は一九九一年秋に新築工事が完了し、同年一二月一日に常設展示を公開。翌年四月二五日に開館記念式典を行った。なお、同日に現在の萱野茂二風谷アイヌ資料館(私立)も新規に開館した。

(3) 「アイヌ文化環境保全対策事業」は平取町が二〇〇三年度より行っている。主に沙流川総合開発事業に伴う河川整備工事(ダム建設を含む)による地域、とくにアイヌ文化への影響を調査し、その対策を検討・提案・試行する取り組みを続けてきた。アセスメント(事前影響評価)とミティゲーション(保全措置)の両面を融合させたプロジェクト。当初は平取町教育委員会が主管、新しく設置されたアイヌ文化環境保全対策調査室が中心になり業務を推進した。二〇〇八年度以降は、現在に至るまで平取町役場アイヌ施策推進課アイヌ文化保全対策室が主管。この事業が始まった経緯については、『アイヌ文化環境保全対策調査総括報告書』(アイヌ文化環境保全対策調査委員会ほか編/平取町立二風谷アイヌ文化博物館編集協力、北海道平取町発行、二〇〇六年)が詳しい。また、毎年度作成されている事業報告書を参照。

(4) イオルは、行政面では、「アイヌ文化振興法」制定の布石となった一九九六年の「ウタリ対策のあり方に関する有識者懇談会報告書」以後に多用されるようになった術語である。この分野では、「伝統的生活空間」の和語で称されるアイヌ文化継承・振興のための場を意味することが多い。同「懇談会報告書」では、その設営が重要施策の一つとして位置づけられた。学術面では、一九五〇年代に文化人類学(民族学)分野の泉靖一を中心とする学際的研究チームが試みた沙流川筋等のアイヌ文化研究を通じて注目度を高めたのが、アイヌ語の概念「iwor」であった。

参考にすべきウェブサイトと文献の情報は次のとおり。「ウタリ対策のあり方に関する有識者懇談会報告書」は首相官邸ホームページの内閣官房アイヌ総合政策室のサイトで閲覧できる。泉靖一「沙流アイヌの地縁集団におけるＩＷＯ

R」民族学協会編発行『季刊民族学研究』第一六巻第三―四号、一九五一年、二二三―二二九頁。

（5）「アイヌ民族系」という表記について違和感をもつ人が多いかもしれない。アイヌ民族やアイヌ文化に関わる記述の際に用いられることの多いのは「和人」との表記である。両者の相対主義的な対等性を重視すれば、「アイヌ人」に対応するのが「和人」である。同様に、「アイヌ文化」に対しては「和文化」、「アイヌ民族」に対しては「和民族」と表すのを筆者は原則としている。「アイヌ民族系」は、日本国内外にアイヌ民族と称する集団が現に存在していることを前提に、それに(も)帰属意識を有する人たちを表す語である。ここで三点を補足し強調したい。①一人の人間が複数・多数の民族的帰属意識を有するのは、世界的視野ではごく普通の現象だという点。②「アイヌ民族系」が意味する人びとの範囲は、いわゆる血やDNAの系統にかかわらず、結婚による配偶者とその子ども会員資格を有するとしている公益財団法人北海道アイヌ協会(アイヌ民族系の人びとの組織としては最多の会員を擁する)の定款が想定している範囲とほぼ一致している点。③「和民族」という語は、「和」を尊重する集団でありたいという未来志向のアイデンティティを積極的に示すうえで適切な術語ではないか、とは筆者の仮説である点。付言すると、地方自治体の実務上や関係団体の運営上は、一定の必要性があり、かつ大きな齟齬や支障をきたさない概念規定ではないかとの感触を今のところはもっている。広範で丁寧な研究協議が必要な大問題ではある。

（6）この論説では、「ミュージアム」を博物館、美術館、そして水族館や動植物園等も含む広義で用いている。

（7）吉原秀喜「現代のアイヌ工芸――森に育まれた芸術のいま」『北方林業』vol. 60 No. 2, 社団法人北方林業会、二〇〇八年、一七―二〇頁。

（8）筆者の身近なところでも、アイヌ民族・文化と和民族・文化など、マルチな血縁的系譜と文化的背景、アイデンティティを柔軟に受けとめ、上手に使い分ける人は多い。民族的権利を認める時に法制面でネックになるのは、アイヌ民族に属するのは誰かを決めることだという指摘がある。もっともな意見だが、ある個人とある民族への所属とは一対一対応であるべきとの固定的発想が広く根深くあることも、問題に柔軟に対処することを妨げているというのが筆者の私見である。

（9）北原次郎太「アイヌ文様は「魔除け」か――衣文化に付随する通説を検証する」北海道博物館『北海道博物館アイヌ民族文化研究センター研究紀要』第三号、二〇一八年、一―一八頁。

（10）共同研究会(代表＝池田忍)での発表や教示による。刊行物では、五十嵐聡美「イクパスイ――祈りの造形」アイヌ文化振興・研究推進機構編・発行『木と生きる――アイヌのくらしと木の造形』二〇一九年、一八〇―一八九頁など。

（11）平取アイヌ文化保存会は、一九八四年に「アイヌ古式舞踊」が重要無形民俗文化財に指定されたことを契機に保持団体として正式に発足、認定された団体。筆者は、九〇年代半ばまでの十数年間、ボランティアで事務局を担当していた。正式な結成の以前にも、六〇年代から萱野茂らのもとで「保存会」を称したさまざまな活動と発表機会があったようである。その時期からの文書・写真記録は、主に二風谷生活館や萱野茂二風谷アイヌ資料館、平取町立二風谷アイヌ文化博物館に保管されている。また、筆者自身がワープロ文書の電子データファイル等を保有している。

(12)「アイヌ文化振興法」についての論説は数多いが、ここでは次の三つを薦めたい。常本照樹「アイヌ文化振興法の意義とアイヌ民族政策の課題」北海道大学アイヌ・先住民研究センター編『アイヌ研究の現在と未来』北海道大学出版会、二〇一〇年、二一一―二二二頁。滝口亘『アイヌ文化振興法成立秘史――政策秘書のノートから』私家版、二〇一一年。中村睦男『アイヌ民族法制と憲法』北海道大学出版会、二〇一八年。

(13) イオルの表記については、行政・学術の事情を反映した使い分けがある。IWORと大文字で記すのは、多くの場合、日高地方の沙流川水系全体や北海道全域のネットワークを念頭においた「構想」を意味することが、とくに平取町では多い。それに対して「イオル」は、現にその語を使って計画・予算が動いている事業を指す。「iwor」は、言語学をはじめ学術面で、あるいはアイヌ語文で用いられる表記で、カタカナでは発音を正確に反映しようとして「イウォロ」と書く場合もある。

(14) イオルの取り組みをはじめ、「環境・文化・景観の連関と工芸の振興」の問題への言及として、筆者には左記の論考がある。これは、注7で示した拙稿をふくむ『北方林業』誌のシリーズ「アイヌの人々と森」掲載論文群のそれぞれに、若干の改編を加えて出版された単行本『アイヌ文化と森』の第9章である。あわせて他の著者による論考(章)も参考にしたい。吉原秀喜「現代のアイヌ工芸――森に育まれた芸術のいま」(手塚薫・出利葉浩司編『アイヌ文化と森――人々と森の関わり』風土デザイン研究所、二〇一八年、八五―九五頁)。

なお、「アイヌ文化振興法」に代わって二〇一九年に施行された「アイヌ施策推進法」のもとでも、イオルの整備とそれが関わる土地・資源・環境等の問題には、政策上の強い関心が寄せられている。これについては、新法制定に向けて、一九九六年の「懇談会報告書」の場合と同様な役割を果たした二〇〇九年の二つ目の「懇談会報告書」と関連文書を詳しく検討することをお勧めしたい。アイヌ民族とその文化に関する国立ミュージアム設営、そして「民族共生象徴空間」設営に向けて欠かせないステップを成した文書である。「アイヌ政策のあり方に関する有識者懇談会報告書」首相官邸ホームページ内閣官房アイヌ総合政策室サイト。

(15)「ウポポイ」＝upopoy(大勢で歌うとの意味)という愛称が公募を経て決まっている。

(16) こう評価することは、アイヌ施策推進法とそのもとでの政策展開にまったく問題がないことを意図しているわけではないのは、もちろんである。

(17) 文化(的)環境／文化(的)景観、共にcultural environment/cultural landscapeの訳語である。このうちとくに後者は、日本の行政や学術の世界では「文化景観」と「文化的景観」で若干異なる意味があり、使い分けもされている。筆者は文化環境とセットで用いる場合がかなりあり、文化景観の語も多用している。ちなみに、平取町は文化庁が管轄している重要文化的景観の全国では三番目の、北海道では初で、いまでも唯一の選定地である。筆者は、その地元行政(当時は平取町教育委員会)の調査・実務担当者であった。

(18) 全体の整備設計を監修したのは、篠原修(東京大学名誉教授)。氏は東京駅前と、そこから皇居につながる行幸通りの設計監修もした景観工学の専門家。『景観用語事典』(増補改訂版、彰国社、二〇〇七年)、『ピカソを超える者は――評伝鈴木忠義と景観工学の誕生』(技報堂出版、二〇〇八年)、『河川工学者三代は川をどう見てきたのか――安藝皎一、高橋裕、大熊孝と近代河川行政一五〇年』(農文協プロダクション、二〇一八年)等の編著がある。

(19) 二風谷イタの指定は、平成二五年三月八日『官報』第六〇〇一号掲載の経済産業省告示第四四号による。

(20) 二風谷アットゥㇱの指定は、前記告示第四五号による。イタもアットゥㇱも共に、この告示によって「伝統的な技術又は技法」、「伝統的に使用されてきた原材料」、「製造される地域」などが規定されている。「伝統的工芸品産業の振興に関する法律」による指定は、生業としての持続性を高めるうえで大きな意義があるものとして関係者に受けとめられ、継承と振興のために諸施策・事業が活用され始めた。一方、それに伴う規定は、つくり手の創造性を制約するものともなりうる点に留意したい。

(21) 二〇一五年九月から二〇一六年五月にかけて、北海道博物館、国立歴史民俗博物館、国立民族学博物館で順次開催。図録は、「夷酋列像」展実行委員会・北海道新聞社編『夷酋列像　蝦夷地イメージをめぐる人・物・世界』北海道博物館、二〇一五年。

(22) ポロヤとニシコマケは、蠣崎波響画《夷酋列像》に描かれた一二人中の登場人物。この列像は、一七八九年に起きた和人とアイヌ人との歴史上最後の大規模な武力抗争であるクナシリ・メナシの戦いで、松前藩側に協力したとされる人物たちを描写。ポロヤは北海道東部の別海の、ニシコマケは同じく厚岸の首長と伝わる。

(23) 佐々木史郎「北東アジアの中のアイヌ」注20前掲図録、一一八―一二三頁。津田命子「イカㇻカㇻ――アイヌ刺繍の世界」アイヌ文化振興・研究推進機構編・発行『イカㇻカㇻ――アイヌ刺繍の世界』二〇一六年、一八八―一九三頁。

(24) 吉原秀喜編『現代のアイヌ木彫文化展一九九三――「国際先住民年」記念特別展』(図録)、平取町立二風谷アイヌ文化博物館、一九九三年。

(25)「アイヌ文化振興法」が制定された一九九七年前後と、二一世紀最初の一〇年間における平取地域の工芸と文化活動の状況については以下を参照。貝澤徹・吉原秀喜共編『アイヌ伝統工芸振興のための課題と方策に関する共同研究――北海道平取町二風谷における事例研究と提言』二風谷観光振興組合、一九九八年。吉原秀喜「マンロー関係資料研究・活用上の地域的諸課題――北海道平取地域におけるアイヌ文化継承の現状に即して(研究ノート)」『国立歴史民俗博物館研究紀要』第一六八集、二〇一一年、八三―一一八頁。

(26) 例えば、二〇一九年度から数年をかけて、釧路市動物園がアイヌ文化と動物との関わりをテーマとした新しいゾーン設定と施設建設、展示リニューアルを構想しているようだ。これは地元のアイヌ協会からの指摘と提言を受けての動きで、「アイヌ施策推進法」のもとで整えられた国の財政支援措置の対象となっている。実現すれば、動物とアイヌ文化の関係性を専門的に扱うミュージアムの常設展示として画期的である。例えば、伝統的なアイヌ文芸には、多様な動物神(カムイ)が登場する物語が数多い。この種のミュージアム展示の拡充は、文芸口演や身体表現なども含めた「アイヌ・アート」の世界を広げ、豊かにするうえで寄与するだろう。

また、本書の出版作業が最終段階を迎えた二〇二〇年七月一二日、北海道白老町にウポポイ=民族共生象徴空間が開業した。国立アイヌ民族博物館、国立民族共生公園、慰霊空間などからなる新しいタイプの国設ミュージアムに大いに期待したい。

第6章

アイヌ・アートを楽しむ
――双方向的・相乗的なネットワーク構築に向けて

高橋　桂

1　アイヌ・アートへの扉は突然、開かれた

はるかに見上げる背の高い木々の間から、いく筋かの木漏れ日が差し込んでいる。北海道とはいえ夏の日差しは強い。でも、森林の中の空気は涼しさを帯び、清らかに澄んでいる。聞こえてくるのは野鳥のさえずり、そして、かすかにそよぐ風の音。

そこは北海道北部を流れる天塩《てしお》川中流域、中川町と音威子府《おといねっぷ》村にまたがって所在する北海道大学の研究林（中川研究林）。道内でも貴重な比較的原生状態に近い森林を保存し、天然の森林とそこに棲む生き物の生態を観察する広大な「原生保存林」を有している(1)（本書xiii頁「関係地図」参照）。

深林の奥に何か生き物の気配を感じるが、姿を見せることはない。〝神宿る森〟人の力の及ばない圧倒的な自然の中を歩きながら、ふとそんな言葉が頭をよぎった。北海道にこんな場所があったのか。札幌で生を受け、道産子と自認して生きてきたにもかかわらず、私はこの北の大地のことを何も知らずにきてしまった。その無知に

気づき、衝撃を受けた。

旅の目的地は、この研究林からほど近い場所にある、彫刻家、砂澤ビッキ(一九三一―八九)のかつてのアトリエの面影をとどめる美術館、「エコミュージアムおさしまセンター」である。(2) はじめてここを訪ねた時、まるで大地から生え出ているかのようなビッキの作品に魂がゆさぶられ、私は〝アイヌ・アート〟への扉を開くことになる。二〇〇八年の夏だった。

高校を卒業するまで札幌で過ごしたが、学校で取り立てて北海道の先住民族アイヌについて教わることはなかった。親世代の言葉の片隅に、「触れてはいけないもの」というタブーを感じることはあっても、そう感じる理由について考えることはなかった。両親は、旭川の生まれで、アイヌの人々の厳しい暮らしを見聞きする機会があったはずだ。ただし、遠くから。

学校でも、また親からもアイヌについて教えられなかった。だから知らない、という言い訳は成り立たない。ただ、当時の私の視線は自分の足元へではなく、外へ外へと向いていた。東京の大学、アメリカの大学院で学んだのち、東京に戻って広告の仕事をするようになってからも、郷里の文化や歴史について振り返ることはなかった。ただ、昔から美術や音楽の鑑賞が趣味だったから、アーティストとしての砂澤ビッキには、彼が北海道出身ということも手伝って興味を抱いていた。

だから、一〇年前の夏、姉から「夏休みに家族旅行で北海道の音威子府にある砂澤ビッキ記念館を訪ねてみないか」と誘われたとき、気軽に応じた。今まで旅といえば海外ばかりだったから、北海道を旅してみるのも悪くない。そんな気持ちもあった。その旅が自分にとって大きな意味を持つことになるなど、その時はまったく気づいていなかった。

音威子府駅には、札幌から特急に乗って三時間あまりで到着する。かつて宗谷本線と天北線の分岐する交通の要衝として栄えていたそうだ。しかし、国鉄の分割民営化、天北線の廃止を経て、今は静けさが漂う駅である。大量の木材を運ぶ蒸気機関車が行き交っていたという往時をしのばせるように、丸太で作られた汽車のオブジェが無人のホームにポツンと置かれていた（**図1**）。その姿がかわいくもあり、物悲しくもある。駅舎の外に出ると、高い建物はひとつもなく、空が限りなく広く感じられた。牧草地が延々と広がる景色を見ながら車で進み、日本最北の一級河川、天塩川を渡ると「砂澤ビッキ記念館」に到着した。

図1　音威子府駅ホームにひっそりと佇む丸太の機関車

砂澤ビッキは一九三一年、北海道・旭川のアイヌの家庭に生まれた。その後、阿寒、鎌倉、札幌と居を移しながら、木を素材とした彫刻の創作活動を続ける。そして、四七歳のとき、音威子府高校（現・北海道おといねっぷ美術工芸高等学校）の校長から、「音威子府には木がいっぱいある。廃校になった小学校の校舎をアトリエにしないか[3]」と誘われ、移住してきたのだ。

音威子府は、冒頭に述べた北海道大学の中川研究林を含め、総面積の八〇パーセントが緑深い森林に覆われている。ビッキにとって作品づくりの素材の宝庫ともいえる場所だった。ヤチダモ、松、柳をはじめふんだんな木材を得て、ビッキは精力的に大作の制作に挑み続けた。だが、その後一〇年余で活動はついえる。癌に倒れ、一九八九年、帰らぬ人となった。

生前のビッキのことをよく知る記念館の館長（現・名誉館長）河上實さんが、私たちを案内してくれた。思い出話を聞きながら、ビッキが木彫の材を探しに歩いたという原生林を歩くと、そこには樹々の生気があふれていた。都会のビルの林からは決して感じることのない生命の息吹。ビッキの作品の原点を垣間見るような気がした。

また、アトリエや木材置き場は、今まさに制作が続けられているような空気で満ちている。彫刻家の思いが今もここにあり続けているかのように。そして、彼が生前に制作した作品の数々は、あの原生林と同じように生気を感じさせ、圧倒的な迫力を醸し出している。そこには魂が宿っていた。

今まで美術館に展示されているビッキの作品を見たことはあったが、大地の息吹、作者の息遣いにあふれるこの空間で彼の作品を見た時、私は心をわしづかみにされる感覚を覚え、言葉を失うほどに魅せられた。アートにはそれがあるべき場所、見るべき場所がある。そう確信したのだ。

自分のふるさと北海道には、底知れぬ魅力と誇れる文化がある。それも、土地に根ざした材を用いて、そこに生きる者が創造するアートがある。そのルーツは北の大地に生きたアイヌの造形ではなかったか。

もちろん、ビッキの作品には、鎌倉や札幌で暮らし、東京で個展を重ねる現代的、都会的な感性が確かに息づいている。他方で、旭川に生まれ、開墾に従事し、阿寒で家族とともに木彫で生計を立てた日々に、祖先たちの大地との絆をしっかりと手渡されたに違いない。重層的な歴史と経験が、彼の身体には蓄積され、その打ち下ろす鑿《のみ》、木を削る刃物を通して作品に結実した。

私がそれまで省みることのなかった郷里、北海道に対する見方、価値観が変わった瞬間だった。

2　興味の扉は次から次へと開かれていく

もっとアイヌのことを知りたい、学びたい。私の興味はアイヌの音楽へも広がった。樺太アイヌの弦楽器、トンコリの演奏を聴き始めると、同じ曲でも奏者によって趣や味わいがまったく違うことに気づくようになった。

アイヌは楽譜を持たず、聴いて覚えて曲を受け継いでいく。古い形を忠実に守り伝える人たちもいるが、アドリブやアレンジを加えて、自在に表現しながら受け継ぐのがアイヌのスタイルだという。だから奏者によって趣も味わいも変わるのだ。

アイヌの音楽を「聴く」ことから始めた私は、やがて東京音楽大学付属民族音楽研究所のトンコリ入門講座を受け、「奏でる」ことにも挑戦した。(4) しかし、「型通りではなく、自分の感性や思いに忠実に弾けばいい」という自由さがかえって私を戸惑わせた。ずっと型にはまった教育を受け、そこに窮屈さを感じながらも慣れてしまっていたからだ。

子供のころ、ピアノの教師からは、楽譜にスタッカートとあれば弾むように鍵盤を叩き、ピアニシモとあれば音を小さく、フォルテとあれば大きく表現することを求められた。楽譜通りにできなければ「ダメだ」と言われ、「ほら、よくここを見て」と楽譜を指さされる。

音楽だけではない。国語も数学も社会も、型で決められた学習法からずれれば、ダメ、ダメ、ダメと言われ続ける。私にとって規律、規則に縛られることは息苦しかったが、それが仕方のないことと思ってもいた。

でも、アイヌの音楽や舞踊は違った。自分の感性を大切にし、感覚のおもむくままに歌い、奏で、踊る。その自由さ、心や感情と結びついた表現が、知れば知るほど心地いい。

最初は「自分らしく表現する」ことができず、「楽譜通りに」といわれたほうがよほど楽だとも思ったが、楽器が身体になじんでくると、少しずつ自分らしさを出せるようになっていく。その場その場、その時その時、一緒にいる人によっても表現が変わる。踊りながら奏でることもあれば、子供を寝かしつける時横になりながら弦を爪弾くこともあるという。生活に根ざした音楽とは、こういうものなのかと感じるようになった。そして、もっとアイヌの人の心の表現を知るために、トンコリという楽器を自ら「作りたい」と思い始めた。

図2　製作過程のトンコリ＝樺太アイヌの弦楽器

全長約一二〇センチ、幅約一〇センチ、厚さ約五センチのこの楽器の形は、人間の体を模しているといわれる。そして、楽器の中の空洞部分には「魂」として、勾玉など貴重なものを入れるのが伝統だという（**図2**）。

「イチイや桂の木でつくると音がいい。でも、それらの木は高価だから、これを使いましょう」。道東の塘路《とうろ》から材料を加工して持参してくれたトンコリ製作の指導者にトドマツを勧められ、その後何日もかけて、私は胴体に桂の葉をモチーフにしたアイヌ模様を彫って仕上げた。「魂」として入れるのがビー玉なのはご愛嬌だ。

今までに目にしてきたトンコリに比べれば稚拙なものだが、実際にトンコリを「作る」ことで、アイヌの木に対する造詣や知識の深さ、木工技術の巧みさ、楽器に込める思いを知った。そして、「奏でる」ことで演奏の妙もわかり、「聴く」楽しさも深まっていった。

私はそもそも好奇心の塊で、ただ観る、聴くだけでなく、自分でやってみたいたちだ。自ら油絵を描いてみることで西洋絵画の技巧を知り、シルクスクリーンを習うことで版画の仕組みを理解してきた。そんな私にとってアイヌ・アートは、ひとつの扉を開けると次の扉があり、その扉を開けるとまた次の扉があって、どんどん吸い込まれていった。

砂澤ビッキの現代彫刻から、トンコリ製作、アイヌ音楽へ。アイヌ刺繡、オヒョウやシナの木の樹皮を糸にして縄を編む手仕事、さらにアイヌ語も……。難しくてとても歯が立たないが。

未だかつて、これほどまでに「もっと見たい」「もっと聴きたい」「もっと知りたい」と飽くことなく心を揺さぶられ続けるものはなかった。北海道の地に生まれ、アイヌの人たちと同じ空気を吸って育ち、冬の寒さがどれほど厳しいか、夏の日差しがどれだけ恋しいかを身体で知っている道産子の血が騒ぐからだろうか。いや、ふと周りを見回すと、北海道に特に縁のない人たちも含め、ある人は音楽に、ある人は刺繡に、また別な人はアイヌ語に深く打ち込んでいた。なんでもやってみたいのは、私だけかしらと、気恥ずかしく感じるほどだった。

昔、アイヌの家々で親から子へ、子から孫へと伝えられてきた伝統は、一時、不幸な歴史によってその多くが中断してしまった。しかし、今またその大切さを再発見した者たちによって受け継がれようとしている。このことをもっと多くの人に「知らせたい」「広めたい」という気持ちが私の中で芽生え、育っていった。

3　北海道の旅は大自然とグルメだけではない

今まで見逃してきた郷里、北海道を見つめ直したい。その気持ちは募っていた。

そこで、北海道のアートに触れるツアーを企画した。旅の中心は〝アイヌ・アート〟だったが、北海道に根ざすアートを知るためにアイヌ以外の美術館なども計画に取り入れた。そして、二〇一一年九月、アイヌ・アートの専門家、美術研究者や学芸員、アーティストなどを誘って、総勢一〇名、四泊五日の旅に出かけた。

なかでも深く心に刻まれたのは、十勝の「ハポネタイ」で開催されていたアート展だった。「ハポネタイ」とは、アイヌ語で「母なる森」の意である。北海道と関東に住むアイヌと和人の表現者たちが熊笹の生い茂る広大な森＝ハポネタイを切り開き、そこで作品を展示し、芝居をし、唄い、古い音源に耳を傾けた。「先祖の思いを受け継ごう」というアイヌの人々の意志と、「さらに独自のものを生み出して未来へつなげていこう」というアイヌ、和人の境を超えた熱意が融合し、世界にただひとつの場を生んでいた。まさに「アートにはそれがあるべき場所、見るべき場所がある」と思わせるものだった。残念なことに、二〇〇八年に始まり、毎年続いていたこのイベントは、二〇一三年をもってその場での活動は停止したが、今でもそこに集った人々の活動は個別に続いている。(5)

十勝でもうひとつ、心揺さぶられるアートに出合ったのが、帯広市にほど近い十勝の鹿追《しかおい》町にある「神田日勝《かんだにっしょう》記念美術館」(6)だ。神田日勝は、一九三七年に東京・練馬で生まれた。太平洋戦争末期、ときの政府による「拓北農兵隊」という戦災者の集団帰農計画があり、日勝は両親や兄とともに一九四五年に北海道に渡ったのだった。

まったく農業経験のない人たちによる農地開拓は過酷なもので、離脱者も相次いだという。が、そんななか神田日勝はこの地で「農民として」生きながら、「画家として」ベニヤ板に力強い絵画を描き続けた。これもまた、北の大地が生んだアートである。キャンバスではなくベニヤ板に直接塗りつけられた筆跡と描き出された繊細な心象風景、作品の魅力もさることながら、北海道という土地の風土や歴史をより深く知り、理解するためにもぜひ訪ねたい美術館だと感じた。(7)

そしてこの旅と前後して、もうひとつ私が知ったのは「飛生《とびう》アートコミュニティー」である。札幌から高速道路で西に一時間、千歳空港からも近い白老《しらおい》町の市街地からは離れた森の中、かつて開拓者が入植しその家族が暮らしていた地区、廃校となった旧飛生小学校の校舎を拠点に、彫刻家・國松明日香を中心に札幌のアーティストたちが集まり、アトリエを設け活動を始めたのは一九八六年のことだったという(8)(**図3**)。

次の世代の若者たちがその地を引き継ぎ、校舎周囲の荒れ果てた森に分け入っては倒木などを撤去し、環境を整え、森を生き返らせて、この地を舞台に表現活動を始めたのが二〇〇九年のこと。「飛生芸術祭」と名付けられた催しは、木造校舎と周囲の森を会場として、一年に一度の催しを重ねてきた。

親世代の表現活動との違いは、「飛生」の地が、開拓者の入植以前にはアイヌの人々の生きる場であったことを自覚し、この土地でこそなし得る創作・表現活動を目指している点である。また、アイヌのアート、歴史に関心を持つ、多くの音楽家、美術家、そして観客に呼びかけて、協働的な生活と創造の場の持続的な成長を目指していることである。

図３　大空に向かって蕾を開く《トビウタワー》

白老の駅に近いポロト湖畔には、二〇二〇年四月二四日の開館を期して、国立アイヌ民族博物館と国立民族共生公園からなるウポポイ(民族共生象徴空間)[9]が完成した。後に触れるように、二〇二〇年早春に始まる新型コロナウイルスの感染拡大の影響で、同施設は未だ広く見学者を迎えるに至っていないが、ポロト湖畔には、かねてよりアイヌの人々の活動拠点があった。一九六五年に白老市街地や近隣に住むアイヌの人々の生計を支える目的で観光用のアイヌ集落(ポロトコタン)が設けられ、一九八四年に一般財団法人アイヌ民族博物館に発展して、五三年の長きにわたって活動を続けてきた。

こうした白老の土地と歴史を踏まえることで、親の代から受け継いだ「飛生アートコミュニティー」は、近隣のアイヌの人たちも自然と集まる場所へと開かれてゆき、特に毎年九月初めに開催される「飛生芸術祭」は、「アイヌか否か」や年齢、性別の境もない「ゆるやかなつながり」の中、皆がまるで集落の一員かのように夜通し楽しむ祭として賑わう。もちろんここに来る人たちの目的はそれぞれで、近年参加した著名なアーティスト・奈良美智《よしとも》が目当てのコアな現代アートファン、キャンプ好きな子供連れの家族なども目立つが、この土地に関心を持つ人々を呼び込みながら、このコミュニティはその存在意義を高めていくものと期待したい。

私は、「この場でなければ」という要素と併せて、飛生の持つこの「ゆるやかなつながり」という要素に可能性を感じたのだ。この点については、さらに詳しく後述しよう。

北海道は、「日本美術史」の枠組みを前提とすれば、近代以降ということになるが数多くの美術家を輩出し、また国際的に活躍する現代アートの著名人も少なくない。たとえば、三笠市出身の川俣正は、フランスを拠点としながらも、たびたび帰郷し旧友たちを核として、地域に根ざした創造的芸術/社会実践を展開している。地域の記憶や経験が、川俣自身のそれと響き合い、魅力的な試みを継続していることに感銘を受けた(10)。

他にも、岡部昌幸、露口啓二など、北海道各地の土地の記憶、襞に分け入る表現者の活躍は続く。美術館の数は決して多くはないかもしれないが、北海道のアートをめぐる旅は奥が深い。

とは言え、世間一般において北海道旅行といえば、「グルメと自然、夏は果てしなく続く地平線と緑の大地、冬は雪祭りとパウダースノーのスキー」が定番だ。その旅の間に、アイヌにちなんだ観光が差しはさまれるにとどまる。観光イベントやホテルのアトラクションとして近年多用されるアイヌの物語やデザイン、イメージを引用したプロジェクションマッピング、映像は美しくとも、生身の人と人との出会いを疎外する危険はないだろうか。

北海道を観光で訪れる人の数は年々増え続け、今では道外から年間九〇〇〇万人を超え、そのうち海外からの観光客は三〇〇万人以上といわれる(平成三〇年北海道経済部観光局調べ(11))。

その人たちに「北海道には魅力的な人々が創り出すアートがある」と、もっと「知ってもらいたい」「広げたい」と実感することがしばしばである。

しかし、本稿を編集部に送った直後に猛威を振るい始めた新型コロナウイルスの影響について、ここで言及しないわけにはいかない。折しも北海道はスキーシーズン真っ只中、一年で最も目玉の観光イベント「雪まつり」会場が感染源となった事情もあり、当初、北海道と札幌市の試算によると道内の観光消費額の落ち込みは一〜六月で四〇〇〇億円規模となり、この半年間の宿泊客数は九〇〇万人減少すると予測された。人の集まるところは次々と閉鎖され、自分と向き合う時間だけはたっぷりと用意された。この災禍は、夏を迎える今も、世界中の経済や人の動きを抑制し、元の世界に戻る道筋は見えない。ウィズ・コロナ、ニュー・ノーマルといった言葉も頻繁に耳にする。

美術館・博物館、ギャラリー等の施設は閉鎖され、芸術祭、音楽会、ライブイベントなどの催しは、「三密は避けよう」を合言葉に規制された。テキスト、画像映像、音声を組み合わせた複合的コミュニケーションを得意とするインターネットが頼みの綱となり、世界中がネット上でつながることで安らぎを覚え、活動が維持可能であるかのような錯覚に一瞬陥った。しかし、毎日パソコンに向かいながら、次第に物足りなさを感じ、喪失感に焦りが募っていったのも事実だ。

物理的に動きが取れなくなった今こそ、創造の現場にアクセスし、多くの人と感動を分かち合い、コミュニケーションをとる方法をじっくり考え直すための、またとないチャンスにも思えた。アーティストの中には制作に没頭できる時間が増えたことを前向きに捉え、作品をネット上で公開しながら、他のアーティストにバトンを繋いで、連帯を模索する人も現れた。私の知人や友人の間でも、自宅の本棚から、今こそみんなに読んで欲しい本を掘り起こし、リレー形式で紹介する試みや、Zoomを使ったトンコリの練習会などが試みられた。対面しなくても、深めあう新しいコミュニケーションの手法が、様々に提案・実践されたことは大きな収穫であった。

それでも、次節で紹介するような、ライブの参加型イベントは、大きなインパクトを持っている。視覚、聴覚はある程度満たされても、嗅覚、味覚、触覚などを呼び起こすアート作品もあり、作り手や参加者と目を合わせながらの会話、同じ場の空気や距離感を共有する高揚感など受容者が求めるリアルな体験が得られない事への不満が募っていく。

4　首都圏でアイヌ・イベントに参加する

機会があるごとに北海道をめぐる旅を続けるうちに、今私が住んでいる東京周辺でも〝アイヌ・アート〟に触れる機会はあるだろうかと考えた。そこで調べてみると、アイヌ関連の展示・イベントは、首都圏でもかなりあることに気づいた。私なりにデータを取っていた二〇一五年から一六年にかけての二年間、夢中でそれらを巡っていたこの時期、私が把握できただけでも首都圏を中心に開催されたアイヌ関連のイベントは一四〇件にも上った。この時にデータベース化した内容は二〇一六年三月、東京・八重洲のアイヌ文化交流センターで開催された公開研究会「今、ここから考えるアイヌ・アート――地域、伝統、表象を繋ぎ、開くために」で発表し、結果分析を本稿にも反映している(**図4**)。

伝統工芸や美術、音楽や舞踏、アイヌ語や文芸、歴史など、参加したイベントの内容は多岐にわたるが、回を重ねるうちに気になり始めたことがいくつかあった。

それは、「1　なぜイベントの開催をもっと早く広く伝えないのか」「2　なぜいつも同じような人ばかり集まっているのか」「3　なぜ無料のイベントと有料のイベントがあるのか」ということだ。

アイヌアート JDB(首都圏版2015−2016)as of 1/28/2016													0		
日時(開始)	日時(終わり)	イベント／展示名称	分類	カテゴリー	サブカテゴリー	地域	場所	a	M	アーティスト(氏名)	所属	主催	ワークシ	販売	HP
		参加/不参加	####					a	a	in−in out−in in−out out−out					
2015/1/4	2015/1/18	Arts of Jomon	1b	工芸	木彫り	東京	表参道	c	c	結城幸司		青森県／NPO法人			https://www.facebook
2015/1/3		酒場音楽祭特別編〜北の国から〜	2b	音楽	ウポポ ライブ	東京	青物横	c	c	MAREWREW 他				○¥1500	
2015/1/16		キロロアン「アイヌ語復興の道のり」	3	アイヌ語		東京	アイヌ文	b	a	関根健司	アイヌ文化活動アドバイ			free	
2015/1/10	2015/2/10	「シチリアとサルデーニャの口琴」展	2b	音楽	口琴	東京	四谷CC	c	c	直川 礼緒				free	
2015/1/18		アイヌ料理の会	5	料理	アイヌ料理教室	東京	大久保	d	d				○	¥3000	
2015/1/19		ゴールデンカムイ	5	出版	漫画	全国	ヤング	b	a	野田サトル	集英社			¥55	http://youngjump.jp/rr
2015/1/25		「口琴の未来形？」コンサート	2a	音楽	口琴(ムックル他)		四谷CC	a	b	恵原詩乃			○	¥	
2015/1/28	2015/2/1	「氷刀火(ひとか)伝―カムイレラⅡ―」	5	演劇	ミュージカル	東京	光が丘	b	c	藤倉梓(脚本 演出 作詞		ミュージカル座		¥7200	
2015/1/25	2015/5/24	「ここより北へ」石川直樹＋奈良美智展	1b	美術	写真	東京	青山	b	a	石川直樹＋奈良美智				¥1000	
2015/1/30		「ここより北へ」石川直樹＋ 奈良美智 〜コンサ−	6	音楽	ウポポ ライブ	東京	青山	a	b	MAREWREW 他			○	¥2800	
2015/2/1		酒場音楽祭 in 荻窪ベルベットサン	2b	音楽	ウポポ ライブ	東京	荻窪ベ	c	c	MAREWREW 他				○¥2500	
2015/2/2	2015/2/7	二風谷アイヌ伝統工芸展〜彫り継ぐ・織継ぐ〜	1a	工芸	イタ アットゥシ	東京	京橋ギ	a	c	貝澤徹 藤谷るみ子 関根真紀				○free	
2015/2/7		アイヌ文化から北方諸島の問題を考える	4	歴史		東京	万世橋	a	a	結城幸司 福本昌二	AAP	アイヌ文化から		¥1000	
2015/2/8		アイヌ・テケウクまつりvol.3	6	工芸 音	刺繍 ウポポ	東京	村のパ	c	c	ハポネタイ ものがた	アイヌ文化活		○	○¥2000+	
2015/2/8		アイヌ語でラジオ体操	6	アイヌ語	体操	全国	AM1440	d	a					free	https://www.youtube.c
2015/2/14	2015/2/15	平成27年度アイヌ文化実践上級講座成果発表	1a	工芸	木彫 刺繍	東京	江東区	c	c			公益財団法人ア		free	
2015/2/20		キロロアン「サハリンの諸民族の言語の現在と未	4	アイヌ語	木彫 刺繍	東京	アイヌ文	a	a	丹菊逸治	北海道	公益財団法人ア		free	
2015/3/1	2016/3/31	ものがたりのたね アイヌアートギャラリー	6	工芸	木彫 刺繍 写	東京	笹塚フ	c	c	宇井眞紀子 ague		シアターリバプ		○fr	http://monogatarinota
2015/3/13	2015/3/15	アイヌ刺繍＆工芸品展示・販売会 in 鎌倉	1ab	工芸	刺繍 イタ アク	神奈川	後藤裕	c	c	長縄由加利 他	後藤裕子			○free	
2015/3/13		「ここより北へ」石川直樹＋奈良美智展「サハリ	6	歴史	生活文化	東京	青山	b	a	丹菊逸治	北海道大学ア		○	¥1000	
2015/3/20		キロロアン「私が見てきたアイヌ文化」	4	体験談		東京	アイヌ文	a	a	八幡一郎	アイヌ	公益財団法人ア		free	
2015/3/19	2015/3/23	東京アニメアワードフェスティバル2015(TAAF20	6	映像	アニメーション	東京	TOHO	c	c	結城幸司 杉原ちゅん				¥1000	
2015/3/21		アイヌ文化と人権の集い「物語りから読み解くア	3	アイヌ語		東京	亀戸文	b	b	志賀雪湖	東京外	関東ウ	○	free	
2015/3/29		SPRING LOVE 春風 2015	2ab	音楽	トンコリ ライブ	東京	渋谷	c	c	OKI DUB AINU BAND 他				free+カンパ	
2015/4/17		キロロアン「トンコリ〜西平ウメさん・木村チカマさ	2a	音楽	トンコリ	東京	アイヌ文	b	a	富田友子	アイヌ	公益財団法人ア		free	
2015/4/22		村バザ酒場「OKI/堀内加奈子ライブ」	2b	音楽	トンコリ ライブ	東京	Bar Chi	c	c	OKI+堀内加奈子				○¥2500+d	
2015/4/23		アイヌ刺繍教室	1a	工芸	刺繍	東京	ちょっと	a	b	榎本眞紀子	マキコランド		○	¥2000	
2015/4/23		BASSMENT JAMMIN' Vol.126	2b	音楽	トンコリ ライブ	東京	国立	c	c	OKI 他				○¥2000	
2015/4/24		OKI Special Solo Live	2b	音楽	トンコリ ライブ	東京	新宿OP	a	a	OKI(DUB AINU BAND)				○¥1500+1d	
2015/4/25		「Bar Chit Chat 11th Anniversary!」	2b	音楽	トンコリ ライブ	神奈川	横浜 T	c	c	OKI 他				○¥5000	
2015/4/27	2015/5/2	イランカラプテ 山崎義郎 北方民族工芸展	1ab	工芸	木彫 タマサイ	東京	京橋ギ	c	c	山崎義郎コレクション				○free	
2015/4/27		OKI & KOUCHIE RIDDIM SECTION	2b	音楽	トンコリ ライブ	東京	吉祥寺	c	c	OKI 他				○¥2000	
2015/5/3		パラシュートセッション祭 3日目 昼「OKI × 馬喰	2b	音楽	トンコリ ライブ	東京	青山	c	a	OKI × 馬喰町バンド				○¥3800	
2015/5/9		〜OKI&AO YOUNGと仲間でZ25周年パーティー	2b	音楽	トンコリ ライブ	神奈川	藤沢	c	c	OKI (OKI DUB AINU BAND)				○¥2500+d	
2015/5/12	2015/5/30	アイヌ、風の肖像 宇井眞紀子写真展	1b	写真		東京	ギャラリ	b	b	宇井眞紀子				○free	
2015/5/15		キロロアン「金成マツ筆録 婦女のユカラ『語りま	3	アイヌ語	ユカラ	東京	アイヌ文	a	b	大須賀るえ子		公益財団法人ア		free	
2015/5/16		アイヌ料理の会	5	料理	アイヌ料理教室	神奈川	横浜市	d	d				○	¥3000	
2015/5/22		OKI special band	2b	音楽	トンコリ ライブ	東京	国立	c	a	OKI special band				○¥1500+1d	
2015/5/23		634marche	1b	工芸	アクセサリー	埼玉		a	b	恵原詩乃	Unukar	特定非営利活動	○		
2015/6/19		キロロアン「心の病と私たち」	4	体 Screenshot		東京	アイヌ文	a	b	赤尾悦子		公益財	free	free	
2015/6/7		2015年第25回春期トンコリ入門講座(初級／	2a	音楽	トンコリ 教室	東京	東京音	b	a	千葉伸彦			○	¥12000	
2015/6/20		日本の自然布 シンポジウム「自然布の現状と未	1ab	工芸	アットゥシ	東京	銀座もと	c	c	藤谷るみ子	藤谷民	銀座もとじ		○¥1000	

図4 アイヌアート・イベントのデータベース(一部抜粋)

1はまさに広報、情報発信の問題だ。その徹底がなされていない。そして、2はそれに加え「アイヌ」というキーワードで探している人にしか情報が届いていない、つまり情報発信のターゲット設定の狭さの問題だ。このあたりに関しても、あとで提言をまとめたい。

また、3に関しては、政府の助成金のあるなしが関係していることがわかった。助成金が出ているものに関しては無料のイベントとなることが多いようだ。無料であれば参加しやすいというメリットはあるだろう。しかし、営利追求でないがために集客に対する積極性、緊張感が欠けている印象は否めない。

特に文化庁が主催するフェスティバル系のイベントの内容、進行、紹介されているものは「いつも同じ」ではないかと感じてしまう自分がいて、人気の高まりに反して近年足が遠のいている。とは言え、全国各地で開催されるフェスティバルは、初めてアイヌ文化に触れる人が対象であろうから、もっとも親しみやすいプログラムになるのも無理はない。

他方、公益財団法人アイヌ民族文化財団[12]主催で、道内と八重洲のアイヌ文化交流センター[13]、および地方都市でいくつかのプログラムを選んで実施されるアイヌ文化普及啓発セミナーは、平日の昼間と一般には参加しにくい日程を含みながら、最新のアイヌ研究の成果を、考古学、歴史学、言語学、人類学、社会学、芸術などにかかわる専門研究者、および文化実践者から聞くことができる。私も日程をやりくりして一〇年以上参加し続けてきたが、興味は尽きない。

有料の催しの中にも、常に内容が新鮮で、単に「アイヌ」に関心がある人のみならず、幅広い聴衆を集めている人気バンドがある。全国のライブハウスを巡り、世界各地のツアーを重ねてきたトンコリ奏者ＯＫＩ[14]のコンサートだ。ときにソロで、ときにOKI DUB AINU BANDとして、また曲目も、アイヌの伝統曲もあれば、レゲエ、ロック、アフロビート、国内外の音楽家ともセッションして、自在にユニークな音楽世界を展開する。「次は何を聴かせてくれるのか」という期待感を抱かせ、多くの人々を会場に惹きつける。

伝統工芸や伝統芸能を未来へとつなげていくためには、単に「守る」だけではなく、新たな「挑戦」が必要だ。その素晴らしい一例がＯＫＩだと思う。「次回へ、さらに次世代へとつなげる」「広げていく」ためには、表現者、企画者双方に工夫が必要だし、聴衆／観衆の関心と期待も枠を超えていくことで新たな発見や喜びも生まれよう。

5　「見たい」「作りたい」から「広げる」へ

これまで述べてきたように、振り返れば、アイヌ・アートの表現者でもなければ研究者でもない、一受容者として「見たい」「聴きたい」「作りたい」欲求、好奇心にかきたてられて、十余年が過ぎた。マーケティングや広告の仕事をしてきた人間として、今、そこで見えてきた課題を解決し、「広げたい」という思いを強くしている。

課題のひとつとしてあげられるのは、前にも触れたが情報発信の問題だ。情報入手の困難さが、〝アイヌ・アート〟に興味をもってから私がいちばん苦労した部分でもあったし、どれだけの人が見たり、聴いたりするチャンスを逃し、もしくは見いだせずにいるだろうかと痛感する。

たとえば、北海道の玄関口である新千歳空港を例に挙げよう。アイヌ民芸をお土産として売る店は目立たない場所にいくつかあっても、アイヌ関連の情報を提供する場所は存在しなかった。実は、「アイヌ文化展示コーナー」なる場所がかつて国際線到着ロビーの一角に設けられていた。多くの人が行き交う国内線発着ロビーからは遠く目立たない場所、しかも空港の総合案内窓口で聞いてもその存在すら知らず、お土産屋さんしか教えてくれなかったという苦い経験がある。常設展示だと思っていたが国際線ターミナルの拡張工事に伴い開設から五年ほどで撤去されてしまった。その後どうなったか現地で確認したところ、二〇二〇年七月七日時点で、国際線ターミナルビル二階到着ロビー、国内線ターミナルでは到着ロビー5番出口付近及び三階レストラン街の一角にアイヌ文化を紹介するパネル展示が新たに設置されていた(15)。しかし、せっかくの情報もその場所への導線が悪く、ほとんどの空港利用者の目に留まっていないのではないかと感じた。テレビの連続ドラマやSNSで紹介されたスイーツを販売する店舗の前には毎朝早くから長蛇の列ができるというのになんとも残念な状況だ。

そんな中、二〇一九年三月、札幌駅地下にアイヌの歴史・文化を理解し、道内各地のアイヌ文化施設の情報発信を目的として「ミナパ」(16)がオープンしたのは喜ばしい限りだ。アイヌ語で「大勢が笑う」という意味のこの広場に文字通り、多様な人々が集いアイヌ文化への扉を開いてくれることを望んでやまない。

インターネットでは博物館や研究機関、イベント会場やギャラリーごとに情報は発信されているが、それぞれのホームページやブログにアクセスしないかぎり、その情報を得ることができない。つまり、情報源の存在を知らなければ、情報はないに等しい。

また、ある程度、情報源がわかり、自分でひとつひとつ情報を集めたとして、それらを並べてみると、同じ日に違う場所で、同じような内容の講座やイベントが開催されていることが意外と多い。違う日ならば両方行くことも可能だが、受容者側にしてみれば行くチャンスを奪われ、表現者やイベント開催者側からすれば集客チャンスを失っている。

やはり、「ここにアクセスをすればアイヌ関連情報が得られる」という情報を一元化したプラットホームの存在が必要だろう。そこで得られるのがたとえ情報の糸口であっても、今の時代、ネットならば簡単に情報収集の手を広げることができる。逆に、表現者やイベント企画者など情報提供者側にしてみれば、お互いの先々のスケジュールを共有することで、日程が被らないようにするなどのすり合わせも可能になるだろう。

ただ、ここでもう一歩踏み込んで考えたいのは、そのプラットホームは、単に〝アイヌ〟や〝アイヌ・アート〟という切り口に限定すべきではないのでは、という点だ。それは、私が実際に、アイヌに限ることなく北海道のアートに触れるツアーを実施し、その旅の豊かさを経験したことからも強く感じる部分だ。

ここで、ひとつの参考例として、私のトンコリの「奏でる」「作る」仲間のつながりを紹介したい。この仲間は「トンコリ」という部分ではつながってはいるものの、それぞれの興味の対象は世界各地の少数民族の文化であったり、演劇や民族音楽であったり、刺繍や木彫であったり、ロシアやサハリンであったりと多岐にわたっている。

そして、そんな仲間たちが、トンコリにかぎらない自分の興味関心のある情報を発信し合うことで、たとえばフィンランドの少数民族サーミをテーマにした映画の情報が得られたり、サハリンの在留邦人を撮影した写真展があることを知ったりと、皆の世界が豊かになっている。

この仲間でいうところの「トンコリ」のような共通のキーワードは必要だが、もっと広がりのある「ゆるやかなつながり」のプラットホームの形を私は模索したいと考えている。そこでは、「発信者」から「受容者」に対する一方通行の情報の流れではなく、「受容者」からの情報も吸い取れるような、双方向の広がりが大事になるだろう。

また、そのプラットホームの情報には英語の対訳をつけ、世界に向けて発信すべきだ。北海道の先住民族の豊かな文化を世界にも知ってもらいたい。日本の旅は、東京、京都、金沢などの観光都市を訪ねるだけではなく、北海道のアイヌ文化や芸術を堪能する旅もできることを広く発信したい。世界には様々な興味をもつ人たちがいて、マーケットは小さくないはずだ。

そして、その世界の視点が、逆輸入のようなかたちで日本に伝わることを私は期待している。私が、郷里という あまりにも近しい存在であるがために北海道に興味をもたず、長年、その魅力に気づかなかったように、母国日本という大きなくくりで北海道をとらえ、関心をもたずにいる日本人も多いだろう。そんな人たちが、北海道を旅した外国人たちの目を通して語られる北海道やアイヌに対する感想を目にすることで、新たな視点を得られるのではないかと思うのだ。

さらに、双方向の情報発信によって海外からも少数民族の文化、民族楽器、木工や手仕事などの情報が寄せられるようになれば、プラットホームはより豊かになる。もちろん、ネット上の情報交換には課題も多々あり、それをクリアする知恵も必要とはなるが。

そして、その先として考えたいのが、いつでも誰とでも繋がれるインターネットのみの関係性に終わることなく、ワークショップなどを絡めることで長い時間と手間をかけて築き上げる人間関係、信頼関係にまで発展させていくことだ。プラットホームはあくまでも起点であり、そこから人と人との血の通った交流が始まってこそ、情報に命が吹き込まれていく。

6　マーケティングの視点はあるか

私が数々のイベントをまわって感じた「イベントの内容や販売されているものがいつも同じ」で、さらなる行動や購買につながっていっていないという点に関しては、伝える側、作る側、売る側にマーケティングの視点が欠けているところに問題があると思う。

マーケティングの基本として「四つのP」があるが、それに照らした検証から始めてはどうだろうか。

まず、「プロダクト＝もの／こと」。自分たちが表現したいもの、作りたいもの、売りたいもの、発信したいことは、はたして受け取る側にとって魅力的なものになっているだろうか。

次に「プライス＝価格」。アイヌ以外の商品やイベントと比較して適正か、それらが生み出される手間や希少性が反映された価格でかつ消費者に納得してもらえるか。

そして、「プレイス＝場所」。北海道の土産物店やイベント会場以外でも、空港や駅、ネット上など広く興味を持った人が入手できる場所はあるかどうか。

最後に「プロモーション＝宣伝」。今、どういう人たちに興味・関心を持たれ、消費されているかを「分析」し、今後、どのようなメッセージをどのメディアを通じて発信していけば、さらに多くの受け入れてもらいたいと思う人々にその情報が伝わるかという「戦略」が、明確になっているかが重要だ。

たとえば、現在でも空港、札幌市内、あるいは全道の観光地にはアイヌの工芸品を扱う店は無数にある。しかし、目を惹くアピールがほとんどされず、多種多彩な土産物店の中に埋もれているのが実情だ。そして、アッツシ織のように制作に多大な手間がかかり、熟練した技も要する高額な商品が、手軽に買える雑貨と同様の簡易的なパッケージで、なんの説明もなく並べられ、ものの価値が伝わっていないケースも目につく。

アイヌ・アートの背景にある豊潤な物語、その素材の良さ、技の巧みさなどの魅力をきちんと伝え、そこに魅力を感じる人、それを必要とする人の手元に届ける。それがあってこそ、アイヌ・ファンの継続性、拡散性が生まれる。このマーケティングの視点の必要性は、「もの」の販売に限らず、「こと」すなわちイベントにおいても同様だ。

ここ一〇年、二〇年、街おこしを兼ねたイベントとして「○○芸術祭」「○○ビエンナーレ」「○○トリエンナーレ」といった催しが一般に知られるようになった。こうしたイベントに足を運んで気づくのは、開催地とはあまり縁のない海外アーティストが目玉となっていたり、各所で同じ著名プロデューサーが手がけているその手法に目が奪われて、主役であるはずの現地の人たちの姿が見えにくく、短期の訪問では土地の魅力が十分には伝わらず、いずれも似たり寄ったりという印象を持ってしまうことが少なくないことだ。

もちろん、しばらく滞在し、作品と人とにじっくりと向き合ううちに、魅力に気づくケースも多い。では、どこが分かれ目なのか。

その内容を客観的に検証してみると、「1　国際的に通用する高い芸術性」と「2　地域に開かれた住民参加の機会が確保されている(地産地消のグルメを堪能しながらアートが見られるなど)」という条件がそろっているかどうかだ。

その点、先にあげた「飛生芸術祭」は小規模だが、ひとつの可能性を秘めた事例といえるだろう。「この場でなければ」という要素と、「ゆるいつながり」という要素がうまく融合し、人と人との熱い関係性も生まれている。

近隣に国立アイヌ民族博物館のような歴史や文化をきちんと伝える「知識の館」が誕生する一方で、湖畔の森ではアイヌの人たちと「感じあえる場・とき」がある。「飛生芸術祭」が、白老というコミュニティの維持、再生のために、今後、果たす役割は大きい。またその意義は、芸術祭開催期間中だけに留まらず、継続的に白老、あるいは各地で活動、情報発信を続けるアーティストたちによって全国に波及すると考える。土地に根ざしたイベントの企画には、一過性の集客だけでなく、長い目で地域の視点が不可欠なのだ。

7　砂澤ビッキ《四つの風》によせて

私は、北海道に帰るたびに「札幌芸術の森野外美術館」を訪ねる。そこには《四つの風》と題されたビッキの作品がある(**図5**)。高さ五・四メートルの彫刻を施されたアカエゾマツが、天に向かってそびえ立っている。トーテムポールのような原始の力強さを感じさせるものだ。一九八六年に完成したときには四本あったが、現在は三本が朽ち倒れ、立っているのは一本だけになってしまった。自然に身を任せ、時とともに姿を変えていくのも芸術のひとつのあり方。ビッキの思想を感じさせる作品だ。その前に立つと、ふわりと風が吹き抜け、まるで「おかえり」と迎えられているような気がする。

二〇一九年はビッキの没後三〇年を記念し、札幌で様々な展覧会やイベントが開催された。札幌芸術の森美術館、本郷新記念札幌彫刻美術館での作品展示に加え、多様な文化芸術の拠点としてオープンした札幌市民交流プラザで開催されたビッキウィークでは、六〇年代のビッキの姿を追ったドキュメンタリーや、二〇一七年に神奈川県立近代美術館葉山で開催された「砂澤ビッキ展」における舞踊家・能藤《のうとう》玲子によるダンスパフォーマンスなどの映像を見ながら、生前ビッキとかかわりの深かった人々のトークを聞く機会に恵まれた。一人のアーティストを取り巻く様々な人間・環境を多面的に掘り下げて紹介する素晴らしい企画で、ビッキの魅力を再発見するだけでなく、表現者として樹の魂を彫り出すこととアイヌとしてアイヌ民芸を彫ることの間で悩み、生きる人間＝

アイヌの姿を知ることができた。

おわりに——過去を知り、未来とつなげる

一〇代の頃初めて訪れたカナダで、様々な国から新天地を求めてやってきた移民の末裔として先祖の文化に誇りを持ち民族舞踊などを披露してくれた子供たちと親しく一夏交流し、高く聳え立つトーテムポールを見上げながらその土地の多様な文化を学んだ。だがその陰で先住民族がどのような経験、思いをしてきたかということまで深く考えるには至らなかった。二〇代になってアメリカに留学した時でさえ、「カナダやアメリカは様々な国から新しい土地に移り住み開拓するという意味において、故郷北海道と似ているなあ」などという単純な感想を抱いたりもしていた。過去を変える事はできないが、振り返りつつ学び続け、これからの自分の考えや行動を修正し成長させていくのに遅すぎることはないはずだ。

図5　砂澤ビッキ《四つの風》(札幌芸術の森野外美術館)(筆者撮影)

奇しくも、砂澤ビッキは五二歳のときに三カ月ほどカナダのバンクーバーに滞在し、先住民ハイダ族の彫刻家や少数民族と交友し、多くのトーテムポールも見ている。そして、その経験が、以後の彼の創作活動に少なからぬ影響を与えたといわれる。

これから私に何ができるのかの模索は続くが、「見たい」「作りたい」の先の「広げたい」という扉を開け続けよう。広い世界にはまだアイヌのことを知らない多くの人と出会うチャンスが眠っている。ひとつのことを深く掘り下げていく忍耐と能力はなくても緩やかなネットワークをたどっていけば新しい未知の文化と巡り会うことができるのではないだろうか。

そして、アイヌ・アートの表現者にはなれなくても、享受者として新しいアイヌ・アートの創造に少しでも携わることができれば嬉しい。《四つの風》の前に立ち、そんな思いをかみしめるのだ。

（1）北海道大学北方生物圏研究フィールド科学センター・森林圏ステーション。https://www.hokudaiforest.jp/about-us/ 中川研究林
（2）https://bikkyatelier3more.wixsite.com/atelier3more
（3）砂澤ビッキ『音威子府の森から』音威子府村、二〇〇三年。
（4）東京音楽大学付属民族音楽研究所民族楽器入門講座「トンコリ」。神奈川県出身の和人の民族音楽研究者、ミュージシャンである千葉伸彦が、長年にわたり講師を務めている。http://minken1975.com/course_intro/tonkori.html
（5）本書第4章の筆者でもあり一一四頁図⑫haponetayアイヌアート展のポスターの作者・小笠原小夜をはじめ、本書二四四頁で池田忍が記した版画家・木彫家でありアイヌ・アート・プロジェクトを主催する結城幸司、札幌南区で宿泊もできるギャラリーカフェ「虹のしっぽ　ほっぺた館」を営みながらユニークな演劇活動を続ける及川夫妻など、活動の輪は今も広がっている。
（6）神田日勝記念美術館　http://kandanissho.com/
神田日勝は、二〇一九年四月放映開始のNHK朝の連続テレビ小説「なつぞら」に登場した、ヒロイン「なつ」に影響を与える農民画家「山田天陽」のモデルと目されて話題となった。
（7）二〇二〇年、折しも六月から一一月にかけて「神田日勝　大地への筆触」展が、東京ステーションギャラリーを皮切りに、神田日勝記念美術館、北海道立近代美術館へ巡回している。
（8）https://tobiu.com/

（9） https://www.ainu-upopoy.jp/
（10） https://hokkaidoinprogress.jimdofree.com/01-プロジェクト情報/三笠プロジェクト/
（11） http://www.pref.hokkaido.lg.jp/kz/kkd/toukei/2019genkyou_honbun.pdf
（12） https://www.ff-ainu.or.jp
（13） https://www.ff-ainu.or.jp/web/overview/cultural_exchange/
（14） http://www.tonkori.com
（15） https://www.bunka.go.jp/koho_hodo_oshirase/hodohappyo/1422642.html
（16） https://www.city.sapporo.jp/shimin/ainushisaku/minapa/index.html

第7章

アイヌ文様に触発されて
——山脇敏子と三宅喜久子

山崎明子

はじめに

文様は生活文化の中に生まれ、共同体の中で共有され、時に生活を彩り、また時に社会集団のアイデンティティとして表出する。アイヌ文様と呼ばれる一連の意匠は、イタ(木の盆)やマキリ(小刀)に刻まれたり、衣服や装飾品に切伏《きりぶせ》(アップリケ)や刺繡で縫い施されたりしたものが一般的だが、現代においては印刷や染色など伝統的ではない技法によって再現されたものも多く見られる。特徴的な渦を巻く曲線やその先をツンと尖らせたトゲの表現、アッツシに切り伏せした布片の造形は、現代のアイヌ・アートの表現にも広く表わされ、それらは典型的な「アイヌ文様」と認められている。

道具や衣服に付された文様は、それが木彫であれ縫製品であれ、はたまた印刷や染色であれ、社会集団のアイデンティティとして受容され、ある種の「らしさ」を表わす記号として流通する。人々は、調査や観光という経験の中で、その記号の背後に歴史や物語、生活の記憶などを読み込んでいく。文様はそれを見た人々の想像力を喚起し、人は文様に触発され、次なる創造に向かう。

新たな創造――文学や音楽や美術など――において、もし文様や記号だけが勝手に切り取られ、その背後の文脈が剝ぎ取られてしまったら、私は文化の収奪・搾取という強い言葉を思い浮かべるだろう。実際にそのような批判が沸き上がる現象は、何度か目にしてきた。しかし、だからと言って文様をコミュニティだけのものとして、他者の介入を一切認めないとするならば、たとえその文様の純粋性が守られたとしても、文様が豊かに生き続ける文化を展開することは難しいのではないだろうか。文様、旋律、言葉……、いずれも同じである。

アイヌ文様は、歴史的にアイヌの人々の中で受け継がれてきた。しかし和人や外国人たちも、彼らの文様に接し、その美しさに触発されて語り、表現を生み出してきた。そこに文化的収奪がまったくなかったとは思わないが、アイヌ文様には他者の美意識を触発するだけの造形的な強度と物語があり、次なる豊かさへと向かわせる力が秘められていたとも言えるだろう。

本稿では、アイヌ文様に触発された二人の女性の表現者を取り上げたい。一人はデザイナーの山脇敏子《やまわきとしこ》、もう一人は手芸家の三宅喜久子《みやけきくこ》である。この戦前生まれの女性たちは、その生涯の中で繰り返しアイヌ文様を用いて制作をしていたわけではない。山脇敏子は和服・洋服の斬新なデザインを多数発表し活躍したデザイナーであり、三宅喜久子は日本の手芸界の中心的な作家で、西洋手芸を中心にしつつ日本の手仕事にも関心を寄せていた。彼女たちは、どのようにアイヌ文様と向き合っていたのだろうか。

1　山脇敏子のアイヌ文様のドレス

一九五七(昭和三二)年、パリ市モンソー公園前のチェルヌスキ美術館で日本人デザイナーの個展が開催された

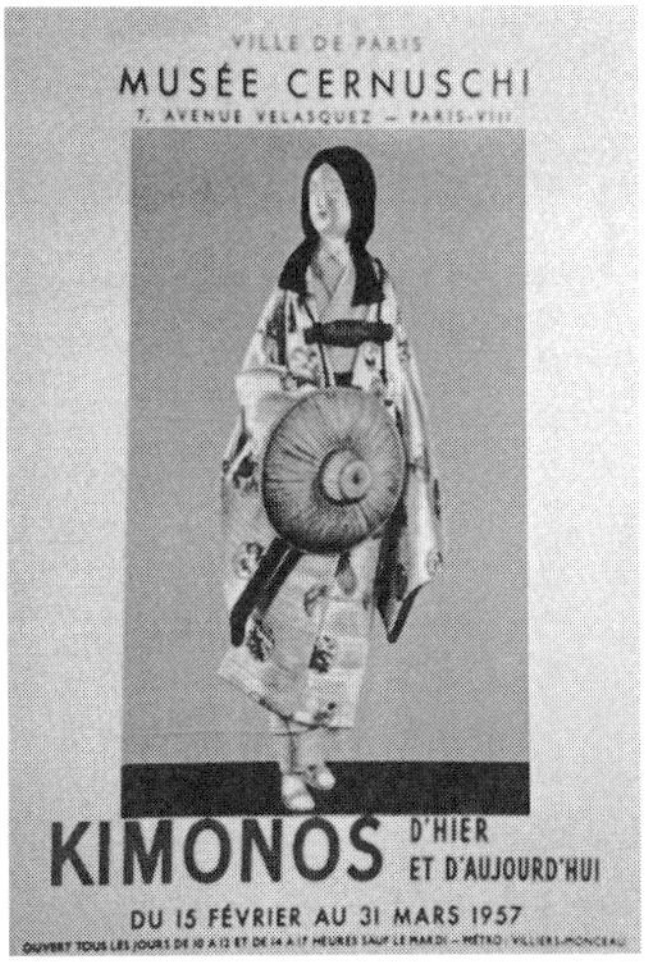

図 1(右)　チェルヌスキ美術館ポスター(『山脇敏子作品集』より)

図 2(左)　「日本の服飾と衣装人形」展(出典図 1 に同じ)

(**図1**)。戦前から活躍したデザイナー山脇敏子による「日本の服飾と衣装人形」展は、人形を用いて日本の服飾の歴史を示すという画期的な試みであり、時代装束をまとった人形二一体を一カ月半展示し好評を得たとされる(**図2**)。その功績により山脇はパリ市長からゴールドメダルを授与された。[1]

山脇敏子(一八八七〈明治二〇〉―一九六〇〈昭和三五〉)は、多くのファッションデザインを発表し、服飾関連の書籍なども複数出版、戦前から戦後にかけて活躍した日本の初期のファッションデザイナーである。また洋画家、服飾手芸家としても知られている。山脇は、当時まだ開校して間もない女子美術学校(現・女子美術大学)で日本画を学び、初の文部省留学生に選ばれて渡欧し、洋画も学んだ。一九二三(大正一二)年には文化学院の講師として服飾デザインを教える立場となり、一九二九(昭和四)年には自身で山脇洋裁学院を開校したという服飾デザイン教育の草分けでもあった。さらに銀座にオートクチュールの洋裁店「アザレ」を開店し、高い評価を得てきた。戦後には、洋裁技術を必要とした多くの日本人の要望に応えるように、山脇服飾美術学院を設立し、日本の洋裁教育を推進してきた。

さて、前述の「日本の服飾と衣装人形」展の出品作品の中に、アイヌ文様を用いた衣服があったことが私たちの調査の中でわかり、それがどのようなものだったのか気になっていたが、これまでその作品の現存を確認することができなかった。偶然にも二〇一〇年に出身地である広島県竹原市民館で開催された「山脇敏子特別展」（二〇一〇年一一月一―一四日）の資料から、同展で二点のアイヌ文様を用いた衣服が展示されていたことが判明し、その所蔵先が明らかになった。

これらの衣服は、以前は山脇にゆかりのある文化服装学院が所蔵していたが、現在は京都服飾文化研究財団（ＫＣＩ）に移管されていた。ＫＣＩでは、日本の初期デザイナーであり、服飾美術の教育者としての山脇敏子に注目し、移管された資料を中心に山脇の作品に関する基礎研究を行うとともに、二〇一六年には「教育者としてのデザイナー　山脇敏子の軌跡を辿って」展を開催した。このＫＣＩの展示にはアイヌ文様の衣服は含まれていなかったものの、収蔵作品を調査させていただき、アイヌ文様のドレス「アイヌ（紺）」とツーピース「アイヌ

図３　山脇敏子，アイヌ文様のドレス２点（出典図１に同じ）

図４　アイヌ文様の和服（出典図１に同じ）

（ベージュ）」（図3）、またおそらく同時期に制作されたと思われるアイヌ文様の和服（図4）の所蔵が確認できた。これらがチェルヌスキ美術館での展覧会に出品されていたことが推察できる。

「アイヌ（紺）」は、光沢のある紺色の生地で、前身頃にアイヌ文様をアレンジした模様が刺繡されたAラインノースリーブのシンプルなドレスである。文様は銀糸をコーティングステッチで止め、縁取りをしており、水色から青のグラデーションが特徴的な刺繡になっている。「アイヌ（ベージュ）」は、Aラインの上着とロングタイトスカートのツーピースになっており、模様は上着にのみ施されている。厚地のベージュの生地に、黄土色とグリーンの布を切伏にし、その上にコーティングステッチとチェーンステッチで刺繡が施されている。これらは伝統的なアイヌの手仕事をそのままに再現したものではなく、山脇自身が持つ西洋服飾手芸の技術を駆使して、アイヌ文様を山脇のアイデアで表現したものだと言える。

山脇にとってこの展覧会は、日本人デザイナーとして日本の衣服文化をパリで見せるという集大成とも言えるものであった。衣装人形は歴史的な衣装の変化を示すためのものであり、日本から発信すべき新しい服飾文化をパリの地で紹介しようとしていた。その空間でなぜアイヌ文様をデザインとして取り入れようとしたのかは明らかになっていないが、少なくとも「アイヌ（紺）」は、ステッチはアイヌ刺繡とは異なるものの、デザインとしてはチヂリをイメージしたものと推察でき、また「アイヌ（ベージュ）」のベースの色味はアッツシを思わせ、切伏と刺繡の組み合わせや裾に沿って模様を配置するなど、山脇がアイヌの民族衣装に関心をもって制作に取り組んだことが読み取れる。

現在までのところ、山脇敏子がパリの個展の翌年（一九五八年）に北海道を旅し、そこでアイヌの人々に会っていることが明らかになっている。(3) しかし、個展以前に山脇が何から着想を得て、どのような意図でこれらを制作したのかは不明である。戦後進んでいく日本人の洋装化の中で、「日本的なもの」をいかに構想し、それを表出していったのか、またそこでいかにアイヌ文様に触発され、それらを取り込んでいったのかを知るうえでの端緒となるものと思われる。

2　三宅喜久子の『アイヌ模様の刺繡』

滅びゆく民族の哀愁とでも申しましょうか、北の国の先住者アイヌの残した実にすばらしい神秘的な模様は、だれよりも美しい着物を夫に着せようと願う妻の心が、その一針一針にこめられているといわれます。(4)

手芸家・三宅喜久子は、一九六二(昭和三七)年にアイヌ文様をベースとした刺繡本『アイヌ模様の刺繡』を出版し、その冒頭でこのように述べている。本書に掲載されたカットの一部は『アイヌの文様』で知られる四辻《よつじ》一朗(5)が手掛け、クッション(図5)や室内パネル(屏風、図6)、テーブルコーディネート用などのインテリア、着物や帯(図7)、洋服(図8)と洋装小物などの作品とともに、刺繡の基礎や代表的な図案も掲載されている。本書が出版されたのは、前述した山脇敏子のパリでの個展から五年後、ほぼ同時代に西洋的な服飾手芸を専門とする二人の和人女性が、アイヌ文様に着目したことは興味深い。戦後日本を代表する手芸家である三宅喜久子は、どのようにアイヌ刺繡を作品化したのであろうか。

三宅喜久子は一九〇五(明治三八)年五月六日、岡山県高梁《たかはし》市で生まれた。高梁は中国地方では最も早くキリスト教が伝わったところとされ、その洋風文化が根付く町には「明治時代に、すでにクロスステッチをやっているお婆さんたちがいました」と三宅は述べている。また三宅の母・喜代野は若い時から刺繡をし、娘・喜久子に手まりを作ったというエピソードも残されている。日本女性が西洋手芸と接点を持ったのは、大都市や居留地が近い町や、ミッション系女学校、女性宣教師などとの接触が一般的であるが、高梁もそのような町の一つだったと

図7　アイヌ模様の和装(出典図5に同じ)

図8　アイヌ模様の洋装(出典図5に同じ)

図5　クッション(三宅喜久子『アイヌ模様の刺繡』雄鶏社，1962年)

図6　屏風(出典図5に同じ)

言える。このような生い立ちの中で母の影響から三宅は手仕事を身近なものとし、西洋刺繍への親しみもあった。郷里の女学校を卒業した後、三宅は二階堂体操塾(現・日本女子体育大学)に入学し、その第一回卒業生となった。その後、同志社に奉職し五年間教師生活を送った。学校の休憩時間などに手芸にいそしむ三宅に、同僚の外国人教師たちは、母国から刺繍や編物の本を取り寄せて贈ってくれ、彼女はこの時期に生涯の仕事となる刺繍を学んだとされる。

同志社を結婚退職したが、その後別居となり、一人親家庭となった三宅は、三三歳の時に自宅で手芸を教えるようになった。看板など出さずとも人づてに手芸を習いたいという人は次々集まったという。

三宅は戦時中に倉敷の近くに疎開し、終戦後岡山市で手芸の展覧会を開催した。その際、当時倉敷民藝館の初代館長だった外村吉之介《とのむらきちのすけ》が会場に来て、「あなたの作品は、こぎんの美しさに通じるものがある」と述べ(6)、その出会いをきっかけに三宅は倉敷民藝館に通うようになった。しかし、「こぎん」の美しさは素晴らしいが手間がかかりすぎるため、布一面に刺すのではなく藍の空白を残すことを考え、現代風にアレンジした。三宅は自らがアレンジした「こぎん」の展覧会を開催し、それはのちに「アイヌ模様」や「日本美を刺繍する」などをテーマに、日本の伝統美を追求していく転機となった。つまり三宅は、民藝を通じて「こぎん」と出会い、それをきっかけにアイヌ刺繍と出会ったのである。

当時アイヌ文様は手芸界であまり知られていなかったうえ、刺繍だけでなく布を切り伏せるため手間も多かったが、三宅はアイヌ文様を現代風にアレンジした服やインテリアをテーマに『アイヌ模様の刺繍』を出版した。その本を見た北海道大学の児玉作左衛門《こだまさくざえもん》は(7)、「よくこれだけ古いものを取り上げてくれた」と喜んだとされる(8)。

アイヌ文様について三宅は、その特徴を「布置模様または切伏模様(アップリケ)」と「縄置模様または糸置模様(コーチング)」、そして「刺繍」であるとして、これらがアイヌの女性の仕事であり、幼い頃から砂浜に描いて模様を身に付けていくのだと述べる。「いずれもが色調や、模様構成の調和がよくとれて少しの嫌味もなく、その上強い生命感に溢れているのは、その根底にある、遠い祖先から受け継いだ信仰的な民族感情のなせる業でしょう」とし、素朴な技術によりこれだけ迫力のあるものを作り上げた民族にただ感嘆し頭がさがると述べている。(9)

私が、三宅の作品とよく似たアイヌ文様のインテリアを見たのは、阿寒にある「一歩荘《いっぽそう》」(現・前田記念館)であった。前田一歩園の三代目園主・前田光子《みつこ》(10)が一九六一(昭和三六)年に建造した家屋で、その一階にある光子の居住スペースにはアイヌ文様を配したモダンなクッション(**図9**)やテーブルセンター(**図10**)、座敷にはアイヌ文様を配したロウケツ染めの座蒲団カバーなどが置かれていた。ロウケツ染めはもちろん、刺繡などの意匠も伝統的なアイヌの人々の技術とは異なるものであり、これらは当時のモダンな住宅に合わせてデザインされ、前田光子がアイヌの作り手たちに依頼して制作したものとされる。

これらのインテリアがいつ頃制作されたのかはわからないが、一歩荘が建てられた翌年に三宅は『アイヌ模様の刺繡』を刊行し、同じ時代に新たなアイヌ文様の可能性を見出していたと言えるだろう。三宅が『アイヌ模様の刺繡』の中で見せた現代風にアレンジした作品群は、日本の現代的家屋の「和モダン」スタイルを意識した意匠であった。三宅はアイヌの人々を「滅びゆく」ものとし

図9　一歩荘のクッション

図10　一歩荘のテーブルセンター

てノスタルジックにとらえつつ、そのアイヌの人々の意匠を自分たちの暮らし（和モダン）の中に取り込もうと試みた。同じようにアイヌの作り手たちに寄り添い支えていた前田光子もまた、三宅とよく似た意匠を自分の暮らしの中に取り入れた。両者は、「滅びゆく」文化を滅びさせないために、自分の「今」の暮らしに文様を溶け込ませ、文様を付した生活用品を使っていくことを実践していたのだろう。三宅喜久子は前田光子のようにアイヌの人々の身近にいたわけではない。しかし文化が生き続けるために採った方法は、よく似ていたと言えるだろう。

おわりに

本稿を書くために、私はアイヌ文様が施された多くの布を見てきた。北海道の各地で見たものもあれば、思いもよらぬ土地で偶然出会ったものもある。本書第9章で詳述しているが、現代日本では、アイヌ文様はしばしば切り刻まれ、上書きされ、変形され、コラージュされるなど、多様な姿で消費されている。それらを見る時、そもそも文様が生み出されるに至る「縫う」という行為や、繊維が織られるまでの工程、手わざの感覚や物質の風合いは、文様を構成する重要な要素のはずなのに、現代社会ではそれらが失われつつあると感じられた。

山脇敏子と三宅喜久子、この二人の女性はアイヌの作り手ではない。それゆえに、彼女たちの作品はアイヌ文化の系譜からは消されてきた。今その作品を見ると、彼女たちなりのアレンジもあるし、「伝統的」ではない意匠である。だがそれは果たしてアイヌ文化の搾取なのだろうか。

二人は、戦後失われていく「日本」文化と向き合おうとした時に、すでに失われつつあったアイヌ文様と出会った。少なくとも「失われつつある」という理解のもと、自分たちの過去へのノスタルジーとアイヌ文様を重ねていた。そのことで、山脇は「日本の服飾と衣装人形」展にアイヌ文様のドレスを採用し、三宅は失われていく地方の手仕事である「こぎん」と同じ文脈で『アイヌ模様の刺繡』を出版したのではないだろうか。彼女たちは、文様が生み出されるプロセスを共有しながら、自身が生きている社会――大量生産品があふれ手仕事が失われていく社会――と向き合うためにアイヌ文様を用いたのだと理解できる。

彼女たちが文化の「喪失」と向き合う一つの回路としてアイヌ文様を選び取り、自分の表現の中に取り込んだことには大きな意味がある。その回路こそ、和人である私が今、アイヌ文化と接するための可能性が秘められているのではないか、彼女たちの「仕事」がそう示しているように感じられる。

(1) 山脇美術専門学院千草会企画・監修『山脇敏子作品集』山脇専門学校、二〇〇九年。
(2) 「チヂリ」「チンヂリ」は、切伏を置かずに、糸のみで刺繡をした着物で、小川早苗『アイヌ民族もんよう集――刺しゅうの刺し方・裁ち方の世界』(アイヌ文化伝承の会手づくりウタラ、二〇一〇年)では、「無切伏刺しゅう衣」と表記される。
(3) 注1前掲書。
(4) 三宅喜久子『アイヌ模様の刺繡』(雄鶏社、一九六二年)「著者のことば」より。
(5) 四辻一朗はアイヌ研究、アイヌ童画家として知られる。特に、アイヌの衣服や文様を集めた『アイヌの文様』(笠倉出版社、一九八一年)は現在でも文様集として参照されている。
(6) 「こぎん」「こぎん刺し」は、主に津軽を中心とする東北地方各地で衣類の補強を目的として刺された「刺し子」。布目を数えて刺し模様を浮かび上がらせる。戦前より柳宗悦らに注目されていたことから、三宅は倉敷民藝館で「こぎん」と出会ったことが推察できる。
(7) 児玉作左衛門(一八九五―一九七〇)は、アイヌ研究で知られる人類学者、解剖学者。児玉が集めたアイヌの生活民具は「児玉コレクション」と呼ばれており、また長く人骨問題で倫理的問題が指摘されてきた。三宅が著作を出版した段階では、アイヌ民具の蒐集家として高名な存在であったと考えられる。
(8) 「手芸に生きる人2 平凡な家庭の主婦から一流手芸家となった三宅喜久子さんの三〇年間」『手芸』第三集、グラフ社、一九六五年九月、一三〇―一三四頁。
(9) 注4前掲書、九頁。

（10） 前田光子（一九一二―八三）は、前田一歩園財団の創立者であり、前田一歩園三代目園主。明治政府の殖産興業政策の中心人物である前田正名が一九〇七（明治四〇）年に阿寒湖を拠点に北海道東部開発を進めた。その次男である正次と結婚、一九四四（昭和一九）年に阿寒湖に移住し、正次とともに森林保全と阿寒湖畔の保全に努めた。また、地元のアイヌの人々に土地の一部を開放し、アイヌの自立を支援した。

第8章

メディアの中のアイヌ文化

中川 裕

はじめに

私はアートの分野における研究者でも、実作者でもない。またメディア論の専門家でもない。したがって、本稿はそのような立場から書いたものではなく、あくまで私の専門であるアイヌ語研究・教育という分野からの発言であることをお断りしておきたい。その上で、なぜ「メディアの中のアイヌ文化」という表題で論考を行っているのかというと、それは本稿でも大きく取り上げる、野田サトル氏の「ゴールデンカムイ」という漫画のアイヌ語監修に携わったということが大きい。この漫画のヒットによる、アイヌ民族およびアイヌ文化に対する社会的認知度の高まりは予想以上に大きなものであり、三〇年以上にわたってアイヌ語・アイヌ文化の普及・啓発・教育活動に携わってきた私にとって、大変エポックメイキングな出来事であった。そこで、大学の同僚である池田忍氏のプロジェクトに加わったことを機縁に、そういった視点から、アイヌ語・アイヌ文化の普及・啓発にとってメディアがどのような役割を果たしえるか、またそれを効果的に行うにはどのような戦略が考えられるかということを、本稿で論じることにした次第である。

1 アイヌ語・アイヌ文化普及・啓発の対象

まず、私の直接的に従事している活動であるアイヌ語教育についての話から始めたい。これには次のような二種類の異なった対象がある。

①アイヌとしてのアイデンティティを持つ人

②上記以外

①と②の間には、教育の方法論自体に大きな違いがあるわけではない。ただ、学習者の動機づけに大きな違いがある可能性があるので、それに即した教育内容を考える必要がある。すなわち、①のアイヌとしてのアイデンティティを持つ人たちは、そのこと自体がアイヌ語学習の動機になっていることがほとんどなので、彼らに対してはその動機を損なわない方向で進める必要がある。具体的に言えば、たとえば出身地ないし自分のアイデンティティの置かれている地域の方言(たとえば、東京生まれだが、母親が北海道登別市の出身であれば幌別《ほろべつ》方言)について学べる体制をつくるということである。

私が二〇年間従事してきた公益財団法人アイヌ文化振興・研究推進機構(現・アイヌ民族文化財団)のアイヌ語指導者育成事業、および現在でも講師を担当している同財団のアイヌ語上級話者講座(東京教室)は、どちらもアイヌないしその家族のみを対象としており、上記①にあたるものだが、両者とも受講生の出身地は非常に広い範囲にわたる。したがって、ひとつの方言で教授することは、その地域出身の受講者を志向した授業になってしまい、他地域の出身者のモチベーションを損ないやすい。それを考慮して、指導者育成事業のほうでは、常時六〜七人の講師が全授業に参加する形でこれに対応している。受講生は五人から七人が普通なので、受講生に対して講師の数がほとんど同数という異例の体制になっているが、この理由のひとつは方言のカバーである。ただし、各地域の専門家がまんべんなくいるわけでもなく、またそれ以前に、すべての方言について詳しいことがわかっているわけでもない。たとえば白老《しらおい》地方出身の受講生が受講している場合でも、白老方言について知られていることはごく限られているので、文法書もあり、テキストも多数記録されている近隣の幌別方言を参照して、作文などを行わせることになる。しかし、講師側に幌別方言の専門家はいないので、問題が出てきた場合は全員で協議したり、その場で調べたりして対応することになる。そのために講師は自分の講義を終了したら席を外してよいというわけでなく、最初から最後まで全員で授業を行うという慣例になっている。

もうひとつ挙げられることとして、アイヌとしてのアイデンティティを持っている人たちがアイヌ語を学ぶ場合、それをアイヌ文化の維持・復興の場で実践的に使っていくことが、ひとつの目標となっていることが多いということである。それは日常会話にとどまらず、たとえば儀礼の場での神(カムイ)への祈り言葉の実践なども含まれる。指導者育成事業の場合には、そのような場での実践活動を行っている講師も複数名いるので、毎回、祈り言葉の練習や、あるいは訪問儀礼を模擬的に行ってみるなどの学習を行うことができるようになっている。

一方、アイヌ語上級講座のほうは、東京駅八重洲口の近くにあるアイヌ文化交流センターで開かれている講座であり、首都圏に居住するアイヌ系の人たちを対象としている。その出身地もやはりかなり広い範囲に及ぶが、講師は私ひとりである。一応最大限の努力を払い、たとえば、鵡川《むかわ》、静内《しずない》(新ひだか)、浦河《うらかわ》、旭川、十勝、美幌などの多様な地域の出身者が集まっている場合でも、それらの方言での語形を調べて対処しているが、複数指導体制のようなきめ細かい対応はできない。また、筆者は儀礼やそれに使われる表現などに関しては専門的知識がなく、実践活動も行っていないので、そのような授業は行っていない。歌謡などは、受講生のほうが上手な場合もあるので、受講生にお手本を示してもらう場合もあり、また、年配の受講者からは、自分の体験談などを聞かせてもらうということも行っている。

一方、②の場合、すなわち自己のアイデンティティとアイヌ語学習が関連を持たない受講生の場合には、基本的にアイヌ語およびアイヌ文化に対する正確な知識を身につけさせることを学習の目的とする。したがって、各地に方言の違いがあることは説明しても、授業内で学習する方言は限定する。また、ことばをことばとしてだけ学んでも、アイヌという人々への理解にはつながらないので、アイヌ民族のたどった歴史や、彼らの伝統的世界観などについても、映像資料などを使って説明していくのが常である。

メディアとアイヌ文化との関わりについても、このふたつの対象に分けて考えなければならない。

2 多数者の意識を変えさせる必要性

ここでメディアの役割を論じる前提として、アイヌだけでなく、少数者に関連するさまざまな問題の解決においては、多数者側の認知度を上げ、意識を変えさせることがまず必要だということについて、あらためて整理してみよう。

「アイヌ問題」などという表現を使うと、よく「アイヌに問題などない。問題があるのはシャモ（和人）のほうだ」という発言がよく聞かれる。これはまさにその通りである。少数者の問題というのは、多くの場合多数者が少数者に対してどのような態度をとるかという問題なのであって、それは少数者側からは解決不能なことが多い。少数者の貧困という問題も根源的には個人の努力の有無ということより、歴史的な経緯と社会構造に由来するのであり、自助努力では限界がある。差別という問題もまた、少数者側の努力ではどうにもならない。鍵を握るのは多数者側の意識の変革である。

そこで重大な障害になるのは、無知と無関心である。人間は自分の知らないものに対しては恐れと違和感をおぼえる。蜂には刺すものもいれば、刺さないものもあり、また蜂の格好をしているが実は蛾だったりすることもある。しかし、その区別ができなければ、そのようなものが飛んで来たら、一様に「刺されるのではないか」という恐怖感を抱くことになる。知識さえあれば正しい認識ができ、恐怖を抱く必要のないものに、無用な恐怖を抱くこともなくなる。しかし、そもそも関心がなければ、知識を得るという行為をとりようがない。ということで、少数者の置かれている状況を改善するためには、まず多数者に関心を持たせることが必要になってくる。

話をアイヌのことに戻すと、アイヌ民族の歴史や置かれている現在の状況、伝統的な文化や言語、そしてそのアートといったことについて、これまでそれを知らせるための努力が行われてこなかったわけではない。それどころか、そういった事項を扱った文献、報道、映像、イベントといったものは、それこそ数え上げることも困難なくらい発表・公開されてきた。しかし、それによって一般の日本人のアイヌに関する知識が深まったかというと、はなはだ心もとない。

私は大学の教員となって三〇年以上の間、学期の最初の授業や、あるいは一般向けの公開講座のような場の導入部で、ずっと質問し続けてきたことがある。現在アイヌは日本に何人いるかという問いである。もちろん、「アイヌ」とは誰かということがすぐに問題になるので、北海道でだいたい七年に一回のペースで行われている「北海道アイヌ実態調査報告」(二〇〇六年以前は「北海道ウタリ実態調査報告」)で、何人の人が回答しているかということで、対象を明確化させている。この調査はアイヌを対象としたアンケート調査であり、これに回答した人は、自分をアイヌとして認識していることになる。回答は五択方式で、(1)一〇〇〇人以下、(2)一〇〇〇~五〇〇〇人、(3)五〇〇〇~一万人、(4)一万~二万人、(5)二万人以上。このうちのどれだと思うかについて手を上げてもらう。

正解は、一九八六年―二万四三八一人、九三年―二万三八三〇人、九九年―二万三七六七人、二〇〇六年―二万三七八二人、二〇一三年―一万六七八六人、二〇一七年―一万三一一八人ということで、二〇〇六年までは(5)だったのだが、二〇一三年以降は(4)になってしまった。それに対して回答のほうは、数字の記録をとっているわけではないので、記憶による概略的なことだが、(1)と(2)で七割以上を占め、(4)や(5)を答える人は一割に満たないということが普通である。すなわち、アイヌとしてのアイデンティティを持つ人が一万人以上いると思っている人は非常に少ないということになる。

それ以上に問題なのは、この三〇年間、この回答の割合にほとんど変化が見られないということである。つまり、このかん研究者による数多くの研究成果が公開され、メディアがアイヌ特集を組み、アイヌ自身もさまざまな形でイベントを行い、また内閣官房アイヌ総合政策室や、アイヌ文化振興・研究推進機構のような公的・半公的な機関が各種のキャンペーン活動を行ってきたにもかかわらず、一般の日本人のアイヌ民族に対する理解が増しているとはいいがたいということである。ましてや、私の授業に出席する学生や、わざわざ私の講演を聞きにくるという人たちは、他の人たちより関心が高いと考えることができるので、一般の人たちの理解はさらに乏しいものであることが考えられる。

二〇一八年六―七月に内閣官房が行った「アイヌ政策に関する世論調査」によると[1]、アイヌ民族について知っていると答えた人は、全国で一七一〇人中九四・二パーセントを占めるが、「アイヌ語という独自の言語があることについて知っている」と答えた人は六四・六パーセントに下がる。そして現在内閣官房が中心となって推し進めている「民族共生象徴空間」について知っていると答えた人は、全国で九・二パーセント、その中核となる日本で五番目(数え方によっては八番目)の国立博物館である「国立アイヌ民族博物館」を設立することになる北海道でも三九・五パーセントしか知らないという結果となった。これはそもそも「民族共生象徴空間」というネーミングそのものにも問題があるのであって、関係者ですら何のことかよくわからない名称であり、民族というのがアイヌと和人に特定されているにもかかわらず、それをぼかした言い方となっているため、アイヌに関連した施設であるというイメージすらない[2]。そのために、前回二〇一三年の調査では全国で一一・六パーセントという数字だったにもかかわらず[3]、五年間のキャンペーン活動の結果、かえってそれを下回ることになった。

したがって、「多数者の意識を変革する」ということを目標にした場合、すなわち第1節で述べた②の人たちをおもな対象とした場合には、これまでとは違うやり方を考えなければならないということになる。すなわち、アイヌに関心を持っていない、持つ機会のない人たちに、目を向けさせる方法をいかに考えていくかということであり、それはマスメディアを効果的な形で利用することに他ならない。

3 メディアに登場したアイヌ像

一九七〇年代まで

マスメディアがこれまでアイヌ民族やアイヌ文化について、まったく取り上げてこなかったということはない。特に一九五〇年代から六〇年代には、NHKをはじめ、STV(札幌テレビ放送)、HBC(北海道放送)といった在北海道のテレビ局が、アイヌを取り上げた番組を次々に制作し、現在でもその映像・音声資料はアイヌ文化を分析するための貴重な原資料となっている。しかし、一九七〇年代に入って、一九七六年の道庁爆破事件をはじめ、東アジア反日武装戦線などの政治活動団体がアイヌ解放をその名目にするなど、過激な政治運動とアイヌがイメージ的に結びつけられることによって、マスメディアが報道以外の目的でアイヌを取り上げることを避けるという状況が一般的になっていった。

映画作品でも一九五七年の東宝映画「コタンの口笛」(成瀬巳喜男監督、幸田良子・久保賢出演)、一九五八年の東映映画「森と湖のまつり」(内田吐夢監督、高倉健・有馬稲子出演)など、アイヌ差別問題を真っ向からとりあげた良心的な商業作品が制作されていた。ただ、そこで描かれるアイヌは、差別され虐げられた人々という暗いイメージのみであり、アイヌの世界観を伝えるとか、アイヌ文化を未来につなげていくという視点には立っていなかった。しかも、その後そういった作品すら影をひそめるようになる。

一九七一—七二年には、TBS系列で中山千夏主演の「お荷物小荷物」という人気テレビシリーズが放映され、第二弾として中山がアイヌの娘であったという設定の「カムイ編」を開始したが、その内容がアイヌ民族を侮辱したものであるということで、北海道ウタリ協会(当時)から抗議を受けるという事件も起こり、やはりこの時期からテレビ番組でもアイヌを題材にすることは避けられるようになっていった。

漫画の世界でも、手塚治虫が「シュマリ」[4]を描いたのは一九七四—七六年という、行政によるアイヌ民族の抑圧、一般市民によるアイヌ民族への差別、研究者によるアイヌ文化の収奪という問題が大きくクローズアップされていた時期であった。「シュマリ」は明治初頭を舞台に、アイヌ側に立つ和人の元旗本シュマリと、アイヌの少年ポンションとのつながりを描く良質の作品であったが、やはり時代による心理的な制約を受けていたらしく、かつて手塚のアシスタントを務めていた石坂啓氏と筆者との個人的な談話によると、手塚は当初アイヌを主人公にした物語を作りたかったのだが、自身がアイヌの視点から物語を描くということに踏み切れず、和人の侍を主人公にした物語にしたということである。[5]結果として、この作品でもアイヌ民族は滅びゆく存在として描かれざるを得ず、手塚自身のペシミスティックな作風とあいまって、アイヌに対する暗いイメージをむしろ深めることになった。

一九八〇年代

八〇年代に入ると過激派の発動も下火になり、マスコミ上では二風谷《にぶたに》のダム建設問題などがクローズアップされていたが、世間一般のアイヌに対する関心は薄れていた。その状況を反映するような事件として、一九八六年の中曽根康弘首相の「単一民族発言」がある。これは当初「知的水準発言」として問題になったもので、一九八六年九月二二日に静岡県のホテルで行われた自民党全国研修会で、中曽根氏が「アメリカには黒人とかプエルトリコとかメキシカンとか、そういうのが相当おって、平均的にみたら〔知的水準が〕非常にまだ低い」と発言したことに端を発する。この発言がアメリカで問題視されたことを知った中曽根氏は、会見の席で「日本は単一民族という有利な点があるということを言っただけだ」という釈明を行ったが、これが「単一民族発言」問題として北海道ウタリ協会(当時)などの抗議行動を引き起こした。首相はさらにその対応として、「日本国籍を持つ方々で差別を受けている少数民族はいない。梅原猛さんの本を読むと、アイヌとか大陸から渡ってきた人々はそうとう融合しあっている。私も上州の出身で、眉なんかも濃いしひげも濃い。アイヌの血はそうとう入っていると思う」という発言を行った。これは「多毛」という長年アイヌ差別のキーワードとなってきた言葉を使いながら、差別の存在を否定するという、アイヌが置かれている状況についての首相の無知ぶりを露呈する発言であり、アイヌ民族の怒りの火に油をそそぐ結果となった。

皮肉なことに、この発言がそれまであまり一致団結した行動をとってこなかった、アイヌ側を結束させるきっかけとなって、一九九二年三月国会議事堂前の「アイヌ新法」制定要求国会請願デモ行進につながり、その後の国のアイヌ政策の転換をうながすこととなった。

一九九〇年代① 「ハルコロ」と「王道の狗」

「シュマリ」以降で、漫画やゲームなどのサブカルチャーの分野でアイヌが取り扱われるようになるのは、九〇年代に入るころからといえる。その皮切りとして一九八九年から連載が開始された石坂啓の「ハルコロ」(6)を挙げることができる。これは一五世紀中ごろ、和人とアイヌがまだ本格的な対立関係に至っていない時代を舞台に、ハルコロというアイヌの一少女の生涯を追うストーリーの漫画で、初めてアイヌを主人公にした本格的な漫画作品ということになるだろう。前述のように石坂啓は手塚治虫のアシスタントを務めていた人だが、師の果たしえなかった、アイヌの視点からアイヌを描くという漫画を実現したことになる。それは、この作品が現地取材を重ねて『アイヌ民族』(朝日新聞社、一九九三年)という本を出したジャーナリストの本多勝一の原作、そしてアイヌとして初の国会議員となった萱野茂《かやのしげる》の監修ということで、アイヌ自身の、それも自民族の文化について該博な知識を持った人物による監修を受けていたということが、それを可能にした大きな力だと考えられる。

この漫画はアイヌ文化を正確かつ生き生きとしたものとして紹介しているという点で、現在でも高く評価できるものであるというより、むしろ現在の時点で読まれたほうが理解者が多い作品であろう。ただし、『コミックトム』という、どちらかというとマニアックな漫画ファン向けの雑誌に連載された作品であったことと、物語が完全にアイヌ社会の中で完結しているという点で、読者を選ぶ作品であったことは間違いない。

この一〇年後の一九九八年に、安彦良和の「王道の狗《いぬ》」(7)が講談社『ミスターマガジン』誌上で連載される。一八八九年、北海道上川《かみかわ》の監獄から大阪事件に加わり投獄された自由党員・加納周助が、天誅党の風間一太郎とともに脱獄し、ニシテというアイヌにかくまわれたことで、アイヌのふりをしながら「王道」を目指し、孫文の支援者として中国の革命運動に関わっていくという物語である。安彦は「機動戦士ガンダム」のキャラクターデザインを務めた人物であり、漫画家に転向した後のこの作品でも圧巻の画力で明治期の北海道を描いている。しかし、本作に登場するアイヌもまた、和人に虐げられ滅びゆく純朴な人々という描かれ方であり、印象としては「シュマリ」に非常に近いものがある。

一九九〇年代② 「サムライスピリッツ」

これら、いわばリアリズムを追求した作品とはまったく正反対の方向からアイヌを扱ったのが、一九九三年に公開されたSNK社のアーケードゲーム「サムライスピリッツ」と、一九九八年に『週刊少年ジャンプ』で連載が開始された、武井宏之の「シャーマンキング」(8)である。

「サムライスピリッツ」は基本的に格闘ゲームであり、ゲームの中でストーリーが進行していく形をとる。そのヒロインであるナコルルはアイヌの少女という設定であり、大きな人気を得て同ゲームのシリーズを通しての主要キャラクターとなっており、SNK社の他のゲームにも登場し、アニメ化もされている。アイヌというとナコルルをまず思い浮かべるという人も少なくないようである。

筆者自身はそもそもアーケードゲーム自体をやらなかったので、当時の状況を実感的に体験してはおらず、現在、特に初期のゲームを実際にプレイしてみることも困難なので、以下ではウィキペディアをはじめとするウェブ上の情報、画像、またYouTubeなどに上げられているゲーム映像に基づいて、アイヌ語とビジュアル面についてのみ述べておくことにする。

ナコルルの設定は、両親はおらず、祖父サノウク、祖母モナシリ、妹のリムルルという家族構成になっているということだが、サノウクは日高地方の実在の人物の名前であり、モナシリも金成モナシノウクという実在の人物からとったのかもしれない。ナコルル、リムルルはあまりアイヌ語っぽい名前ではなく、ナコルルがいつも連れている鷹のママハハという名前は、アイヌ語にはあまり見られない音構成の語ではあるが(つまりアイヌ語には見えないが）、制作者がある程度アイヌ関連の文献を読んでキャラクター設定しようとしたことはうかがえる。必殺技の名称もアイヌ語で作られており、蹴りの連続攻撃を加えるレラオチキリ「風に乗る脚」や、空中の相手を摑んで落下しながら地面に叩き付けるレラキシマテク「風をつかむ手」などといった技名は、文法的にも適格なものとなっている。

ただし、これらの技名の根拠になっているものは、ジョン・バチェラーの『アイヌ・英・和辞典 第四版』（一九三八年）であるようで、それによる不正確な表現も見られる。たとえば、アンヌ・ムッベという技があり、「勝利の刃」というような意味らしいが、このムッベはmutpe「太刀」である。現在のカナ表記ではムッペと書くところだが、バチェラーの辞書のカナ表記でムッベとなっているので、それをそのまま写したものと思われる。ゲーム上ではこの技名を声優が発しながら技が繰り出されるわけだが、YouTubeの映像などで聞いてみるとムッベのツを[tsu]と発音しているのか、促音のように発音しているのかは聞き取りにくい。しかし、表記がそうなっている以上、ゲームのプレーヤーたちは[mutsube]のように発音していたものと推測される。ヤトロ「鳶」というのも技名中によく出てくるが、バチェラーの辞書以外に確認できるものはなく、実際に鳶がアイヌ語でそう呼ばれていたのかは正確にはわからない。服部四郎編『アイヌ語方言辞典』（一九六四年）を参照すれば、ヤットゥイあるいはヤトッタというのが、全道的によく使われる語形であることがわかる。

このジョン・バチェラーという人はイギリス聖公会の宣教師であり、一八七〇年代に北海道に布教のためにやってきて、爾来六〇年余りを北海道で過ごした人で、アイヌ社会への造詣が深く、アイヌ語やアイヌ文化に関する数多くの著作をあらわした人物である。金田一京助や知里真志保などの言語学者がアイヌ語・アイヌ文化の研究を始める以前は、アイヌ語研究の権威と目されていた。しかし、バチェラー自身は言語の専門的研究者ではなく、その辞書にはいろいろな誤謬や表記の不統一があり、知里真志保が一九五六年の『アイヌ語入門』でそれを酷評したために、使うべきでない不正確な辞書と見なされるようになっていった。しかし、それに代わる一般的な辞書が刊行されるようになるのは一九九五年以降のことで、それ以前は知里真志保の『分類アイヌ語辞典』や服部四郎編『アイヌ語方言辞典』のような、特殊な用途の辞書はあったが、当時バチェラーの辞書以外にいわゆる語学用の辞書として使えるものは存在していなかったのであり、そういったアイヌ語上の誤謬はむしろ研究者側の努力不足に帰せられるべき問題である。

ビジュアル的に言うと、ナコルルの姿は襟、袖、裾に赤い切れで縁取りがされていて、そこにアイヌ文様のようなものが描かれているという以外には、伝統的なアイヌの服装とはあまり関連がない。短い上衣と足首のところで絞められたふわっとしたズボン状の下衣の組み合わせ――いわゆる二部式の衣服は、きわめてアイヌ的でなく、鷹使いという特技とも合わせて、むしろ大陸の民族を彷彿とさせる。トレードマークともいえる頭に結んだリボンも、アイヌ的なものではない(アイヌの女性はむしろ頭全体を包むような形で頭髪を覆う)。つまりわずかに文様の部分だけでアイヌを表現しているのであり、イメージ的なもののみのデザインである。

一九九〇~二〇〇〇年代　「シャーマンキング」

武井宏之の「シャーマンキング」は、当時すでに少年漫画誌のトップの座にあった『週刊少年ジャンプ』誌上で、一九九八―二〇〇四年の六年間にわたって連載され、二〇二〇年現在もその続編が執筆中であるという人気漫画である。話の内容は世界中のシャーマンつまり霊能力者が「シャーマンファイト」という大会に集って、そのトップを決めようと戦い合うというもので、世界各地の降霊現象やオカルト的な伝承を取り上げたユニークな漫画である。そのシャーマンたちのひとりとしてホロホロというアイヌの少年が登場し、主要キャラとして活躍するのだが、本名を薄井ホロケウと言い、ホロケウはアイヌ語の horkew で「オオカミ」の意味である。北海道出身ということで雪や氷を主体とした技を用いることができる。

ビジュアル面においては、額のハチマキとやはり服の襟と裾の文様がアイヌを表しているようだが、特に初期においては、アイヌのいわゆるモレウという文様の単位を組み合わせて作られたものとはかけ離れた、直線主体のカクカクした文様が多用されており、ナコルル以上にあまりアイヌらしい感じがしない。ただし、実際には作者はアイヌに関する資料をかなり読み込んでおり、アイヌ文様についても正確な認識があることは、表紙や扉絵などの随所の描写にもうかがうことができ、コミックス一一巻におけるアメリカでのクマとの対峙のエピソードなどは、アイヌ文化に関するかなり正確な知識を持っていることがわかる。

ホロホロもまたアイヌ語名のついた技を使うのであるが、こちらは一九九六年に刊行された『萱野茂のアイヌ語辞典』を用いているらしい。その中にカムイランケオプケニという技があって、「神から授かった拳」と訳がついているが(コミックス二六巻)、kamuy ranke「神が下ろす」までは良いとして、opkeni というのはコブシはコブシでも、キタコブシというモクレン科の木の名前である。萱野辞典には後ろに日本語索引がついており、日本語引きで対応するアイヌ語の単語が簡便に見られるようになっている。現在のところ実用性の高い日本語－アイヌ語辞典は存在していないので、アイヌ語で作文しようという場合、この萱野辞典の日本語索引を参照することが非常に多い。そしてこの日本語索引においてコブシを引くと、オプケニのみが当てられているのである。推測だが、作者はこの索引からオプケニを引き当てて、もとのアイヌ語をたどることなく、それが「拳」の意味であると考えて、カムイランケオプケニという技名を考えたものと思われる。

またネイケフイケキロロという技があり、「どことして何一つ非のうちどころのない力」という意味だと書かれている(コミックス一一巻)。これは萱野辞典で neykehuyke という語に「どことして何ひとつの非の打ち所がない」という訳を与えていることに基づいていると思われるが、これは neykehuyke itak kus uske oar isam「どことしていいがかりをつける所はまったくない」という表現においてそういう意味になるのであって、neykehuyke自体は「どこもかしこも」という意味だけであり、neykehuyke kirorでは「どこもかしこも・力」というまったく意味をなさない表現になる。

実は前出の「王道の狗」でも、タキというアイヌ女性が初登場する場面で、エ　レイヘイ　マカナク　アイエルウエー　へ　アン「あなた方の名前はなんというの？」というアイヌ語のせりふがある。アイヌ語として文法的に間違ってはいない。というのも、これは明らかに一八九八年に刊行された神保小虎・金澤庄三郎の『アイヌ語会話字典』を参照したものであり、この辞書自体はかなり信頼のおけるものだからである。しかし、アイヌ語をある程度知っている人ならば、エ　レイヘイという表記はエレへと書くべきものであり、しかもそれだと「あなたの名前」にしかならないので（『会話字典』では「汝の名は何と云ふか」となっている）、「あなた方の〜」という場合には、エチレへと言うべきところであるとすぐに気がつく。

さらに細かいことを言えば、この辞書は北海道沙流《さる》方言を基盤に作られているのだが、タキは北見湧別《ゆうべつ》の人であり、地理的にかなり離れている。沙流方言は他方言と違う独自の単語を使うことが多く、この文のマカナク「どのように」というのもそのひとつで、これだけで沙流方言の雰囲気が出てしまう。たとえて言えば、東北地方が舞台になっているのに、土地の人間が「おいでやす」と言っているようなものである。そんなことまで一般読者がわかるはずがないという向きもあるだろうが、それはハリウッド映画の中での、どう見ても日本とは思えないような日本の描写について、アメリカ人にはわからないからこれでよいのだと言っているようなものである。

このようにことさらに言語とビジュアル面を取り上げるのは、これらの作品を貶めるためではない。これらの作品においてアイヌという存在を知ったという人は多数いるはずであり、そのことは大いに評価されるべきである。また、特に「サムライスピリッツ」と「シャーマンキング」で示されているアイヌのイメージは、八〇年代以前の「迫害され滅びかかっている人々」ではなく、むしろ「かっこいい」存在であるという点も、現代的な視点からして大きな転回点となるはずのものを作った作品といえる。ただ、アイヌ文化の理解の進展という面からは、せっかくのチャンスだったのに、ここが不正確なのはもったいなかったというのが正直な感想なのである。両作品とも基本的にファンタジーであり、現実とはかけ離れた物語である。したがって、その中に出てくる存在が現実を完璧に反映している必要はないし、どちらの作品においてもアイヌ文化を正しく描いて人々に知らしめるというような目的があるわけではない。それはあくまで素材のひとつである。しかしその一方で、漫画やゲームのような、特に若い人たちが熱狂するジャンルの人気作品の影響力というものは、もちろん無視できない。

筆者はかねてより、ドラゴンクエストのようなゲーム作品の呪文に注目してきた。ヒャドとかレリミトといった、日本語ともどこの言語ともほぼ無関係な多数の呪文を、子供たちがみんな(今となっては相当の年齢の大人たちまで)、意味を理解して使っているというこの現象は、言語教育に応用できるのではないかとの考えからである。その一環として、東京八重洲のアイヌ文化交流センターで開かれている「親子のアイヌ語教室」の講師と受講生に協力してもらい、アイヌ語を使ったゲームの開発なども実験的に行っている(9)。

話をナコルルとホロホロに戻すならば、そういった観点から、読者あるいはプレーヤーの記憶に深く残るビジュアル面と言語面については、なるべく事実を反映したものであることが好ましいということである。こういった点はもちろんきちんとした監修者を入れればある程度解決できることであり、ハルコロの場合には、萱野茂というこれ以上ない人物が監修に当たっていたので、この手の問題はなかったわけである。

より大きな問題は、サムライスピリッツやシャーマンキングが現実のアイヌとはあまりにかけ離れた存在としてナコルルやホロホロを活躍させていたので、それによってアイヌという存在を意識しただろうおそらく非常に大勢の人たちにとって、その先の現実のアイヌへの理解へと進んでいくすべがなかったことにある。アイヌ民族とアイヌ文化に関する研究書や概説書はそれこそ数多く書かれてきたが、サムライスピリッツのプレーヤーやシャーマンキングの読者が、そこからアイヌ文化に関心を持ってそのような概説書を読むようになったということは――もちろん個別的にはそういう人もいたと思うが――社会的現象として目に立つような感じでは起こっていない。その状況にいささか変化を与えたのが「ゴールデンカムイ」という漫画である。

4　漫画「ゴールデンカムイ」の登場

「ゴールデンカムイ」の魅力と功績

ハルコロはアイヌ文化やアイヌ民族についての知識の啓発ということ自体を目的とした漫画だったと言える。一方、サムライスピリッツやシャーマンキングはアイヌをファンタジー的な存在として、現実と切り離した形でエンターテインメント化した作品といえる。そのどちらでもないところ――あるいはその両方の特徴を備えた形で登場して、各所に大きな期待を抱かせるようになったのが、野田サトルが『週刊ヤングジャンプ』という青年漫画誌に二〇一四年から連載を開始した「ゴールデンカムイ」という漫画である。この漫画は二〇世初頭の北海道を舞台に、日露戦争からの帰還兵である杉元佐一、一名「不死身の杉元」を主人公にした物語である。ストーリーは、かつてアイヌが和人(日本のマジョリティ)に対抗するためにひそかに集めた金塊が、何者かによって奪われ、それをめぐって、函館戦争で戦死したと思われていた、元新選組副長・土方歳三率いる網走刑務所からの脱走囚や、日露戦争で自分たちを冷遇した陸軍に反旗を翻し、軍事国家の樹立を目論む鶴見中尉率いる陸軍第七師団などが争い、そこに杉元らも加わってさまざまな冒険を行う活劇漫画である。

この漫画は史実を綿密に調べて、その歴史的事実を最大限利用しながら、その上で奇想天外なストーリーを組み立てたもので、それを効果的に表現する映画的演出の巧みさと、それをリアルに表現できる作画技術の高さ、そしてシリアスな場面とギャグがめまぐるしく交錯するテンポの良さなどがあいまって、きわめて上質のエンターテインメント作品となっている。連載直後から評判を呼び、二〇一六年には宝島社の「このマンガがすごい！オトコ編」で二位に入り、同年マンガ大賞実行委員会の「マンガ大賞」で大賞に輝いている。また二〇一八年には朝日新聞主催の「手塚治虫文化賞」でマンガ大賞を受賞。同年四月にはアニメ化もされて、二〇二〇年現在最も波に乗っている漫画作品のひとつである。

この漫画が評判になったもうひとつの側面は、主要登場人物に何人ものアイヌを配し、当時のアイヌ社会を真っ向から物語の舞台の中に組み込んだことである。この漫画のヒロインはアシㇼパというアイヌの少女で、女性でありながら狩りの名手であり(狩りは伝統的に男性の仕事である)、また年齢にふさわしくないほど豊富で実践的なアイヌ文化の知識を持った人物である。高い戦闘能力を持つが北海道の山の中でのサバイバル術を持たない主人公杉元の相棒として、また男性キャラの登場率が異様に大きなこの漫画の数少ない女性キャラとして活躍しているが、次第に物語のカギを握る中心的存在であることが明らかになってくる。

ヒロインでありながら原型をとどめぬような変顔を見せ、「オソマ(うんこ)」などの言葉を連発するというのは、『週刊少年ジャンプ』の人気漫画であった「銀魂[10]」の神楽とも通ずるところがあるが、ウサギやリスなどの小動物を見つけると、捕まえて皮をはぎ、料理するというのは、かつてない斬新なヒロイン像であり、扉絵で「風の谷のナウシカ[11]」のナウシカとテトのように、ウサギやリスと戯れている場面が描かれていて、ページをめくるとそのリスなどがぶらさげられて皮をはがれているという展開は、笑いをとるお決まりのパターンになっていながら、狩猟という日本人一般には抵抗のある行為について、人間の営みとして当たり前のことだという感覚を、さりげなく読者に持たせる効果を果たしている。また、キロランケ、インカラマッ、ウイルクといった、ステレオタイプ的なアイヌ像(自然と調和した生き方とか、純真な精神を持ったとか)とはかけ離れたアイヌの登場人物を創出し、生き生きとしたアイヌ像を打ち出している。

冒頭に述べたように、私は作者・野田サトル氏の依頼を受け、連載開始前からこの漫画のアイヌ語監修を受け持っている。細かいことであり、手前味噌の感はあるが、この物語の中心的な人物であるアシㇼパのㇼが小さなカナ文字で書いてあるというのは、大きな意味を持っている。つまり、アイヌ語が日本語とは違う言語であるということを端的に表している表現だからである。この小文字のㇼは、Asirpa の r の後に母音がない——つまり日本語には無い発音であることを示している。アシㇼパの名前は作品中に頻出するので、読者は当然この表記がアイヌ語独自の音を表していることに気がついているだろう。実は、アイヌ関連の書物ではこの表記法は明治時代から使われており、一〇〇年以上の歴史があるのだが、北海道新聞でアイヌ語を表記するのにこのカナ小文字を正式に採用したのは、やっと二〇一六年になってからである。つまりゴールデンカムイのほうが早い。いわばこの漫画はこの表記をアイヌ語研究の世界から一般的なものに開放するための突破口の役割を果たしたとも言えるだろう。

また、この漫画は北海道の観光産業やアイヌ文化の普及活動関係から、有望な素材として考えられている。たとえば内閣官房アイヌ総合政策室がアイヌ文化振興・研究推進機構(現在のアイヌ民族文化財団)に委託して行ってきた「イランカラㇷ゚テキャンペーン」では、このゴールデンカムイをテーマにしたトーク・イベントが札幌と東京の二カ所で開かれ、同漫画のアイヌ語監修者である中川がその講師を引き受けている。また、アニメが放映されてからは(北海道ではSTVで放映)、さらにそれが加速し、北海道・(公社)北海道観光振興機構は二〇一八—二〇二〇年度、「北海道はゴールデンカムイを応援しています。」という、北海道全土にまたがるスタンプラリーを催している。札幌を拠点とするプロサッカーチーム、コンサドーレ札幌もゴールデンカムイとのコラボ企画を行っており、サッポロビールも二〇一八年から主人公杉元などのイラスト入り缶ビールを販売、北海道銘菓として人気のある石屋製菓「白い恋人」も、二〇二〇年にコラボ企画を行っている。

北海道の観光産業と、アイヌ文化の啓発は切り離して考えることができない。白老や阿寒、旭川などアイヌ文化の発信を積極的に行っているところは同時に観光地でもあり、二風谷は現在観光地とはいいがたい状況にあるが、昭和五〇年ころまでは民芸品の店も数多く立ち並び、木彫りの技術などもその需要に合わせて継承されてきた。文化・言語と経済は密接に結びついており、少数民族の言語・文化の継承が観光という経済基盤の上に成り立っている現状は、世界中に見られる。

仄聞するだけでも、物語のスタート地点となった小樽市にある小樽市総合博物館、漫画の中に出てくる建造物のモデルとなる建物を数多く展示している札幌市の北海道開拓の村、話の中心となる囚人たちの投獄されていた網走刑務所をはじめ、漫画の中では出てこないはずの平取町《びらとり》二風谷のアイヌ文化博物館や、白老町の(旧)アイヌ民族博物館にも、ゴールデンカムイのファンが多数訪れているという。(12) このように、ゴールデンカムイはアイヌや北海道の明治時代の遺物といったものに、それまで関心のなかった人々を引き寄せたという点で、啓発の糸口を作ってくれたという大きな功績がある。

戦略としての「リアル」なフィクション

ここで注意しておかなくてはいけないのは、関心を持たせるということと、知識を与えるということはイコールではないということである。それがこれまでいろいろな試みが十分に成功してこなかった原因のひとつだと思われる。ゴールデンカムイは良質のエンターテインメントとして人気が出たのだが、その魅力は予想不能なストーリー展開や、きわめて個性の強いキャラクター、そして史実に基づいたように見せかけて、実はその裏をかくようなアクロバティックな設定などにある。たとえば土方歳三が実は函館戦争で戦死していなかったという設定などがそれにあたる。そこで、実際に生きていたとしたら当時七〇歳ぐらいになっていたはずだという「事実」と、もし生きていたら引き続き「蝦夷《えぞ》共和国」樹立を目指していたかもしれないという「史実に基づくロマン」が、土方という人物を生き生きとしたものにしているのである。つまりはフィクションなのであって、すぐれたフィクションであるからこそ、多くの人を引き付ける力があるのだということを忘れてはならない。

この漫画がリアルさを追求しているように見せながら、実際にはかなりフィクショナルな設定になっていることを示すものとして、「ことば」がある。この漫画ではアイヌの登場人物がアイヌ語でしゃべる。アシㇼパはアイヌ語を聞くことも話すこともできるが、日常的には日本語で話している。これはアシㇼパの生まれが一八九〇年代に設定されていることを考えれば、十分にリアリティがある。アイヌによってアイヌ語で書かれた初めての刊行物である『アイヌ神謡集』の著者・知里幸恵は、一九〇三年の生まれであり、アシㇼパより一〇歳ほど年下である。したがって、アシㇼパがアイヌ語を流暢に使えることにはなんら不思議はない。またアシㇼパの祖母（フチ）は、どう考えても江戸時代の生まれであり、日本語がまったく使えなくても、これまた当然である。

ただし、彼らの住んでいるところは小樽近郊ということで、小樽地方の方言を使っていたということになるのだが、小樽方言については、実態はほとんどわかっていない。したがって、周辺的な資料から、どの方言に一番近いかなどの判断をして、監修者の中川が作り上げた架空の方言を登場人物たちにしゃべらせている。もとよりネイティブチェックという作業ができるはずもなく、中川の作文によるフィクショナルなアイヌ語を提供しているわけである。

しかし、「ことば」に関して、それよりももっと大きなフィクションは、北海道を舞台にした漫画でありながら、登場人物のだれひとりとして北海道弁を使っていないということである。鹿児島出身の鯉登少尉という軍人が、他地方の人間には理解不可能な薩摩弁を話しているにもかかわらず、北海道生まれで小学校すら通ったこともないはずのアシㇼパもインカㇻマッも、小樽の町で出会う人々も、みんな標準語で話をしている。作者の野田サトル氏は北海道出身であり、登場人物に北海道弁をしゃべらせることは困難なことではないと思われるのにもかかわらずである。これはそこまでリアリティにこだわってしまうと、読者が作品に没入する妨げになるという作者の配慮であろう。

つまりこの漫画は、非常に綿密な取材を基にして、伝統的なアイヌ文化についてのかなりリアルな描写を行っていることで定評があるが、それはあくまで物語を組み立てる上での素材なのであって、フィクションを効果的に組み上げていくための土台の部分である。著者はこの漫画でアイヌ文化の普及や啓蒙を志しているわけではまったくなく、アイヌはあくまでストーリーを進めるための主要ではあるがひとつの要素である。そういった意味で、筆者(中川)は、シャーマンキングもゴールデンカムイも同一線上にあるものだと考えている。[13] 違うのは、後者がそこから現実のアイヌ民族やアイヌ文化に対する興味へと、読者を引っ張っていく力を持っているということである。ゴールデンカムイで掘り起こした広範囲にわたる人たちの興味を、本稿の最初で述べたアイヌ民族・アイヌ文化への理解へと進めていくには、アイヌ自身を含む、それを目指す人たちのこれからの努力と戦略が必要になってくる。最後にその方策について、次節で考えてみることにする。

5　メディアとアイヌ文化の今後

近年のアイヌ関連出版状況

近年、アイヌ民族の文化と歴史に関する入門書、紹介本の出版が目白押しである。筆者の気づいた範囲でおもなものを挙げてみる。

2017年2月　サンエイムック『時空旅人』別冊『北の大地、そこに生きる人々の歴史と文化、漫画「ゴールデンカムイ」…今こそ知りたいアイヌ』三栄書房
2018年4月　加藤博文・若園雄志郎編『いま学ぶ　アイヌ民族の歴史』山川出版社
2018年5月　時空旅人編集部編『今こそ知りたいアイヌ　北の大地に生きる人々の歴史と文化』三栄書房（サンエイ新書）
2018年7―9月　連載「日本を知る旅」『一個人』7・8・9月号、KKベストセラーズ
2018年7月　角田陽一『図解アイヌ』新紀元社
2018年8月　坂田美奈子『先住民アイヌはどんな歴史を歩んできたか』歴史総合パートナーズ5、清水書院
2018年8月　北原モコットゥナㇱ・蓑島栄紀監修『アイヌ　もっと知りたい！　くらしや歴史』岩崎書店
2018年12月　中川裕監修『アイヌ文化の大研究　歴史、暮らし、言葉を知ろう』PHP研究所
2019年3月　中川裕『アイヌ文化で読み解く「ゴールデンカムイ」』集英社新書
2019年4月　藤村久和『アイヌのごはん―自然の恵み』デーリィマン社
2019年6月　瀬川拓郎監修『1時間でわかるアイヌの文化と歴史』宝島社新書
2019年7月　小坂洋右『アイヌ、日本人、その世界』藤田印刷エクセレントブックス
2019年10月　成田英敏『アコロコタン』双葉社[14]
2020年5月　北原モコットゥナㇱ・谷本晃久監修『アイヌの真実』KKベストセラーズ（ベスト新書）

さらに、すでに絶版になっていたり、長い間品切れ状態が続いていたアイヌ関連の書籍が、ここにきて次々に文庫などで再刊されている。

2018年2月　児島恭子・アイヌ民族博物館監修『アイヌ文化の基礎知識　増補・改訂版』草風館：1993年刊行書の増補改訂版
2018年9月　松浦武四郎『アイヌ人物誌』青土社：2002年に平凡社ライブラリーとして刊行されている
2019年5月　金田一京助・荒木田家寿『アイヌ童話集』KADOKAWA(角川ソフィア文庫)：同名書(講談社、1981年)の文庫版
2019年7月　山田孝子『アイヌの世界観』講談社学術文庫：1994年刊行書の文庫版
2020年2月　田村すゞ子『アイヌ語の世界　新装普及版』吉川弘文館：2013年刊行書の普及版
2020年3月　萱野茂『アイヌと神々の物語　炉端で聞いたウウェペケレ』山と渓谷社(ヤマケイ文庫)：萱野茂『カムイユカㇻと昔話』(小学館、1988年)の前半部を文庫化したもの
2020年4月　中川裕『改訂版　アイヌの物語世界』平凡社ライブラリー：1987年刊行書の改訂版

これまで散発的にしか出てこなかったこのようなアイヌ関連本の出版ラッシュの背景としては、二〇一八年が「北海道命名一五〇年」にあたるということで、その関連のイベントが北海道内で多数催されたことや、二〇二〇年に北海道白老町に国立アイヌ民族博物館が開設されたことなども大きいだろう。しかしやはり大きな起爆剤となっているのは、ゴールデンカムイであることは間違いない。特にサンエイムックの『今こそ知りたいアイヌ』は内容的には大変良くまとめられたアイヌ文化の紹介書であるが、書名にまで示されているように集英社と完全にコラボしていて、ある意味ではゴールデンカムイの紹介本のような体すら示している。そこからゴールデンカムイの部分を抜いて編集しなおしたのがサンエイ新書のほうの『今こそ知りたいアイヌ』である。

このような本が次々と出てくること自体は、人の目に触れる機会が増えるということで、歓迎すべきことである。ただし、このような目的の本には当然フィクションが入っていてはいけないのであって、内容に関しては吟

味が必要であり、間違っている場合は修正あるいは批判をすることも求められる。そういった意味で著者および監修者の責任はもちろん大きい。

一方で、前述のように、これまでそのような入門概説書、あるいはさまざまなメディアによるアイヌ文化の紹介がなかったわけでなく、実際にはさまざまなものが作られてきたのである。ただ、それが広く一般の目に触れる機会が限られていたのであり、ここでそういった過去の良質な資料や作品に再びスポットライトを当てるという作業も必要であろう。たとえば先に挙げた「ハルコロ」のような作品は、今このタイミングでこそ正当に評価されえるものだと考えられるし、ゴールデンカムイのような漫画を介してアイヌに興味を持った読者を、次のステップに進める力を持った作品だと思われる。

ネットの活用①「オルㇱペスウォㇷ゚」

同じように、魅力的かつ画期的な作品群としてアイヌ民族文化財団(旧アイヌ文化振興・研究推進機構)の「オルㇱペスウォㇷ゚」というシリーズがある。アイヌ語で「話の箱」という意味で、二〇一二年度から始まった企画だが、アイヌの口承文芸をアニメ化し、それを現代の語り手たちによってアイヌ語と日本語で音声をつけ、字幕も日本語版とアイヌ語版を用意し、それを自由に切り替えられるようにしたもので、ウェブ上で自由に見ることができる。アニメとしての完成度も高く、二〇一五年度の高橋ひとみさんの語りによる「クモの女神」は、二〇一六年に東京で開かれた「第一〇回こどもアニメーションフェスティバル」でグランプリを受賞している。

このシリーズの特徴としては、(1)それぞれの話ごとに異なったタッチのアニメ化を行っていること、(2)アイヌ語の語りを行っているのがおおむねアイヌ自身であること、(3)編集委員がアイヌ文化の一線の研究者であることなどが挙げられる。

(1)は実際に見ればわかるが、「日本昔ばなし」風のほのぼのタッチのものから、現代のアニメや、アメリカのカートゥーンを思わせるようなものまでさまざまなバリエーションで作品が作られている。特に、二〇一三年度にユカㇻ「英雄叙事詩」をもとに作られた「ニタイパカイエ」という作品は、まったくアイヌを想起させない、はるか未来を舞台にしたような戦闘シーンから始まるが、内容は正確に元の伝承に沿った形で作られており、アイヌの物語がいかに現代的なものとして再構成されえるかを示した野心的な作品である。

(2)は、このシリーズ自体がアイヌ自身の伝承活動ともなっているということを意味する重要な点である。上述の高橋ひとみさんは、祖母である田辺トヨさんの残したテープ録音から「クモの女神」の物語を覚え、それを歌っている。また二〇一三年の「チコㇿポポ　ネㇷ゚クス　チシ」という子守歌は、白糠《しらぬか》の四宅《したく》ヤエさんの歌ったものを、やはり孫の平良《たいら》智子さんが歌っている。このように、このオルシペスウォㇷ゚そのものがアイヌ自身の伝承の場ともなっているのである。

(3)は、このシリーズの質を保証する要素で、二〇一二年度には北原次郎太、丹菊逸治、田村雅史、矢崎春菜、二〇一三年度には北原、丹菊に加えて遠藤志保、小林美紀、二〇一四年度は北原、遠藤、矢崎に加えて瀧口夕美、花輪陽平、二〇一五年度は北原、遠藤、瀧口に加えて大坂拓、二〇一六年度は北原、遠藤、大坂、矢崎、最終の二〇一七年度には、北原、遠藤に加えて、中井貴規、山道ヒビキ、岸本宜久といった、研究者、および自分自身がアイヌ文化の伝承活動を行っている人たちが編集委員となっている。彼らによって、このシリーズは学術的にも非常に高い信頼性を保っている。

このシリーズはアイヌ民族文化財団のホームページ上だけでなく、YouTube上にチャンネルを作り[15]、そこでアクセスできるようにしているので、多くの人が見られるようになっている。「クモの女神」は二〇二〇年七月現在でアクセス数が一〇万回を超え、コメントもほとんどが高い評価を与えている。ただし、YouTubeからは誰が歌っているのかとか、どういう背景があるのかとかいった情報がわからず、文化財団のホームページに飛ぶことすらできないという問題がある。

ネットの活用② 双方向性の追求

このように、優れた作品を作成し、それをインターネットを通じて公開するというのは、現在では常識的とも言えるやり方だが、さらに一歩進めるとインターネットの最も重要な特徴は双方向性にあり、それを十分に生かした文化活動を探求していく必要がある。双方向性というのは、制作者側が一方的に発信するのではなく、受け手側が同時に発信者にもなりえるというシステムで、ニコニコ動画やYouTubeは視聴者が発信したものを視聴者が見るという形で発展してきたものである。さらにその上に立って、ボーカロイド(通称ボカロ)が大きな展開を行った。ボーカロイドはヤマハが開発した音声合成ソフトで、二〇〇七年にクリプトン・フューチャー・メディア社がそれに基づいて開発した初音《はつね》ミクが爆発的な人気を得、ボーカロイド自体は完全にバーチャルな存在でありながら、大会場でライブコンサートを開き、国際的なイベントが開かれるまでに至っている。

この初音ミクを筆頭とするボーカロイドの画期的な点は、基本的なソフトウェアを購入すれば、ビジュアルも含め後はそれを利用して自由に作品を作って投稿してよいというシステムであり、その投稿先となったのがニコニコ動画であった。その投稿作品には別の人間がイラストや動画をつけることも可能であり、その中でボーカロイドたちのビジュアルやコンセプトもさまざまに変形がくわえられていった。最も有名なのが初音ミクの映像やあるいは歌自体にもよく登場するネギの存在で、これはクリプトン・フューチャー・メディア社の公式の設定にあったわけではなく、投稿者がイエバン・ポルカという曲に合わせて、初音ミクにネギを回させたことがきっかけになって、[16]トレードマークのようになっていったものである。さらに、「うたってみた」「おどってみた」「弾いてみた」などの、ボカロ曲を人間が歌ったり踊ったり、さまざまな楽器で演奏する映像も投稿され、その「うたい手」たち自身がライブを開き、さらにボカロ曲とは完全に無関係な活動を行って人気を博すなどの状況にもなっている。またボカロ曲として作られた作品の中で、特に注目を集めたものが(あるいは最初からそういう企画でもって制作されたものが)、小説、漫画、アニメ、ゲームなど、いわゆるメディアミックス的に展開し、それぞれがまた別のファン層を作りだしている。

このように、基本的な素材だけを提供して、あとは利用者の自由にまかせるというのがボーカロイドのこれまでにないやり方であり、その中からすぐれた作品が多数生み出されている。たとえば、いじめ、引きこもり、劣等感、自殺願望、同性愛といった、通常テレビなどの音楽番組では放送できないような内容の楽曲が、生身の人間ではない声で歌われるということを大きな武器として——つまり作者自身が歌うことも他の人に依頼することもなく歌唱を実現することができるという利点で——次々と発表され、商業音楽ではできないような世界の表現を可能にしてきた。

そういった双方向性を実現する仕掛けのひとつとして、筆者が特にアイヌ文化の啓発活動との関連で注目してきたのは、MMDというシステムである。MMDというのはミク・ミク・ダンスの略で、樋口優氏が作成し、VPVPというサイト(17)で公開している3DCG動画作成ツールである。無料配布されているもので、これを使ってボーカロイドによる3G動画を(やってみたことはないがおそらく)比較的簡単に作成できるというものである。それによって作成された動画がネット上に多数アップされており、もともとは名前の通りボーカロイドにダンスをさせるものだったのだろうが、音楽とまったく関係ないストーリーを展開させたものなども多々見受けられる。

このMMDのようなシステムを、前述のオルシペスウォプなどに活用できないだろうか、というのが筆者の現在期待していることのひとつである。オルシペスウォプではこれまでプロの手による優れた作品が生み出されているが、それをさらに発展させる手段として、視聴者側にも参加して作ってもらうということである。素材となるアイヌの伝承のテキストや音楽、ビジュアル面で必要なデータなどはアイヌ民族文化財団が公式のものとして公開する（別にＭＭＤに関連付けなくても財団がやるべき仕事のひとつではある）。それをもとにＭＭＤのような、あるいはさらに操作性の高いものを開発・提供して、それを使って自由に作品を作り、投稿してもらうというアイディアだが、うまく行けば、アイヌ文化を学ぶための教材作成ツールとしても、非常に効果的なのではないかと考える。

現在アイヌ民族文化財団には、「アイヌの伝統・文化を題材にした絵本の原作」を募集し、最優秀作品を絵本化するという事業がある。ここでも優れた作品が発表されているが、最優秀賞以外は出版されないので日の目を見ない。また最優秀作品も文化財団のホームページ上で公開はされているのだが、特殊なプログラムでページをめくるようになっているので、そこ以外では見ることができない。さらに言えば、せっかく絵本として刊行されても、文化財団は制作物を有料頒布していないので、特に関心を持つ人たち以外の目に触れる機会は非常に限定されているなどの問題がある。

要するに、アイヌ民族文化財団（特に旧アイヌ文化振興・研究推進機構）[18]は、すぐれたコンテンツを多数作成しながら、それを外に発信する手段が限られているため、知っている人・特に関心のある人しかアクセスしていないという状況があると考えられる。それを打破するためには、今まで利用して来なかった手法を積極的に使っていく必要がある。そのひとつが、「参加型」にして自らその活動に参与するという形で理解を広げていくという方法である。もちろん、自由に制作してもらうというやり方の場合、内容的に未熟なもの、不適切なものがたくさん生み出される可能性は否定できない。ヘイトスピーチに属するものが投稿される可能性もある。しかし、それは運営側が丁寧にコメントをつけて、どこがおかしいかを他の人にもわかるようにオープンに提示すればよい話であり、それによって知識と関心が広げられることを優先すべきであって、最初からそれを恐れて窓口をせばめているようでは、現状を変革していくことはできない。

おわりに

最後に、ここではメディアによる啓発の方法ということを中心に論じてきたので、一番肝心なことに触れないで来たが、やはりアイヌ文化の理解推進のためには、アイヌ自身が自分たちの内側の声を外に発信していくことを中心に据えていくことが重要である。本書の他の論考で詳しく論じられているように、音楽や工芸、美術の分野ではそのような活動が活発に行われているが、さらに、小説、漫画、ゲーム、芸能、スポーツ、あるいはもっと直接的に経済や政治の分野で内側からの発信を行う人たちが大勢出てきて、メディアを効果的に活用するということが、もっとも重要なことであろう。

今年(二〇二〇年)になって、六〇年以上にわたり首都圏のアイヌ諸団体の中心的存在として活動してきた、宇梶静江さん(俳優の宇梶剛士さんの実母)の大部の自伝が刊行された。アイヌというのは北海道に住んでいる人たちだとしか思っていない人が、たぶん行政も含めて日本人の大多数を占めるだろう。その意味でこの本が出版されたことの意義は非常に大きい。たしかに、このような書籍の形で自分の意見を発信できる人は限られているだろう。しかし、今やネットの普及で、さまざまな情報をさまざまな表現法で公開する可能性が、すべての人に開かれている。そのメディアの可能性を追求することで、より多くの人たちの関心を喚起し、知識の普及と啓発——ひいては現状の改革を行っていく可能性が広がっているのである。

参考文献

宇梶静江『大地よ！――アイヌの母神、宇梶静江自伝』藤原書店、二〇二〇年。

萱野茂『萱野茂のアイヌ語辞典』三省堂、一九九六年。

神保小虎・金澤庄三郎『アイヌ語会話字典』金港堂、一八九八年（復刻版：北海道出版企画センター、一九七三年）。

知里真志保『アイヌ語入門――とくに地名研究者のために』楡書房、一九五六年（『知里真志保著作集』第四巻所収、平凡社、一九七四年。再刊：北海道出版企画センター、一九八五年）。

知里真志保『分類アイヌ語辞典　植物篇・動物篇』日本常民文化研究所、一九五三年（『知里真志保著作集』別巻1、平凡社、一九七六年）。

知里真志保『分類アイヌ語辞典　人間編』日本常民文化研究所、一九五四年（『知里真志保著作集』別巻2、平凡社、一九七六年）。

知里幸恵『アイヌ神謡集』郷土研究社、一九二三年（岩波文庫、一九七八年）。

服部四郎編『アイヌ語方言辞典』岩波書店、一九六四年。

ジョン・バチラー『アイヌ・英・和辞典 第四版』岩波書店、一九三八年。

（1）内閣府大臣官房政府広報室「アイヌ政策に関する世論調査」の概要（平成三〇年度）。
https://survey.gov-online.go.jp/tokubetu/h30/h30-ainu.pdf

（2）その点を改善するために同施設の愛称が募集され、一般投票によって二〇一八年一二月に「ウポポイ」という名称が与えられた。これでもなんだかわからないことには変わりはないが、「民族共生象徴空間」よりは普及活動に効果を上げているようである。

（3）内閣府大臣官房政府広報室「アイヌ政策に関する世論調査」（平成二五年度）。
https://survey.gov-online.go.jp/h25/h25-ainu/index.html

（4）手塚治虫「シュマリ」『ビッグコミック』（小学館）一九七四年六月号―七六年四月号。

（5）手塚はコミックス第四巻（講談社、一九七九年）の「あとがき」でこのことにふれ、「で、結局完成した作品がこれです。シュマリはたいへんあいまいな性格の、ぼく自身乗らないヒーローになりました」と、失敗作であったという認識を述べている。

（6）　石坂啓「ハルコロ」『コミックトム』（潮出版社）一九八九年一〇月号―九一年四月号。
（7）　安彦良和「王道の狗」『ミスターマガジン』（講談社）一九九八年一号―二〇〇〇年三号。
（8）　武井宏之「シャーマンキング」『週刊少年ジャンプ』（集英社）一九九八年三一号―二〇〇四年四〇号。
（9）　アイヌ語児童教材　http://www.cas-chiba.net/japan/children.html
（10）　空知英秋「銀魂」『週刊少年ジャンプ』（集英社）二〇〇四年二号―一八年四二号。
（11）　「風の谷のナウシカ」（一九八四年）宮崎駿監督、トップクラフト制作のアニメ映画。
（12）　二〇一八年三月一八日に旧アイヌ民族博物館は閉館になっている。
（13）　この路線の先駆的な作品としては、矢野徹（一九七〇年）『カムイの剣』（立風書房）が挙げられるだろう。これはアイヌの血を引き、忍者として訓練された主人公次郎（服部半蔵の子孫であるという設定にもなっている）が、海賊キャプテン・キッドの財宝をめぐって世界を股にかけて活躍するという冒険小説であり、リアリズムとは対極にある作品である。この作品が一九七〇年に刊行されながら、東映でアニメ化（りんたろう監督、真田広之主演（声））されたのが一九八五年になってからであるというのは、やはりアイヌと政治運動のイメージ的な結びつきが薄れてきた時期ということが大きいのではないかと思われる。ただし、アイヌの取り上げ方自体は、一九六〇年代に執筆された作品にふさわしく、やはり和人に虐げられ滅亡への道をたどっている人々というイメージであり、アイヌの血を引いているという主人公の設定すら、後に行くほどほとんど重要な意味を持たないものになっている。
（14）　本作はアイヌである小学校の先生がアイヌの子供たちを博物館に引率するというところから話が始まり、かつてのアイヌの生活が描かれ、そして最後にまた現代のアイヌの物語に戻って締めくくられるという漫画作品である。成田氏は長年にわたってアイヌの団体とともにアイヌ文化継承活動に参加し、現在では埼玉県の高校でアイヌ語も教えている漫画家で、アイヌ文化に深い知識を持っており、本作でもアイヌ語が多用されるが極めて正確である。中心となっている昔のアイヌの生活を描いた部分では、「ハルコロ」と同じく和人はいっさい出てこない。しかし、その前後の現代を舞台にした箇所では、和人によるアイヌ差別や、アイヌであることを隠す気持などが描かれており、かつてのアイヌ文化と現在のアイヌのおかれた状況を啓蒙するためのものと言ってよい。「ハルコロ」の路線につながるものとして第3節で紹介すべきものかもしれないが、こういった内容の作品が、双葉社のような大手の出版社から刊行されるということが、この二〇一八年以降の大きな変化の中に位置づけられるのではないかと考え、ここでとりあげた。
（15）　公益財団法人アイヌ民族文化財団（YouTubeチャンネル）
https://www.youtube.com/channel/UCYAJeilz1GcZdgOiqum7ZA

（16）そのさらにおおもとは、久保帯人「ブリーチ」（集英社『週刊少年ジャンプ』二〇〇一―〇六年連載）の登場人物である井上織姫のエピソードに基づく動画化に遡る。

（17）VPVP　http://www.geocities.jp/higuchuu4/

（18）アイヌ民族文化財団は旧アイヌ文化振興・研究推進機構と、旧アイヌ民族博物館が合体融合した組織で、それぞれのそれまでの活動はまったく別個のものであった。

III

回路としてのアイヌ・アート

——歴史と理論に照らして

［扉絵］
雄弁なエヤミ

第9章

アイヌ文化をめぐる表象の現在

――「誰」が「何」を作るのか

山崎明子

はじめに

近年、アイヌ文化のポピュラー化が進んでいる。その傾向は顕著で、アイヌ文化がメディアに取り上げられる機会も増え、身近なものとして受け止める人も増えたように感じられる。一九九七年の「アイヌ文化の振興並びにアイヌの伝統等に関する知識の普及及び啓発に関する法律」の施行以降の展開は、北海道が推し進める「「イランカラプテ」キャンペーン」(二〇一三年〜)や、マンガ・アニメ『ゴールデンカムイ』(二〇一四年〜)の大ブレイクだけでなく、アイヌ語教室やアイヌ刺繍教室の人気など、世界的な先住民族文化への意識の高まりもあって、それらは多くの人にとってアイヌ文化への入り口となってきた。

しかし、アイヌ文化イメージへの関心は今に始まったことではなく、すでに昭和四〇年代には北海道観光ブームの中で、木彫り熊やアイヌ刺繍のタペストリーやバッグなどが消費されてきたし、北海道各地でアイヌ文化をモチーフとした土産物が量産されてきた。それらは必ずしもアイヌの人々の手によるものばかりではなかったが、アイヌ文化のイメージの普及に一定の影響は与えてきたはずである。また、アイヌ文化イメージの受容はさらに時代を遡ることができ、それらを踏まえてあえて現在の傾向を特化するのであれば、それはやはりポピュラー化という現象だと言えるだろう。

こうした傾向は時に様々な現象を生み出す。特定のイメージに触発されたことにより、模倣やアレンジなど二次的なイメージが生み出されるのは当然のことであるが、現在のアイヌ文化のポピュラー化現象の中には、こんな例もある。

図1　札幌の百貨店の紙バッグ

二〇一七年春、北海道のある百貨店が、アイヌ文化の専門家がデザインしたアイヌ刺繍をプリントした紙バッグを採用した(**図1**)。地元百貨店としてアイヌ文化を尊重した画期と大きく報道されたことは記憶に新しい。その洗練されたデザインは刺繍そのものの印刷物であり、その印刷刺繍バッグを買物客が持ち歩くようになった。また、『ゴールデンカムイ』の人気から、そのコスプレを楽しむ若者たちが近年多く登場している。コスプレはあくまで視覚的に似せることが目指されているが、アイヌの少女アシㇼパの衣装の多くは刺繍されたものではなく文様を線で描いたものがほとんどである。

さらに、ある有名なキルトコンテストでは、アイヌ文様とトランシルバニア地方の文様を組み合わせたオリジナルデザインの作品が受賞した。アイヌともトランシルバニアとも無縁のキルターであり、また両者の文化的なつながりも言及されていないが、その美しいキルトは高く評価された。

そのキルト展の会場に併設された売店では、西日本のある染色会社が販売するアイヌ文様の一部を型染めにした布を見た。業者は、デザインはアイヌ刺繍の本から借りたと話し、伝統的な文様であると説明していた(**図2**)。

二〇一八年、『ゴールデンカムイ』に触発されてアイヌ文様の和服（図3）をデザインしたとつぶやいたキモノ業者のツイッターが炎上した。「気軽にアイヌ気分できるじゃないですか……！」という好意的なコメントとともに「文化へのリスペクトはあるのか」という否定的なコメントも寄せられ、大きな話題となった。

ここでこれらの事例の是非を判断することはしないが、私にとっては、いずれもすんなりと飲み込んでしまえない小骨のようなひっかかりがある事例であった。その小骨の正体は、「誰が」「何を」作り、表現するのかという「問題」なのだと思う。さらに言えば「どのように」という問題でもあるかもしれない。

私たちはどのようにアイヌ文化と出会うのだろうか。現代日本社会では、その間口は極めて広い。何が「正しい」アイヌの意匠なのか。衣服の文様から抽出したもの、刺繡ではない刺繡のプリント、コスプレという一時的な着装、本から転用した染色のアイヌ文様、アイヌの衣服に触発されてデザインしたアイヌ文様の「和服」――歴史の中に蓄積された多様なアイヌ文化のイメージが、どこかにあると思い込んでいる「正しさ」を混乱させる。

小骨――小さな違和感を取り除くために、歴史の中で蓄積されてきた「作り手」と「モノ」の関係を考えてみたい。最初に、作り手の歴史から「誰が」という問題を、次に作られたモノの姿（表象）から「何を」という問題を論じてみよう。

図2　アイヌ文様をプリントした染布

図3　アイヌ文様の和服デザイン

1 作り手の歴史から考える

アイヌの手仕事の作り手

炉端の暮しは長い。おじいさんは枕を持ち出してごろっと横になり、昔話だ。おばあさんは女の子を膝にのせ、囲炉裏の灰をならして、アイヌ模様を描いて見せる。お母さんはアッシの糸作りだ。お父さんはマキリを手にして手近な木を取り上げ、彫りはじめる。木の彫刻の多くは、そんな風景の中から生まれた。(1)

アイヌの人々の暮らしの風景は、こんな風に語られてきた。家族で手仕事をしながら過ごす炉端の光景は、伝統的なアイヌのイメージとなっている。アイヌの手仕事は、このように生活の中で生まれ、家庭の中でその技術が伝えられてきたという語りは、現在も残されており、それがアイヌ文化を生み出す原点と考えられている。

実際に、アイヌの女性たちも手仕事の伝承について語ってきた。小川早苗は、刺繍の技術は母や祖母、曾祖母から受け継ぐものであると述べている。(2) またチカップ美恵子も、イカラカラ(アイヌ文様の刺繍)は、「本来なら、祖母から母へ、母からその子どもたちへと受け継がれてきた」ものでありながら、同化政策のもとで禁止されてきたアイヌ語と同様に刺繍もまた奪われてきたと述べている。(3) このような語りから、アイヌ女性の手仕事が年長の女性たちから伝えられるものであること、またその技術継承ができることがアイヌ女性たちに望まれてきたことがわかる。こうした手仕事の認識は一般化されており、山崎幸治は「伝統的なアイヌの社会では、男性は木彫り、女性は刺繍という通念があり、その巧拙が社会的な評価の指標になっていた」として、木彫りや刺繍の技術がそのコミュニティの中で重視されていたと述べている。(4)

アイヌの手仕事がアイヌの家族の中で受け継がれ、生活の中で生まれてきたこと、そして暮らしの中で使用されてきたことは重要で、作り手たち自身が使用者・生活者として存在していたことを示している。

失われる手仕事の文化

しかし、前述のチカップの言葉にあるように、アイヌの手仕事は同化政策のもとで奪われ、失われてきた。アイヌの人々への同化政策は、一八七一(明治四)年には、女性の伝統的な入れ墨などの習慣が禁止され、翌年には東京・芝の増上寺の境内に開拓使仮学校が設立され[5]、さらに一八七七年には道内にアイヌのための旧土人学校が設立されるなど、アイヌの人々に新しい生活習慣を学ばせようとしたところから始まる。アイヌの人々に「旧土人」という身分を与え、一八九九(明治三二)年には「北海道旧土人保護法」が制定され、この法律は一九九七(平成九)年に「アイヌ文化振興法」が成立するまで続いていた。

明治政府が進めた「保護と同化」によって、アイヌの人々は自身の文化を失い、長い年月の中で言語、生活文化、そしてそれらを支えた技術やその伝承の機会を奪われてきた。同化政策は、アイヌの人々の生活文化を失わせるとともに、文化を継承する力を奪ってきたと言える。

しかし、少し視野を広げてみると、アイヌの人々に限らず、世界各地で生活の中で生まれた民俗的な手仕事には似たような傾向が見られる。国民国家成立時に少数民族が同化政策によって自文化を失うだけでなく、他の伝統的手仕事も消えていく時代があった。西洋文化史を研究する飯塚信雄はこの変化の契機を第一次世界大戦終結後の一九二〇年代以降ととらえ、この時期にヨーロッパでは都市化・工業化によって生活に根差した手工芸の伝統が急速に姿を消していったと述べている[6]。ヨーロッパだけでなく、産業革命を経験した多くの地域で同様に手仕事の文化は消えていった。

手仕事が消えていくのは、国家の政治以上に、都市と農村の格差に関わるという飯塚の指摘は重要である。実際に生活から生まれる民俗的手仕事は都市部より、農村に多く残った。都市部で産業従事者が増加すると手仕事の従事者が減少し、地域コミュニティは手仕事の技術者を失っていった。都市労働者は雇用賃金労働者となり、伝統的衣服を着用しなくなった。このように、一九二〇年代の産業化によって、世界各地に伝えられてきた民俗的な手工芸は衰退の一途をたどり、同様の産業化を経験した多くの地域で似たような現象が起こった。

自分で作り、それを使うという循環的な生活文化の破壊は、その社会から手仕事を失わせていく。つまり、衣服であれば着なくなる、道具であれば使わなくなることが、作らなくなることの第一義的要因だと言えるだろう。

このようにアイヌの手仕事は、同化政策と産業化によって確実に失われてきた。実用的な生活技術としての手工芸が、暮らしの中で継承される必然性がなくなったのだ。

手仕事の文化の回復

失われた手仕事の回復は容易ではない。アイヌ女性の刺繡文化においては、民族衣装を着る機会を得ることが一つの回復の契機となった。それは祭礼や儀式の場であり、こうした空間は民族衣装をまとう機会になるだけでなく、失われた衣装制作技術の復活の端緒となった。

上武《うえたけ》やす子はアイヌの儀式の勉強に行った際に、自分が着る民族衣装がなかったために人の服を借りた経験があった。しかし他人の衣装を借りてその場に座ることが次第に苦痛に感じられ、衣装を自分で作りたいと思うようになった。そこから衣装制作のためにアイヌ刺繡教室に通い、基礎から習ったと述べている(7)。一九八〇年代のことであった。「衣装一つ無くては、儀式も出来ないよね」と各地に勉強に行くことで、それまで失われていた衣服制作が再開された。それは制作技術を学ぶところから自分たちの文化を再構築する行為であり、また手仕事を自身の生活の中に再定位する行為でもあった。アイヌ文化の復興は、手仕事の取り戻しになったのである。

手仕事の技術を取り戻すために重要なのが「復元」であった。チカップ美恵子は、祖母が刺繡した古い民族衣装を見ながら母親がその針目に感激していたと記している。そして彼女自身も古い写真をたよりに曽祖母が作った民族衣装を復元したという(8)。小川早苗も同じく曽祖母がのこしたチカㇻカㇻペ（着物）を「模写」（＝復元）して制作し、大切な布を使いながら表現してきた先人の記憶を読み取ろうとした(9)。「二《に》風《ぶ》谷《たに》アットゥシ」を織り、刺繡・衣服制作も行っている「藤谷工芸」の藤谷るみ子は、糸づくりを母親から学び、アイヌ文様は萱野れい子から学んだと言う(10)。その萱野れい子は、夫・萱野茂が蒐集した資料を参照しながらアイヌ刺繡や衣服制作を再現したと話す(11)。萱野れい子は、アイヌ刺繡の衣服を多数制作しているが、その技術は蒐集品の復元のプロセスから学んだ。

このようにアイヌの人々の縫製文化の断絶を克服する一つの手段が、残されたモノと同じモノを再制作することで、失われた技術や技法を学び取っていく「復元」である。技術の断絶は、蒐集品の模倣・復元へと向かわせた。

さらに現代のアイヌの女性の中には、「復元」を意義のあるものとして位置づけている人もいる。例えば川村則子は、先人が作ったものを真似ることは重要かという問いに対しては、「絶対重要です」と答え、古いものには見習うべき点が多くあるとする。「まずは復元ができなければ創作はありえない」という川村の言葉は、古い資料の「復元」を自身の創作活動の基盤と位置づけていることを示している(12)。

アイヌ女性の手仕事の回復でもう一つ重要な点は「機動職業訓練」である。現在のように多くの人がアイヌの民族衣服の制作技術を持つようになった背景には、北海道が実施する機動職業訓練の存在が大きい(13)。機動職業訓練は数カ月間有給で、再就職に必要な知識や技術・技能の習得などを実施する職業訓練であり(14)、必ずしも民族衣服制作のみを指すものではない。齋藤玲子によれば、札幌では一九八〇年に初めて刺繡の機動職業訓練が行われ、その背景には、前述の上武のように行事の際に着る民族衣装を自分の手で作りたいという理由があったとする(15)。

齋藤によれば、アイヌの衣装に用いられるアッツシの生産は明治後期から大正期に激減した。一九五四年の児玉マリの調査では、平取町《びらとり》以外でアッツシを織る人はほとんどいなかったとされるが、[16] ちょうどこの頃、アッツシ織が復活した。一九六四年には、協同組合二風谷民芸が設立され、さらに一九七四年には浦河《うらかわ》専修職業訓練校二風谷分校木材工芸科が開校した。分校では木彫りとアッツシ織の指導があり、冬期の三カ月間の職業訓練で商品価値のあるものを作ることが目指されていた。[17] これが平取で初めての機動職業訓練であった。

一九八一年になると、機動職業訓練に「織布科」が組み込まれ、アッツシ織やアイヌの伝統的な刺繡が教えられた。ここで最初に技術指導者として教えたのが三上マリ子であり、[18] 道内各地でアイヌ刺繡の伝承活動が行われるようになったのは、彼女の研究と活動によるものとされる。[19] 現在のアイヌ刺繡作家たちの多くは彼女の弟子や孫弟子とされる。[20]

この機動職業訓練制度を活用してアイヌ刺繡を学んだ小川早苗は、「この〔三上による〕訓練がアイヌ民族の自立への歩み」(〔 〕内は論者による補足)となり、その後のアイヌの人々の多様な活動への道を拓いたとしている。[21] また川村則子は、和裁学校を卒業して呉服屋勤めをしている時に「アイヌだからアイヌのもの」を学ぼうと考え、機動職業訓練を受けたと述べている。[22] 彼女たちのように、機動職業訓練を経て自らアイヌ刺繡の指導者となる人々も増え、現在では道内各地域で刺繡グループが作られるようになった。

このように、民族衣装を着る機会が、衣装を作る技術の回復へとつながり、またアイヌの女性たちは、「復元」や機動職業訓練を通して作る技術を学び、文化を再構築してきた。

アイヌの手仕事文化の広がり

現在では、アイヌ刺繡やアイヌ語など、アイヌ文化を学ぶ和人が増えているという。機動職業訓練ではなく、道内各地で刺繍教室が開催され、広くアイヌの手仕事の普及がはかられるようになった。これらの活動には、アイヌ文化への理解を深めるという意味で一定の意義がある。

実は、アイヌ刺繍やアイヌ文様への関心には歴史があり、現在のような刺繍教室ができる前からアイヌの手仕事に取り組んだ和人もいた。彼女たちは教室で学ぶのではなく、アイヌの女性たちが実物の「復元」から研究を重ねたように、古いアイヌの資料に触発されてその制作に取り組んだ。彼女らは、アイヌの刺繍や衣服制作を底辺にしつつアイヌ文化と自分の接点を見出そうと試みた人々であった。

一九四七（昭和二二）年に発行された『服飾手芸と図案』[23]は敗戦直後のものだが、刺繍図案、シャーリング、ドロンワーク、カットワーク、キルトなどの手芸図案や飾りのアイデアが紹介される中に、アイヌ模様が紹介されている（**図4**）。著者の池田淑子《としこ》は一九二四年からニューヨークで服飾製図を学び、四六年から日本で服飾研究・教育で活躍したデザイナーであった。この本の中では、アイヌ文様を「キルティングや刺繍の図案として、何にでも応用できる」と書いている。

図4　『服飾手芸と図案』より

池田だけでなく、戦後のファッション界では常に世界各地の民俗的な衣装から新しいデザインを「発見」しようとしてきた[24]。世界の服飾を訪ね歩くデザイナーたちは多く存在し、民俗的な意匠は常に最先端のデザインの中に吸収されてきた。一九五七年に山脇敏子がパリで「日本の服飾と衣装人形」というタイトルで発表したとされる展示では、日本の伝統意匠とともにアイヌ文様をデザインに取り入れたとされる。民俗的な手工芸は、常にデザイナーたちにインスピレーションを与える素材であった（本書第7章、山崎「アイヌ文様に触発されて」参照）。

この傾向は一九五〇年代以降の日本の手芸界も同じだった。手芸団体や雑誌社は民俗的な手芸をめぐる海外旅行を企画し、一般の女性たちも世界の手芸を見て歩いた。手芸作家たちは失われつつある民俗手芸を学び手芸紀行を発表し、各国の手芸を日本に広めていった。結果として日本の手芸文化の中では、必ずしも現地では盛んではない民俗手芸が生き残ってきた。飯塚信雄は、手芸は愛好家たちの努力によって復興したとして、戦後の手芸ブームの中での民俗文化の受容をポジティブにとらえている(25)。

手芸家の三宅喜久子もその一人で、一九五九年の『こぎん刺繡』に続き、一九六二年には『アイヌ模様の刺繡』を出版した(本書一七二頁参照)。「従来手芸界ではだれも取り上げなかった」アイヌ刺繡に着目し、「この滅びゆく民族のもつすぐれた色彩感覚とデザインに目をみはった」という三宅は、「針と糸だけでできるこぎんにくらべると、布を貼ったりしなければならず、はるかに手間がかかった」とその苦労を語っている(26)。

さらに一九七一年、日本手芸普及協会はヴォーグビルの九階に日本初の手芸ギャラリーを開設した。手芸ギャラリーで同年に行われた一三回の展覧会の中に、「アイヌ服飾展」(六月八日〜七月三日)がある(27)。世界中の手芸からアイデアを得て、新しい手芸を「発見」し続けた手芸家たちは、当時失われつつあったアイヌの服飾も「発見」し、触発された。そして展覧会や出版物を通じて、戦後のモダンな暮らしの中にアイヌ文様をデザインとして取り入れようとした。こうした手芸文化の中では、作り手をアイヌの人々に限定せず、自分たちの暮らしの中に魅力的なデザインとしてアイヌ文様を取り入れる試みが行われていた。

戦後のデザイナーや手芸家たちは、世界のファッション界の潮流に乗ってアイヌのデザインに注目してきた。彼女たちは、必ずしもアイヌ文化全体への関心があったわけではなく、デザインとしてアイヌ文様に関心を示した。それは、アイヌ女性たちが伝統的な技術の再興のために学ぶのとは異なり、彼女たちが持つ技術(西洋的服飾手芸)を使っていることからもわかる。しかし、おそらくこれらの出版物や展覧会によってアイヌ文様と出会った人々もいただろう。

このように、アイヌ刺繍文化は多様な作り手に支えられてきたことがわかる。日常生活の中で使用されなくなった衣服制作の技術が失われていく中で、必ずしも伝統的な暮らしのためではなく、今の暮らしのために作ることが現実的に行われてきた。儀式の場で着るために、それを土産物や工芸品として販売するために、また教室で教えるために、アイヌの手仕事は継承され、アイヌデザインは工夫された。

手芸家やデザイナーの仕事は、伝統的なアイヌ文化の継承の道筋から見れば、一方的に紋様を切り取る行為にも見えるかもしれないが、しかし時代の制約はあるが、それらがアイヌ文化を残そうとする一つの意志の形であったことは否めない。

2 作られたモノから考える

収集されたアイヌ文化

現在、見ることができるアイヌ文化の最も伝統的なものは、博物館等の展示資料であろう。当然、これらの「資料」はアイヌの人々の暮らしの中から収集されたものである。収集資料はその目的から大きく二つに分けることができる。一つはアイヌの人々によって収集されたもの、もう一つはアイヌ以外の人々によって収集されたものである。

アイヌの人々によって守られてきた代表的な資料展示として平取町二風谷の萱野茂二風谷アイヌ資料館がある。萱野茂が館長を務めた展示施設で、萱野個人のコレクションとされるアイヌ民族関係の収蔵品のほか、世界各地の少数民族の生活資料も集められている。屋外にはチセ(アイヌ語で家)が復元され、館内にはアイヌの民具約

図５　蝦夷文化考古館(筆者撮影)

六〇〇点が展示される。これらは失われる前に集めなければならないという萱野の意識から蒐集されたものであると萱野れい子は述べる[28]。旭川の川村カ子《ね》トアイヌ記念館はアイヌ文化の保護と伝承を目的とする資料館で、川村カ子トの父の川村イタキシロマにより一九一六(大正五)年に開館した。私設の資料館として現在まで運営されてきたのは、自らの土地や文化を奪われる中での自衛手段だったと思われる。また、幕別町の蝦夷《えぞ》文化考古館もまた無数のモノが集められた空間である(図５)。蒐集者・吉田菊太郎は「先祖の遺した文化財を蒐集して一堂に収め永く正しく保存することが先祖に対する餞《はなむけ》」[29]であると述べ、一九五九(昭和三四)年に考古館を設立した。

これらの展示施設の特徴は、収集によって自文化の形を守ろうとする意識が前提にあり、展示品は体系化されにくい傾向があるが、そのことによって集積したモノ一つ一つの存在感やリアリティが伝わりやすい点にある。

これに対して、アイヌの人々と接触した和人や西洋人、特に研究者や探検家たちも、彼らの生活用品を収集してきた。収集されたモノは、のちに博物館や資料館などで「標本化」された。標本は、モノを散在したまま扱うのではなく、系統に分類する。「分類」は世界を把握するための重要な思考のプロセスとして、博物学は近代まで優位な学問であった[30]。「分類」の中で多様性はある程度担保されるが、雑多なモノから共通する要素が導き出されることによって「アイヌの上着の特徴は……である」というようにエッセンスが抽出される。共通項を抽出することが目的なので、共通性を持たないものは個性的で例外的なものとして枠組みから排除されていく。

つまり、現地調査の中で収集され、整理された生活用品群は「本物」としての価値を保ちつつ、標本化されることにより「客観的」にまなざされる。この時、展示者の意図だけでなく、作り手の個性も排除するため、客観化―他者化されやすい。

例えば、北海道大学附属図書館北方資料室に展示されている様々な資料は、人類学・博物学的関心に基づいてアイヌ文化を調査し、収集され、分類され、命名されたものである。モノは生活の文脈から切り離されて、標本として展示されている。また、網走の北海道立北方民族博物館では、アイヌ、イヌイット、コリヤークなど北方圏で暮らしてきた人々の資料が比較分類され、展示されている。さらに、二〇一五年にリニューアルされた札幌の北海道博物館でも、アイヌ文化資料が集積されている。これらの博物館はかつてアイヌの人々が作り出した生活文化を「資料」「標本」として公開するという教育普及の機能を担っている。

いずれの場合も、収集品はアイヌの人々の日常の生活から集められたものである。アイヌの人々は、確実にこれらの生産者であり、また使用者・消費者であった。モノは暮らしの必要と秩序にしたがって作られ、家族や地域の中で使用されている段階で集められることはない。モノの意匠は、家族や地域によって違うこともあり、例えば現存するイクパスイ(儀礼具)や衣服のデザインの豊かさは、その意匠の多様性や工夫が認められていたことを感じさせるものである。[31] ただし、アイヌの意匠は完全に各個人の意志に託されていたわけではなく、多様性の中にある種の共通性や統一性を持ちつつ形成されていたと考えられる。

アイヌ文化は生活の中から収集された。一つにはアイヌの人々が自分たちの文化を残し、奪われていることへの抵抗のために、もう一つには、アイヌではない人々が人類学的関心や知の体系化のために、アイヌの生活の中から見出してきたものであると言えよう。

再現されたアイヌ文化

しかし、一度消えかかった文化である以上、アイヌの生活用品が無数に収集できるわけではない。それが限られたモノになってしまったからこそ収集されてきたわけで、新しくアイヌ文化の教育展示施設が設立される際に、生活の物語を再現するために必要なモノを揃えることは難しい。そこで足りない「実物」を複製品(レプリカ)によって補い再現することになる。

札幌市アイヌ文化交流センター(サッポロピリカコタン)は、アイヌ民族の生活や歴史、文化を学ぶ施設であり、多くの人に利用されてきた。アイヌ文化を学ぶワークショップや情報の提示、展示室には衣服や民具など約三〇〇点が展示され、来館者はそれらを実際に手に取って見ることができる。そうしたことが可能なのは復元制作された複製品が展示の中心だからである。

また、白老《しらおい》のアイヌ民族博物館(ポロトコタン)は、一九八四年に開館した野外博物館を含む施設群であった(二〇一八年三月閉館。本施設群の跡地には二〇二〇年七月、ウポポイ(民族共生象徴空間)が開設されている)。敷地内ではヒグマや北海道犬が飼育され、伝承保存事業としてアイヌの人々の生活技術を材料収集から加工・制作まで実演されていた。屋外展示空間には五棟のチセが建てられ、チセの中では伝統芸能や手工芸の無形文化が公開されていた。博物館では、アイヌ民族の文化が、再現や博物資料、複製品等によって構成され、アイヌ文化の調査研究の拠点の一つでもあった。この施設の特徴は、アイヌの人々の文化を「再現」していくことにあり、収集品を展示するだけではなく、生活技術の実践と伝習によりモノが使用・消費されてきた文脈の取り戻しが目指されていた。

前述した機動職業訓練により手仕事の技術が復活し、新しい作り手たちによって「復元」が可能になった。その人たちは博物館に収蔵される衣服の中の典型的な復元品を制作してきた。例えば、児玉コレクションのルウンペ(木綿衣)は、カリプの会・津田命子編著『北の手仕事展示会「誌上篇」』(クルーズ、二〇一二年)において加藤シヅヌによって復元されている(図6)。実際に他の施設に収蔵・展示されることもあり、復元事業は精力的に展開されている。「復元」による再現品は、モノづくりの技術や技法を明らかにするだけでなく、文化を再現しようとする際に必要な物語を補完する役割も果たし、かつてあったはずの世界の再構成を意図しているのだ。

生活用品はその収集の段階で、ある程度選別されている。現在のアイヌの文化資料も、使用痕がまったくないものがしばしば見られるが、それらは収集のために制作された可能性もある。そしてその選別済みの限られた生活用品の中から、一定の条件を満たしたものが「復元」されることになる。より特徴的で典型的だと思われるモノや、高度な技術のモノ、美しいモノなどはその対象とされてきた。つまり、特定の「本物」は複数の複製品を生む。「復元」は、本来あったはずのモノの多様性を減らし、選ばれたモノを量的に増加させるが、それによってイメージは固定化していく。実際に、複数の施設で同じ作品を見ることもあり、私たちは典型的な「アイヌ文様」を学習しがちである。

このように文化の再現は、手仕事の技術継承や文化を理解するために極めて重要でありながら、収集によって限定された少数のイメージを反復し量産する。ゆえに、アイヌ文化のイメージを固定化する力が働くと言えるだろう。

図6　ルウンペ(木綿衣)の後ろ(上)と前(下)(『北の手仕事展示会「誌上篇」』より)

典型化するアイヌイメージ

少数のイメージが反復・量産されると、典型となったイメージがアレンジされたり、切り取られたりするようになる。この現象が突出して現れるのが、土産物に代表される商業的な空間であろう。典型的なものは一目でそれと理解できわかりやすいが、その認識を助けるためにイメージの種類は限定される。限られたイメージを量産することで、より消費しやすく、象徴的なものになり、衣服や道具から文様だけが切り取られても、アイヌのものだと理解できるようになっている。このようにある種の「型」を創り出し典型化することは、商業的な空間では逸脱や例外をなくし、消費者に価値を保証するだけでなく、「アイヌらしさ」という固有性を担保することにもなる。

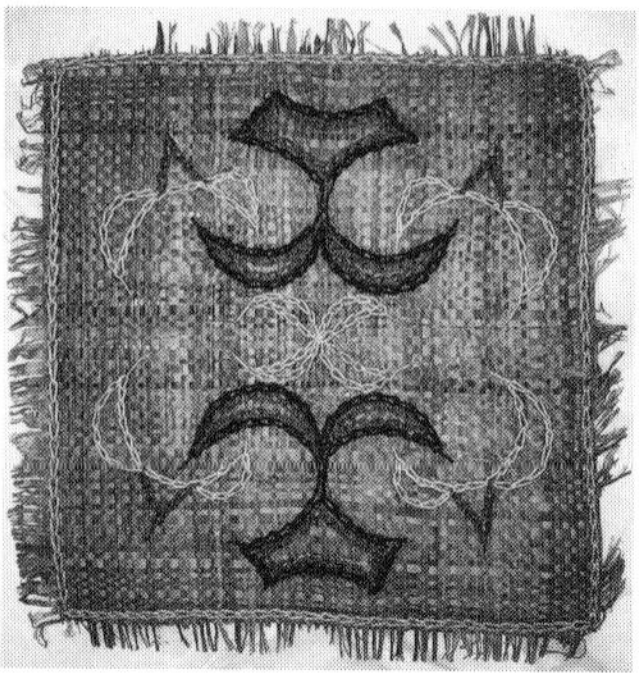

図 7　アイヌ刺繍のコースター（筆者撮影）

こうした商品の生産・販売は、アイヌの人々の経済的自立と深く関わっている。観光は北海道という土地において重要な産業であり、アイヌ文化はその観光資源の一つと認識されてきた。世界各地の少数民族も似たような状況に置かれ、近代以降の社会では各地の少数民族の舞踊や衣装、手工芸品やその意匠などが観光の資源となってきた。例えば中国の貴州省では現在、少数民族に出会うエリアとして彼らの文化そのものが観光の目的となっている[32]。

日本でも、すでに大正から昭和初期には、一部の階層が北海道観光をした。本州から船の長旅で訪れた人々はアイヌコタンで素朴な土産物を購入した。例えばアッツシの素朴な織りに粗い刺繍を施したコースター（**図 7**）は、アイヌの人々が日常的に使用するものではなく、アイヌ文様の一部を典型化して販売されたものである。

さらに昭和四〇年代の北海道観光ブームの時には、道外から訪れる観光客が旅の思い出として様々な土産物を買い求めた。それらはかつて収集されたような生活用品ではなく、土地のイメージが刻まれた安価な量産品で、土産物として生産されたものがほとんどである。この時期に木彫り熊は大量に彫られ、アイヌの男女を象った対のニポポ人形やアイヌ女性の形をした布製のアイヌ人形（**図8**）等が大量に出回った[33]。

現在、阿寒湖アイヌコタンでは、アイヌ古式舞踊やイオマンテの火まつりのシアター上演、アイヌの生活文化を学ぶ記念館を見ることができるほか、土産物店や飲食店も多数見られる。駅や空港、ホテルなどの土産物店にもアイヌ文様が印刷された商品が並ぶ。

「あかん湖鶴雅《つるが》ウイングス」のように、道内各地の宿泊施設でも手工芸品や彫刻、アイヌ文様や刺繡などのアイヌ文化を取り入れている。それは観光客に対して、北海道という土地のモチーフや物語を凝縮して見せるものとなっている。施設の随所にアイヌ文様が用いられ、アイヌの人々の物語が配置され、施設全体がアイヌイメージの消費空間となっているのだ。同様に、二風谷の宿泊施設「びらとり温泉ゆから」ではアイヌ刺繡による布絵額が館内に設置され、弟子屈《てしかが》町の屈斜路古丹《こたん》のペンション「丸木舟」では花茣蓙《はなござ》を模したブラインド（**図9**）など、ふんだんにアイヌ文化の意匠が取り入れられている。これらは現在広く普及した商業空間の例である。

また「ミナアンイコル[34]」のようなデザインブランドも立ち上げられ、

図8　アイヌ人形（筆者撮影）

図9　ブラインド（丸木舟）（筆者撮影）

図10　南部裂織が置かれた宿泊施設（筆者撮影）

地域デザインのセレクトショップには土地に由来する商品が集められている。ファッション企業のビームスは、アイヌの新しい作り手の商品を紹介するプロジェクトも立ち上げている。

　このような消費を助けるのは典型化だけではない。「異質」な文化を消費するためには受容者の生活の変化が求められる。昭和四〇年代には、戦後の家庭に不可欠だった飾り棚やサイドボードに「異質」な土産物が並べられたが、それは土産物という外部の文化を受け入れていく一つの装置だったとも言える。また、「ご当地キティ」のように日本各地の土地の意匠をまとった親しみやすい形を借りることで、「木彫りのアイヌキティ」はおのずと消費しやすい土産物となる。アイヌ文様を印刷した文具や日用品なども同様である。それらはアイヌの人々が使う伝統的な日用品ではないため、文様のデザインに多様性があっては「それらしさ」を享受できない。それゆえ典型的である必要がある。

　こうした試みはアイヌ文化に限ったことではない。地域で受け継がれてきた伝統的な手仕事は商業的な空間で、その土地の典型的なイメージとして使用されている。青森の南部《なんぶ》裂織《さきおり》保存会[35]が継承してきた朱赤の裂織のイメージは、地元ホテルのモダンなロビーに並べられている(**図10**)。竹富島に伝わるミンサー織は独特の四つ菱と五つ菱が繰り返される文様を持つが、島内だけでなく石垣島でもこのデザインが広く用いられている。これらに共通するのは、典型化された意匠を本来あった日用品から切り取り、現代のスタイリッシュなデザインの中に取り込んで、誰もが消費しやすくしている点であろう。

　このように、魅力的なアイヌ文化の発信や、より消費しやすいモノを作り出すことは、さらなる典型化と物質的な量産化を進める。しかし、もともとあった文脈から切り離され、まったく異なるモノに描き込まれた文様は、時に誤解や誤読、無理解によって違和感を覚えさせる事態も生み出してしまう。冒頭に述べた様々な現象は、ここに由来していることがわかるだろう。

アイヌ・アート

二〇一三年二月二日から三月二四日まで北海道立近代美術館において「AINU ART　風のかたりべ」展が開催された。伝統的なアイヌ工芸品約二〇〇点と現代作家の作品約一〇〇点を紹介した展覧会で、アイヌの人々の表現の歴史と現在の創造世界を見せて、多くの来場者を集めた。

改めてアイヌ・アートとは何かと考えるならば、アイヌ民族の創造の歴史を踏まえたうえで、それを継承しつつ、現在の社会に自己の表現を提示し、新たな世界を切り拓く造形表現であると言えよう。そこには、これまで述べてきたように、社会に蓄積されてきた様々なアイヌイメージと向き合った作家たちの試行錯誤と、現在のアイヌ文化へのまなざしが読み取れる。

図 11　川村則子《北海道の四季(秋)》1990 年

「AINU ART　風のかたりべ」展から、現代のアイヌ・アートの作品をいくつか見てみよう。会場の一室には、川村則子のアイヌ文様をモチーフに取り入れた巨大なタペストリーが展示された(**図11**)。布を用いた絵画的な表現によるタペストリーは、アイヌの人々の伝統的な日常生活に存在していたものではない。衣服に用いられてきた切伏《きりぶせ》や刺繡の技法で創り出される新しい造形は、アイヌ文化を継承しつつアートとしての普遍的「表現」を目指したものである。

チカップ美恵子による美しいアイヌ刺繡の作品群は、従来のアイヌ刺繡にはない豊かな色彩表現が印象的である(本書第3章参照)。反復する文様の緻密な刺繡は、衣服の装飾であったところの線描的な刺繡から、布面を覆い尽くすように、あるいは新しい布面そのものを作り出すように刺してある。そこに生まれる文様への強い執着に圧倒される。

藤戸《ふじと》竹喜《たけき》は、木彫りというアイヌ男性の典型化された技術を用いながら、土産物に見られる定型の表現を超えて、物語性と生命力を感じさせ、自然とともにあったアイヌのイメージを生み出している。

こうしたアイヌの人々による新しい表現は、現在アイヌ・アートと呼ばれ様々な空間で展示されている。例えば、国立民族学博物館や国立歴史民俗博物館では、現代のアイヌの人々の表現として、複数の作品が収蔵され始めている。また、前述のような企画展で展示されることもあり、アイヌの人々の現代的表現への理解は広がりつつある。では、「アイヌ・アート」の展示空間は、どのように特徴づけられるのであろうか。

「アイヌ・アート」が、アイヌの人々による現在進行形のアート表現をそう呼ぶのであれば、そこには一定の共通項がある。一つは典型化された伝統的アイヌ文様の引用、もう一つはメディアや素材、用途の「ずらし」による新しい表現形態である。商業空間に見られた典型化されたイメージは、偏見や誤解も含めて、最も現代日本社会に普及し、凝縮されたアイヌイメージとなっている。木彫り熊の由来[36]やニポポ人形[37]、アイヌ刺繡の技法[38]など、何が「正しい」手仕事なのかという議論は多々あるが、現在ではアイヌの人々に伝承されたイメージと、彼らが日本社会の中で他者化され、消費されてきたイメージを含めて表現されていると言える。

典型化されることで生まれる歪曲したイメージもきっと存在する。また、そのイメージに対する批判はされるべきであり、悪意のあるものは排除されることも重要であろう。しかし典型化されたイメージを意図的に用いることによって、典型化への抵抗的表現を生み出すこともある。それは現代アートが過去のイメージの「引用」と

「ずらし」によって新たな作品を生み出してきたように、素材や技法、そして表現メディアを駆使して新しい文化を生み出す力がアイヌ・アートにはあり、そこに明確なアイデンティティの希求を読み取ることができるのだ。

以上のように、アイヌ文化のイメージは、初期には生活文化が収集され、そこから「復元」という行為によって複数化されながらイメージが厳選されてきた。さらに、典型化されたイメージが反復されることにより、文様は日用品から切り取られ、現代生活に合った物質に貼り付けられてきた。典型的なモノは本来のアイヌ文化の理解につながらないような歪曲や偏見、誤解を孕んでいる可能性があるが、それらも踏まえてアイヌ・アートという新たな表現が試みられている。これらは近代以降のアイヌ文化受容の時間的流れでもあるが、現在でも様々な展示空間で多層的に共存している。そのことがアイヌ文化をより魅力的なものにしていると思われる。

収集品も複製品も、また土産物も、その多くはアイヌの人々の生活に還元されるものでなかった。それは一面ではアイヌの人々の生活を経済的に支えるものであったかもしれないが、アイヌではない人々の手元に渡ることが前提だった。その意味では、アイヌ・アートもアイヌの人々の「現代文化」としてミュージアムへ収蔵されることが多いだろう。アイヌ・アートが現代のアイヌの人々の生活文化として戻る道もきっと模索できるだろう。

本書にイラストを提供してくれた小笠原小夜の作品群は、その可能性を感じさせるものである。小笠原は本書の論考の中で、彼女自身が感じてきた小さな違和感について触れている(九六頁)。アイヌ文化への理解なく量産されるイメージの中には、切り取られた文様や誤用もあるという指摘とともに、従来のアイヌ文化イメージのどこか暗く自由に表現できないジレンマを感じていたという。小笠原はアイヌ文化への理解を深めながら、自身の文化を、現代を生きる自分たちがポジティブに受容し得るイメージに読み替えていこうとする。新しいメディアや表現技法で、アイヌ文化への理解の道を拓こうとするその作品群に、新しいアイヌ文化の形を私たちに見せるものとなっている。

おわりに

現代社会において、アイヌ文化のイメージは、「誰が」「何を」作るのかという問いの積み重ねなのではないかという問いから、作り手の問題と作られてきたモノの問題について論じてきた。

アイヌ文化の作り手は、かつての生活の中での作り手から、文化の断絶を経て、再興・回復される中で、アイヌ文化に触発されたアイヌではない人々も含め、多様な層をなしてきた。一方、モノの文脈では、生活文化から収集され、同じく文化の断絶を経て復元により復興し、典型的なデザインによって多様なモノを生み出してきた。この「誰が」と「何を」は常に連動しつつ、相互に影響しながらアイヌ・アートへ至る水脈となっている。

現在、アイヌ文化へのアクセスの回路は、アイヌの人々だけでなく多くの人に開かれている。アイヌ語を学ぶ人もいれば、アイヌ刺繡教室もあり、また音楽や舞踊、マンガやアニメなどを入り口とする場合もある。学び、知ったことにより自ら発信したいと考えることもまったく不思議ではない。文化の担い手も、作られたモノも、どちらも多層的であり、現代文化の中に同時的に存在しているのであれば、アイヌ文化との接点は極めて多面的だと考えるのが妥当であろう。

それゆえに、考えたいのは現代のアイヌ文化イメージが、かつてのように特定のモノ(衣服や木工品)に付されたものだけでなく、長い年月の間に、断片化されたり、抽出されたりした後に偏見や誤解も含め、重層的に蓄積されてきた中で存在している点である。その入り口の先にあるアイヌ文化の姿を見ようとする意思なく文化を消費することに、同じ時代を生きる者として謙虚であろうとする姿勢が求められるのではないだろうか。

多層化したイメージを多様な消費者が受容し、その中には趣味として作る(=消費する)ことも、趣味で稼ごうとすることも、それを可能にする社会のシステムがある以上、多様な作り手も多様なモノの生産も制御することはできない。決して偏見を容認するのではなく、現代の社会のシステム上、それが可能になっていることは否めないからだ。そのような社会の中で、私たちはアイヌ文化と向き合うのである。

「伝統的なモノ」は必ずしも「正統なモノ」と同義ではなく、またそれは必ずしも「正統な作り手」の手によるものとは限らない。手工芸は、その技術と知を育む土壌(=文化)の中で生まれる。アイヌ・アートが、アイヌの人々——必ずしも血のみに規定されるのではなく、彼らとともに生きる共同体として——の新しい芸術として「伝統なるもの」を更新し得るのは、その土壌に育まれたものに依拠しているゆえである。

(1) 『季刊「銀花」』一九号(特集「手仕事の民族アイヌ」)、一九七四年、一二二頁。
(2) 小川早苗『アイヌ民族もんよう集——刺しゅうの刺し方・裁ち方の世界』アイヌ文化伝承の会手づくりウタラ、二〇一〇年。
(3) チカップ美恵子『アイヌ文様刺繡のこころ』(岩波ブックレット)岩波書店、一九九四年、四五頁。
(4) 山崎幸治「アイヌ文化——伝統と現代」山崎幸治・伊藤敦規編『世界のなかのアイヌ・アート—先住民族アート・プロジェクト報告書』北海道大学アイヌ・先住民研究センター、二〇一二年、三八頁。
(5) 付設された施設である開拓使仮学校附属北海道土人教育所に、アイヌの人々の同化政策として、数十名のアイヌを強制就学させたとされる。
(6) 飯塚信雄『西洋の刺繡　歴史の中にその美をもとめて…』日本ヴォーグ社、一九七六年、一一六頁。
(7) 上武やす子『上武やす子とピリカノカ　アイヌ刺繡教室』クルーズ、二〇〇七年、二頁。
(8) チカップ、注3前掲書、四五頁。
(9) 小川、注2前掲書、四頁。
(10) 藤谷るみ子氏へのインタビューより(二〇一四年一一月三日、於：藤谷工芸)。
(11) 萱野れい子氏へのインタビューより(二〇一四年一一月三日、於：萱野れい子氏自宅)。
(12) 川村則子「アーティストという生き方」注4前掲書、一三〇頁。川村は二〇一三年の「AINU ART　風のかたりべ」展の講演でこのように語った。また同様の記述もある。
(13) 津田命子によれば、一九七九年頃に刺繡教室を立ち上げた三上マリ子が転写紙の使用と襟芯を入れて刺子をするなど工夫を加え、アイヌの衣服制作と文様づくりが復活したとされる。
(14) 北海道庁ホームページより。http://www.pref.hokkaido.lg.jp/kz/jzi/contents/kidou_hoka.htm
(15) 齋藤玲子「アイヌ工芸の二〇〇年――その歴史概観」注4前掲書、五四頁。
(16) 齋藤、注15前掲、五三頁。
(17) 貝澤徹「アイヌ伝統工芸と現代作品のバランス」注4前掲書、八二頁。
(18) 小川、注2前掲書、三〇頁。
(19) 計良智子『計良智子アイヌ手工芸作品集』ヤイユーカラの森、二〇〇五年、四五頁。
(20) 津田命子『アイヌ刺繡入門　チヂリ編』クルーズ、二〇〇八年、一三頁。
(21) 小川早苗「アイヌ刺繡と共に」注4前掲書、九五頁。
(22) 川村、注12前掲、一二三頁。
(23) 池田淑子・隅田房子・風間延子『服飾手芸と図案』生活研究社、一九四七年。
(24) 飯塚、注6前掲書、一一七頁。
(25) 飯塚、注6前掲書、一〇一頁。
(26) 「手芸に生きる人2　平凡な家庭の主婦から一流手芸家となった三宅喜久子さんの三〇年間」『手芸』第三集、グラフ社、一九六五年九月、一三二頁。
(27) 林邦雄・日本ヴォーグ社編集部編『日本ヴォーグ社と共に歩んできたニット・グラフィティ三〇年』日本ヴォーグ社、一九八四年、八二頁。
(28) 萱野れい子氏へのインタビューより(注11前掲)。
(29) 蝦夷文化考古館内に展示された吉田菊太郎による文書「蝦夷文化考古館におもう」より引用。本書の署名には、「蝦夷文化考古館建設者アイヌ人吉田菊太郎」と記されている。
(30) ロンダ・シービンガー『女性を弄ぶ博物学――リンネはなぜ乳房にこだわったのか?』工作舎、一九九六年。
(31) 現存しているモノが必ずしも「代表」的、かつ秀逸であるとは限らない。二〇一四年に開催された「アイヌの工芸――東北のコレクションを中心に」(帯広百年記念館)では、拙い縫製だが独特な(あまり知られていない)ルウンペ(カタログ番号20)が出品されていた。田中忠三郎コレクションの一つであり、こうした「例外」的なモノから、従来の展示は技巧の巧拙や意匠のスタイル等によって選別されてきたことが読み取れる。

(32) 二〇一二年の中国貴州民族歌舞劇院による「多彩なる貴州の風」公演は、ミャオ族、イ族、コーラオ族、トン族、ヤオ族などの衣装と舞踊で構成されており、最も多くの少数民族が住む州であることが観光の目玉として宣伝されている。

(33) 観光土産として普及したアイヌ人形は布製のものであるが、簡素な造りで衣服の文様もプリントされている。アイヌ人形の普及品がどのような経緯で作られ、現在消えていったのかは別稿で論じたい。図8のアイヌ人形は函館空港アイヌアートの店「Rapu」にて、現在制作されていない非売品の人形を譲っていただいたものである。改めて御礼申し上げたい。

(34) 「mina an ikor」は、北海道アイヌの「Toy Toy」デザインのブランドである。雪の結晶のような文様を繰り返し使用し、アイヌの伝統の中には見られない鮮やかなピンクなどを用いてストールなどを販売している。

(35) 一九七五年、菅野暎子によって、伝統的南部裂織の普及と伝承のために設立された保存会。匠工房「南部裂織の里」を拠点に二〇〇台もの機を保存し、体験教室を開くほか販売等も行っている。

(36) 木彫り熊の由来は、大きく二つあるとされる。八雲町の徳川農場の農民たちの農閑期の手仕事という説と、旭川のアイヌ、松井梅太郎から始まったという説である。

(37) ニポポ人形は、アイヌの子どものおもちゃだったという説と、網走刑務所が考案したという説がある。

(38) アイヌ刺繍の技法については、和人が復元する段階で、「チャコ」(洋裁で用いられる布に印付けをする道具)を使用したことに対して、議論があった。

第10章

アイヌ・アートをひらく

――造形をめぐる「ことば」を手がかりに

池田　忍

はじめに

アイヌ語と日本語による造形の名称

本稿では、「ことば」を手がかりとして、アイヌの造形の近代史を考えたい。アイヌの造形をめぐる「ことば」には、作り手であるアイヌの人々によるものと、また、アイヌの造形に関心を持ち、それについて語り、評価してきた和人によるものとがある。もちろん、両者は切り分けられず、アイヌと和人は、造形を介して出会い、日本語(和語)のことばを共に使いながら交渉してきた。

そもそも、造形とことばは、それを使う場、文脈によって規定される。歴史的に見ても、アイヌの人々が必要とした「もの」(造形)には、日用品もあれば、儀礼や祭祀のための道具や特別な衣類もある。それらのアイヌ語名称は、素材や形態、あるいは用途に即し多様であった。雄弁を重んじ、豊かな口承文芸を有するアイヌ社会だが、「もの」がアイヌの生活の場から離れると、その名称は、往々にして所有者の語彙に置き換えられてきた。

図1 シトキ(アイヌ文化財団蔵.『AINU ART 風のかたりべ』北海道立近代美術館，2013年)

近代の民族学、民俗学、歴史学などの学術研究においては、素材や形態、装飾技法に由来する名称、本来の用途、地域差に研究上の関心が向けられてきた。だが、記録や研究の場から展示や販売の場へと「もの」が移動し、広がるにつれ、それぞれの文脈に応じた選択や分類が行われ、観る者(／使う者)にとって理解が容易な呼び名に代えられる。これによって、「もの」が有していた本来の意味は、時に専門家の「ことば」(解説)抜きには不明となり、また逆に、和人のことばによって「もの」は線引きされ、独自の解釈が付与される場合もある[1]。

一例をあげてみよう。交易で得たガラス玉を連ね、時に飾り板を中央に配した首飾り(シトキ)は、アイヌ女性が母から伝えられる宝物(イコロ)であり、儀礼の際に着用された(**図1**)。しかし日本語の名詞で単に「首飾り」と呼称するとすれば、アイヌ社会のものをめぐる意味づけ、価値は伝わらない。また、これに使用する玉や飾り板は既製品／交易品であるという理由から、「アイヌ工芸」(アイヌの「手わざ」)の範疇には含めにくい[2]。他方で、パーツの組み合わせなどに美的な感性が生かされた独自の服飾品として、広く関心が寄せられてきた[3]。

他にも、カムイ(神)に酒を献じる祈りの場に欠かせず、上面に多様な木彫が施されたへら状の儀礼具「イクパスイ」は、近年、アイヌ語の名称がそのまま用いられることが多い。イクが酒を飲むの意、パスイは箸を指すが、過去には長く、「髭揚箆」「髭箆」「ヒゲベラ」などと呼ばれてきた。これらの日本語名称には、和人社会に蓄積されたアイヌのイメージ、例えば近世の和人絵師が、長い髭のアイヌ男性を描いた「アイヌ絵」のイメージにまで遡る影響がうかがえる。研究者の間では、イクパスイはアイヌの信仰と儀礼・儀礼具とのかかわりという観点から注目され、名称の地域差、歴史や意匠の変化が指摘されている[4]。他方その造形は、動物や船・家等の器財などをあしらったり、個性的な彫り(幾何学、抽象、草花などの具象的文様がある)が施されたり、さらには用材や仕上げの違いもあって、すこぶる面白い(**図2**)。展覧会などでは、複数を並べて見せる展示手法がとられることも多く、アイヌ語を解さない観客は、本来の使用の文脈を離れ、造形美に注目するよう促される。

いずれにせよ、博物館・美術館・資料館等の文化施設、街中のギャラリー、観光地の土産物屋など、各所に集められる「もの」は、重なりながらも微妙に異なり、それぞれにふさわしいことばと共に提示されてきた。

「アイヌ・アート」ということば

それでは、本書がタイトルに掲げる「アイヌ・アート」ということばは、どんな歴史を持っているのだろう。「アイヌ文様」や「アイヌ工芸」、あるいは「アイヌ刺繡」などと比べても耳慣れず、何を指すのかよくわからないと感じる方もいよう。

「アイヌ・アート」や「アイヌの芸術」ということばをうたった、最も早い日本の出版物としては、図案家の杉山寿栄男(一八八五―一九四六)が、言語学者の金田一京助と共著で出版した『アイヌ藝術』(服装篇、木工篇、金工・漆器篇、一九四一―四三年)があり、その背表紙には、邦題と英訳のAINU ARTが凝った書体で併記されている。杉山は、商業美術の世界で活躍するかたわら、大正後期には縄文土器や石器などの考古遺物、アイヌや台湾の先住民が用いた生活道具などへと関心を広げ、その研究と収集で知られた。ただし杉山は、他の著作や収集品の展示に際し、それらを

図2　イクパスイ(北海道博物館蔵．出典図1に同じ)

「原始文様」(一九二四年)、「原始工芸」(一九二六年)、「原始文化」と呼んでいる。[5] この本が出版されたのは、博覧会展示などを通じ、和人が時空を隔てた「他者」の造形表現に遭遇し、近代のまなざしの下に、その意味と価値を見出し、決定していた時代である。[6] ちなみに杉山寿栄男のアイヌ関連コレクションは、次節で取り上げる民芸運動の創始者、柳宗悦による一九四一年の「アイヌ工藝文化展」(日本民藝館)に出品されたが、戦災で焼失した。

これに対し、アイヌの作家が、自覚的に「芸術／アート」として作品を制作・発表し、また社会に認知されたのは、砂澤ビッキ(一九三一―八九)がはじめてと言えよう。とは言え、本書第3章に引用した通り、ビッキは自らの文章の中で「抽象的な彫刻」と普段使いの「食器」や「椅子」の制作を区別していないと断言する。近代の制度としての「美術」の枠に縛られること、また「アイヌの造形」という他者による解釈を、ビッキはきっぱりと拒んだ。

つまり、「アート」とは何かについても、昭和・戦前期の杉山と、戦後のビッキ、そして本書が用いる現代の私たちの理解とは異なり、この間に大きく変化したのである。その意味において、版画や木彫の分野で創作を続ける結城幸司が、仲間と共に「アイヌ・アート・プロジェクト」を結成し、音楽や語りを主軸に多面的な文化活動を開始したのは、世紀が変わろうとする二〇〇〇年であったことにも注目しておこう。

すなわち、本書が用いる「アイヌ・アート」とは、第9章(二三三頁)で山崎明子が、また、二〇一三年春に北海道立近代美術館で開催された「AINU ART 風のかたりべ」展の図録「序」で五十嵐聡美が述べたように、現代の作家たちが、アイヌ民族の先人による創造の歴史に敬意を払い、それを継承しつつも、個性の発露、自己の表現としての造形を探究し、新たな世界を切り拓くものである。

同時に、山崎が看破するように、アイヌ・アートに読み取れるのは、閉じたアイヌの世界で行われた伝統の継承ではなく、「社会に蓄積されてきた様々なアイヌイメージと向き合った作家たちの試行錯誤と、現代のアイヌ文化への〔社会的〕まなざし」なのだ。しかも作家は、自らの造形表現によって、蓄積されてきた過去のステレオタイプ（第9章で山崎の言う「典型化されたアイヌイメージ」）をずらし、読み換え、乗り越え、更新してきた。それは現代に始まったことではなく、歴史を遡るならば、同化を強いる近代の日本社会において、アイヌ民族が生き続けた過程全体に見出せよう。

本稿では、アイヌの人々の造形表現をめぐって、近代の日本社会で用いられてきた民族的マジョリティ（和人）のことばと、アイヌ自らのことばとを取り上げ、それらが交差しせめぎ合う中から、新たな造形世界が拓かれていく状況を、歴史的背景に踏み込みながら浮かび上がらせたい。今日に至ることば、そしてそれらが共有された公共（言説）空間を検討する目的は、アイヌの表現世界を、既存のことばや既定の概念を用いて限定的に解釈するのではなく、これから発展していく可変的で可能性に満ちたものとして捉え直す点にある。

1　アイヌの造形を意味づける制度とことば

近代美術の制度の中で

「美術」ということばは、一八七三（明治六）年にウィーンで開催される万国博覧会に参加することとなった明治政府が、その出品規程を翻訳する際にドイツ語の Kunstgewerbe や Schöne Kunst を「美術」と訳したのが始まりとされる。(7) また一八八八（明治二一）年には、国家（宮内省）が臨時全国宝物取調局を設置し、全国の「宝物」を調べて「日本」の「美術」とはどのようなものかを探ることとなった。この調査にかかわった岡倉覚三（天心）によって「日本美術史」の枠組みがつくられていったことも広く知られている。岡倉の思想は一国史の視点にとらわれぬスケールを持っていたが、一八九〇年に東京美術学校で始めた講義ノート『日本美術史講義』（一九二二年出版)においては、推古朝をもって大和民族固有の文化が始まると述べ、日本列島の先住民は「絵画彫刻等をなすべきの位置に達せざれば、もとより美術の進歩をなし得たるものにあらず」と断じた。(8)

その岡倉が構想に深くかかわった帝国博物館には、一八七七年開催の第一回内国勧業博覧会に北海道開拓使が出品したアイヌの手工品(内務省の勧業政策の一環として、販売目的で出品した「細工物」)や、遡って七二年湯島聖堂で開催された博覧会のために上京した石狩アイヌの志村弥十郎着用のイヨイミ(木綿衣)、七三年のウィーン万国博覧会出品のための収集資料などが、博覧会事務局から引き継がれている。ところが一九〇〇年に東京帝室博物館と改称した博物館において、アイヌ関連の収集品は、新たに区分が設けられた歴史部第一一区「蝦夷、琉球、台湾風俗」におさめられる。この区分は、内なる「異域」、外国ではない「外地」の物品をくくるものであり「土俗品」とも呼ばれた。(9)

帝室博物館は、一九〇九年には美術専用陳列館と位置づけられる表慶館が開館、二三年の関東大震災により本館の壊滅的被害を経て、動・植・鉱物標本を主とする天産部を廃止、三八年に完成した本館では歴史課の保有する陳列品を美術課・美術工芸課の陳列区分にあわせ分解することになり、徐々に美術に特化した「東洋古美術博物館」としての性格が明確になっていった。本館建設の事業要旨には「美術こそ一国文化の精髄である」と記されている。

戦後も東京国立博物館では、学芸部考古課先史室が、ウィーン万国博覧会の事務局引継ぎ資料や、寄贈を受けた個人コレクションを、アイヌにとどまらずウイルタやニヴフなど隣接する諸民族の資料と併せて管理、展示してきた。二〇一四年の本館リニューアル後は、場所が移動し、展示室の名称から「民族資料」のことばは消えたが、「アイヌと琉球」と銘打って、両者を展示している。東京国立博物館の本館は、日本美術を中核に据えた美術博物館という枠組みと性格を維持してきた。

これと連動して、ヨーロッパの「美術」(ファインアート、ハイアート)の制度の中に、アジアやアフリカ、オセアニア、中南米の造形が入らないのと同様に、その制度に倣った日本美術史においても、中学・高校歴史教科書の記述に至るまで、アイヌや沖縄を排除してきたことは、まぎれもない事実である。(10)

明治後期までに、西洋の思想・学術の制度の導入によって、美術と非美術は分けられ、階層化されていった。そのひとつが、芸術家/職人/女性といった作り手の属性に応じた「美術」と「工芸」(応用美術/アプライドアート)の区分であり、主に女性が携わるものと規定される「手芸」の周縁化である。

また、人類学・民族学による文明と非文明の区分に応じ、「美術」と「民族資料」が分離された。後者の一部は、時に「原始的造形芸術」「部族芸術」(プリミティブアート)と呼ばれ、先史時代の造形との類似性によって注目され、前者(「美術」)と対比的に取り上げられ、語られることになる。(11) さらには、各地の基層文化の中で、民衆が生み出し継承してきた造形、例えば玩具、民具(フォークアート)もまた、「土俗」の調査、民俗学の進展の中で見出されていった。

「民芸運動」のまなざしとことば

アイヌの造形にとって、その位置づけの転回を示すひとつの画期は、一九四一(昭和一六)年秋に開催された「アイヌ工藝文化展」(「杉山寿栄男氏蒐集　アイヌ民藝品大展観」)であったと言えよう。(12) 大正から昭和にかけて柳宗悦が提唱した民芸運動から生まれ、一九三六年に開設された日本民藝館を会場に、杉山寿栄男のコレクションから六〇〇点余りが展示された。作品選定と陳列は、染色工芸家の芹沢銈介に任された。また柳は『工藝』一〇六号(染織、服飾品)と一〇七号(木工品)をアイヌ工芸の特集号として編集・刊行している。

一〇七号に掲載された「アイヌ人に送る書」において、柳はこれを「アイヌ工芸品の驚くべき展覧会」とアピール、アイヌ工芸には「美の本質」が宿っていると述べた。「その美は、単なる物的なものではなく、何か神秘的なものに結ばれている」と主張する。また柳は、当時の社会に広まるアイヌ観、「「気の毒な宿命だ」という同情的表現以上には出ない」それを厳しく批判し、アイヌの人々に対し、自らの「正しく美しいものを生むだけの力」を評価し、「美の領域」における衿侍、誇りを見出すべく促した。「アイヌ人が手工芸の領域で、なすべき仕事が多い」と激励する。(13)

民芸運動、とりわけ四一年の展覧会と、『工藝』誌上に掲載された柳によるアイヌ工芸の「美」についてのことばは、規範として生き続け、今日もなお美術館におけるアイヌ工芸の展示に際し参照される。

日本民藝館学芸部長で工芸史家の杉山享司が指摘するように、柳の行動やことばに耳を傾けるならば、「柳が何よりも成し得たかったことは、朝鮮や沖縄、アイヌ、台湾の人々が保持する固有の文化への正しい評価を与えることであり、「美への感動」を礎として相互の理解と尊敬の念を深めていくことにあった」と言えよう。(14)

しかし、柳が同時代のアイヌの人々に直に接し、その制作の場に入って協働することはなかった。彼のことばは、アイヌに対し尊敬や寛容を欠く多くの和人を批判し、自らの思想の実践媒体と定めた雑誌『工藝』の読者に対し、共感と意識改革を迫るものだったと考えられる。エッセイは「アイヌ人に送る書」というタイトルを持ち、柳が自らの考えをアイヌに伝えたいと願っていたとしても、雑誌や展覧会は、明らかに彼を含む和人エリート層のための媒体であった。

だが忘れてならないのは、柳による「美」の発見とは別に、アイヌの人々自身が手作りした製品(アイヌ細工)を東京で販売しながら、同時代のアイヌ民族の権利回復を訴え、自らの状況を示して和人に直接問いかけていたという事実である。一九三二年に旭川・近文《ちかぶみ》から上京した荒井源次郎とミチエ夫妻、砂澤市太郎とベラモンコロ夫妻(砂澤ビッキの両親、本書第3章参照)が、アイヌ給与地の返還と北海道旧土人保護法の廃案を求める運動を支えるための資金調達の事業としてアイヌ細工を捉え、浅草観音付近で行った「アイヌ細工製作実演販売」である。[15]美術史家の浅川泰は、彼らの行動について、「旧土人保護法の下で「アイヌ細工」が生計をおぎなうためだけではなく、美の政治学とも言えるものをもち始める一つの発端であった」と述べる。[16]

ところで、民芸運動が胎動、展開した大正から昭和初期にかけて、日本美術における「工芸」の位置づけは高まっていた。一九二七年には帝国美術院展覧会に工芸部門が開設された。工芸史家の木田拓也は二〇一二年に東京国立近代美術館で開催された展覧会「越境する日本人　工芸家が夢みたアジア」において、帝国の拡大と植民地主義、コレクションの蓄積を背景として、日本の工芸家たちが、朝鮮半島や中国をはじめとする「アジア」に関心を広げ、それらの地の造形を過去に遡り、現在の制作、意匠の源泉とする様相を捉えた。木田は「アジアの生活文化に根差した美意識や価値観を根底に据え、西欧近代をモデルとする欧化主義に抗い、西欧化にかわる「もう一つの近代」を模索するという役割を引き受けていた工芸家の姿が浮かび上がってくる」と述べている。[17]

図3　外村吉之介《木綿切伏十字紋屏風》1943年（日本民藝館蔵.『20世紀日本美術再見　1940年代』展，三重県立美術館，2015年）

とは言え、アイヌの造形が、戦前期の日本の工芸家たちの制作、意匠の着想源となった作品は、管見の限りそれほど多くない。例えば、民芸運動に加わった外村吉之介《とのむらきちのすけ》の「木綿切伏十字紋屏風」（日本民藝館蔵、一九四三年、**図3**）は、その一例である。[18]また、すでに一九二六年に、「デザイン振興」を旗印に掲げて刊行された『工芸時代』において、「アイヌの装飾図案（民族図案集）」は参考になるとして、切伏《きりぶせ》（アップリケ）が施された木綿衣の一部が、複数組み合わされてカラーで紹介された。[19]本書第7章で山崎明子が紹介するように、女性手芸家たちは、アイヌを含む世界各地の民族的手芸の技と文様に、早くから強い関心を向けていたことが伺える。

さて、同時代においてアイヌ文化に対する関心は、広がりと厚みを増していく。周知のように言語学の金田一京助、その弟子の久保寺逸彦らによって、アイヌ語、口承文芸、言語表現を含む儀礼、芸能(音楽)の調査・研究が広範に続けられた。『工藝』一〇六号には、『アイヌ藝術』の杉山寿栄男との共著者、金田一京助による「アイヌの文化」が寄稿され、異なる研究領域の担い手が交差する。

先立つ一九三七・三八年には、アチック・ミューゼアムの創設者で実業家の渋沢敬三が協力し、日本民族学会が組織した北方文化調査隊の研究者らが、樺太アイヌ、ウイルタ、ニヴフの民族資料を調査している。渋沢はまた三四〜三六年にかけて、知里真志保による民具収集、およびアイヌ説話の採集を後援した(20)。

このように、アイヌ文化は広く収集と記録、研究の対象とされたが、その造形という観点から見れば、民芸の価値体系は強い影響力を持ち、「美」の普遍性に収斂することばと共に高い評価を得た。しかし、そこには「変化」は想定されない。アイヌの工芸は、「天賦の工人達」によって「真実なるものを今も保持」しているがゆえに素晴らしいとされたのだった。

2 アイヌの人々によることばと実践——手仕事と「伝統」

現実を見れば、当時、アイヌの人々は、制度と政策に基づく差別の中で、生活基盤と教育の確保、貧困からの脱却を希求していた。そのような状況下で、手仕事は、素材や技法の変化を伴いながら続けられたのである。経済的な活路を求め、あるいは生活費を補塡する目的で、土産物として売るためのモノ作りを行う人々がいた。

アイヌの人々が、自らの歴史や現況について語る動きは大正期に顕在化するが[21]、「もの」の展示は、アイヌ観光と結び付いて始まり展開していった。アイヌの民具、造形の収集と展示が、和人か外国人かを問わず外部者によって強力に推進される中で、アイヌの人々は手仕事の商品化に従事する。中には、自らの土地で、伝来の「もの」を保持し続けることに意識を向ける人々も現れた[22]。ただし後述するように、学術的な背景を持つ博物館・美術館の展示に、アイヌの人々がかかわるまでには長い時が必要だった。

早くは一九一六年、陸軍第七師団に隣接し、視察者や観光客が訪れる旭川・近文に、川村イタキシロマが、自宅を公開する形で「アイヌ記念館」を開設した。その息子の川村カ子ト《ね》(一八九三―一九七七)は、測量技手として働きつつ資料を収集、地域のアイヌの生計補助、工芸の技術向上のための事業に貢献する傍らで[23]、伝来の「もの」を保持し、観光客に見せる展示施設を維持・発展させて現在に至っている(「川村カ子トアイヌ記念館」)。

アイヌ・北方先住民文化研究を専門とする齋藤玲子の研究によると、昭和一〇年頃までには、土産物の需要の高まりによって「伝統的な生活用具を発展させたアイヌ細工から、全く新たな工芸品が生み出されるようになり、熊の木彫りも、旭川を中心に道内各地に広がっていった。一九三五(昭和一〇)年には、札幌で北海道庁主催の「北海道アイヌ手工芸品展覧会」が開催され、また旭川では「旭川アイヌ手工芸品組合」が設立された。この組合は川村カ子トを組合長に、アイヌの人々を組合員とするものであった。

齋藤はまた、太平洋戦争後の再興に際して、先述の民芸運動が影響を与え、販路の拡大に結び付いた可能性を指摘しており興味深い[24]。確かに、各種工芸品の制作販売を行う組合や会社、盛んになる工芸品のコンクール等の名称に「民芸」の語を用いる例が散見される[25]。

北海道ウタリ協会[26]主催の北海道アイヌ民芸品コンクールでは、一九六四年の開始後、いくどかの部門分けの試行があり、一九八三年からは「伝統工芸」と「一般工芸(民芸)」の二部門に分けられる[27]。単なる「工芸」ではなく、アイヌ民族による工芸品において、「伝統」を主張する動きが現れたことに注目しよう。九六年には、コンクールの名称もまた、「北海道アイヌ伝統工芸展」(二九回以降)へと変更される。「伝統」が強調される背景には、少なくともふたつの状況の変化が横たわっていたと考えられる。

ひとつには、一九七四年に「伝統的工芸品産業の振興に関する法律」(通称「伝産法」)が公布されたことである。北海道では、この法律の制定から四〇年余を経た二〇一三年、平取町《びらとり》の二風谷《にぶたに》民芸組合が申請した「二風谷イタ」と「二風谷アットゥシ」が、はじめて「伝産法」の定める伝統的工芸品の指定を受けた。したがって七四年の時点では、「伝産法」とアイヌ工芸とは直接的関係はないように見える。しかし、この法律が七四年に制定された背景には、安価な大量生産品の流通、後継者不足や原材料の入手難など、多くの問題を抱える全国の工芸品生産者の状況があったと考えられる。国による奨励政策としての「伝統」の強調、工芸品の質の管理への介入は、多くの手仕事の継承が危機に瀕し、地方の地場産業が沈滞していく時期に行われており、同様の認識は北海道の関係者にも共有されたに違いない。

ふたつ目として、より重要な変化と思われるが、アイヌの人々の「先住民族」としての自意識が国際的な視野のもとで形成され、その主張が高まっていく状況があげられる。日本政府は、戦後も長らく国際機関に対して、アイヌ民族は同化が進み、先住民でなく日本人と同等の進歩に達したとしてきた。しかし、七〇年代には、アイヌの人々は世界の先住・少数民族との交流事業を始める。八二年には、国際連合人権委員会の下に先住民作業部会が設立され、この頃から、北海道旧土人保護法の撤廃とアイヌ民族に関する新たな法律の制定に向けて事態が大きく動き始めた。

先住民運動の世界的うねりは、アイヌの人々による自文化展示の場と機会の創出に大きくかかわったと想定される。一九七二年には、萱野茂《かやのしげる》(一九二六—二〇〇六)が自身の収集品を展示する二風谷アイヌ資料館を開設した。

アイヌ視察と観光の拠点として古くから発展した白老《しらおい》では、一九六五年、観光施設が白老市街地からポロト湖畔へと移設され展示施設が拡充された。一九七六年には財団法人白老民族文化伝承保存財団設立、八四年にアイヌ民族博物館を開館して、以後、観光とのバランスを探りながらも学術的調査・研究に力を入れてきた。その基盤を継承し、国立アイヌ民族博物館(民族共生象徴空間)がポロト湖畔に開業されるのは二〇二〇年七月である。

学術研究とアイヌ展示——一九七〇～八〇年代にかけて

国内の研究・展示機関に目を向けると、一九七七年に開館した大阪の国立民族学博物館(民博)では、七九年に常設展示の中にアイヌ文化のセクションが実現する。この展示は、アイヌ文化を学問的見地から、日本の中の独自の民族文化として構成するもので、様々な展示品の制作に、萱野茂ら二風谷のアイヌの人々の意見、協力を得た。チセ(アイヌの住居)の新築儀礼(チセノミ)が二風谷流で行われてきた[28]。もっとも、萱野の取り組みは先駆的であり、同時代においては例外的でさえあった。六〇～七〇年代には「アイヌ文化の展示それ自体がアイヌに対する差別であると見られていた」し、「萱野氏のようなごくわずかな個人以外は、そもそも博物館展示や文化振興に関心を持たなかった」とも指摘される[29]。

詳細は多くの研究や同時代史資料に委ねるが、一九七〇年代から八〇年代前半にかけては、研究者とアイヌの人々の間の溝が顕在化する[30]。アイヌ民族は、長く日本社会における圧倒的多数派である和人による「アイヌ滅亡論」に包囲されてきた。社会進化論と混合民族論に代表される人類学の考え方のうち、後者は通婚によりアイヌが「より優れた」和人へと同化し、アイヌという固有民族はいずれ消滅すると主張するものであった。しかし、歴史家の坂田美奈子が論じるように、「同化」によってアイヌ語を奪われても、自覚的な文化変容を経て、アイヌは「同化したアイヌ」として存在し、言論を駆使して和人の論理、歴史叙述に戦いを挑み、アイヌによる「生

きられたアイヌ史」を模索してきたのである。(31)

一例をあげるならば、一九七七年に北海道大学の林善茂教授が講じる「北海道経済史」が、「日本人を主体にした開拓史であり、アイヌの歴史は切り捨てる」とし、「冗談や雑談」として、アイヌ民族の身体的特徴を強調、アイヌ女性を蔑視した差別的な発言を繰り返したことに対し、学生から相談を受けたアイヌ民族の結城《ゆうき》庄司《しょうじ》が抗議し、林との直接論議(「チャランケ」、談判とも訳される)を求めた事件がある。結城の批判は林個人にとどまらず、その植民学としての歴史叙述に及んだ。また、一九八五年にチカップ美恵子が、『アイヌ民族誌』の著者や監修者に対して起こした民事裁判がある(本書第3章参照)。

こうした時期に、本州では国立民族学博物館によるアイヌ展示への取り組みは継続され、国連の「国際先住民年」にあたる一九九三年、「アイヌモシリ」展が開催された。その刺激を受け(32)、北海道でも翌九四年、北海道ウタリ協会主催の「ピㇼカ　ノカ」展が、「世界の先住民の国際十年」(一九九五―二〇〇四年)の記念事業として催される。

自文化を語るアイヌの人々の「ことば」――一九九〇年代

「ピㇼカ　ノカ」展の展示図録は、「伝統をさぐる」と「受け継ぐ心と技」の二部構成をとり、萱野茂とその夫人であるれい子の対談「彫りと縫いの対話」がそこに掲載された。また、国立民族学博物館の大塚和義による「アイヌ文様の起源とアイヌ民族の成立」、「現在」にかかわって展覧会実行委員長の秋辺得平による「現代に着《いま》る」が寄稿されている。アイヌの人々による自文化を語ることばと、研究者の「学知」とが同じ空間に現れ、両者の関係は新たな段階に入る。自文化や歴史についての調査や叙述が蓄積され、それはもはや調査や研究の対象ではなく、相互に参照・検証し合う緊張感を伴った協働の時代を迎えた。

その前夜、二風谷の貝澤正が、人々の経験の集積としての地域の歴史を編み(二風谷部落誌編纂委員会編『二風谷』二風谷自治会、一九八三年)、萱野茂がアイヌの口承文芸やアイヌ語研究を深めて大成する(『萱野茂のアイヌ語辞典』三省堂、一九九六年、他)といった活動が、アイヌ文化の継承においていかに大きな意味を持っていたかについては、吉原秀喜の論考に詳しい[33]。

さて、萱野夫妻の「彫りと縫いの対話」には、アイヌの人々による七〇〜八〇年代における伝承活動活性化の過程、技術習得の現代史についての具体的な言及が見られる。地域における伝承者とモノの伝来、継承の意義が詳しく語られ、行政による公共施策の一環である「機動職業訓練」(指導員資格)の制度についても触れられている。この制度については、本書第9章の山崎明子の論考中にその役割が説明されているので詳細は譲るが、一点確認しておくと、これは本来、民族衣服制作に限定されるものではなく、地場産業の振興政策として全国的に導入された制度であった。北海道では、その一部に、受講者はアイヌの人々を優先するという運用方法が導入された。アットゥシ織やアイヌ刺繡、あるいは木彫りのように、アイヌの伝統的な手わざに限定してのことである。その目的は自立支援で、すでに見たようにアイヌの人々の間では、刺繡や木彫りが、観光を背景に重要な収入源になっていたからである。

しかし同時に、アイヌ女性にとっては、山崎明子が指摘するように「失われた手仕事の回復」に大きな意味があった。この制度を利用することで、アイデンティティの拠りどころとして民族衣装を自製することの意義が自覚されていく。機動職業訓練は、今日に至るアイヌ工芸の伝承のあり方に、大きな影響を及ぼしたのである(本書第9章二二一—二二二頁参照)。

これらの制度的取り組みを背景に、「伝統」は、個人の意識からアイヌ社会の在り方に延長され、共有されている/されるべき重要な価値となった。先に言及した萱野夫妻の対話では、縫いと彫りの技法に焦点が合わせられ(日本民藝館「アイヌ工藝文化展」にも共通する構成)、前者を女性、後者を男性の仕事と捉え、アイヌの伝統的な暮らしを、ジェンダー化された手仕事に重ねて説明する点が興味深い。ただし対話を読むと、夫妻は実際には協力してアイヌの手仕事に携わっており、妻のれい子氏は、縫いの細かな技法をアイヌ男性の知人に学んだと回顧している。付言すれば、本業に限らなければ木彫りを手がけるアイヌ女性は、二風谷では必ずしも珍しくはない。こうしたことからも、柔軟な現実の生活実践よりも、自文化をめぐるアイヌの人々の発話においては、典型化、理想化された「伝統」が優先される傾向があったことが窺えよう。

3　アイヌ文様をめぐることば——民族の「心」のあらわれとして

「同化」の時代——アイヌ文化をめぐるアンビバレンツ

アイヌの人々による手仕事、「もの」の制作は、明治期以来の厳しい同化政策の下、一部の人々の日々の暮らしの中では細々と継承されていたが、和人による観光・鑑賞・研究に対応しての経済活動の一環として維持された側面が大きい。制作者以外のアイヌの人々は、民族衣装や木彫などの造形について、どのように考え、評価してきたのだろうか。

中でも教育の機会に恵まれた人々、特に社会的に活動するアイヌ男性は、正装として洋服を選択したことが、多くの写真資料によって判明する。アイヌ自身が日本語で叙述したアイヌについての最初の書籍である武隈《たけくま》徳三郎『アイヌ物語』(一九一八年)[34]は、冒頭の口絵写真に、和装で室内に端然と椅子に座して並ぶ両親の写真を掲げる。その右上に楕円の枠を設け、洋装姿の自身の胸像写真を置く(母ツカ四六歳、父熊次郎五五歳、自身は二三歳と明記)。ただし本の表紙には、切伏と刺繡を施した民族服、鉢巻き状の冠(サパンペ)を着用した老人の写真が使用された。

民族の歴史と現状を叙述し、和人による研究やアイヌ政策に対する異議申し立てと共に主張する武隈の史観が、この新旧三世代のアイヌの表象に凝縮されていると見ることもできる。

しかし、この書が刊行年の夏に札幌で開催された開道五〇周年記念博覧会の「土産」として販売され、和人読者を想定していたとする先行研究の指摘を踏まえれば(35)、表紙を飾る古老のイメージは、博覧会と観光の時代に投げかけられる好奇と差別の入り混じるまなざしを意識した出版側の戦略と不可分であろう。

内容に目を向けると、第五章(終章)は「アイヌの工芸」である。「(一)アイヌの作る品物」、「(二)彫刻及び刺繡」の項目に分け、前者は日常品(器具)、後者は「アイヌの美術」を紹介する。四頁に過ぎない短い章(全六六頁の小冊子)に、アイヌ(の工芸)を「幼稚」とすることばが三度繰り返される。ただし「彫刻及び刺繡」については、「幼稚なるアイヌとしては比較的巧みなるものとして、世に持て囃されつゝあるなり」との認識が示された。「美術」としての振興を願い、教育指導によれば「発達進歩」が期待できるとして、「江湖の諸賢が厚き同情を以て助力を為し給はんこと筆者の切に祈る所なり」と結ばれている。

だが、ここで私が注目したいのは、途中、武隈が、彫刻・刺繡とも「下図」は作らず「心の中にて仕組みを立て」、前者は「粗末な小刀(まきり)一本」、後者は「針一本」で変化に富んだものを作ると、誇らしげに記す箇所である。また、刺繡に関しては、「婦女の最もたしなむ業」で「夫の晴れ着には念にも念を入れて之(刺繡)を施し、夫も亦《またそ》其の美しきを以て人に誇るなり」と記して、暮らしの中の衣服の意味を肯定的に説いている。

表面的には、和人が向ける工芸へのまなざし、その低い評価を汲み取った、彫刻や刺繡への振興支援を期待する文章である。しかし、武隈は他方で、アイヌの制作者の「心」と手仕事の実践を結び付けて語った。和人社会向けの発言の陰に、自文化についての愛着と誇りが表明されている。

武隈と同世代の女性、砂澤クラ(一八九七―一九九〇)が晩年にまとめた手記に基づく著作の中にも、同様の思いを読み取ることができる。(36) その中では、明治末から昭和期を通じアイヌの人々の暮らしを支えた複数の生業と副業の数々が回顧され、「伝統」と和人の慣習、規範との間で揺れ動きながら文化的アイデンティティが形成される様相が記される。文化伝承に向けられる周囲の人々からの否定的な視線(同化=和人化を当然とみなす日本社会の中で生まれる)を受け止めながらも、彼女の一代記には、母や祖父、そして夫や自身が維持したアイヌの文化実践を肯定的に捉える誇りが漲っている。

このように、明治生まれのアイヌによる著作には、アイヌの手仕事(工芸、美術など呼び名は様々)についての言及はある。しかし、ことさらに文様に注目が寄せられてはいない。「文様」への注目は、学術的にも美的側面からも、和人の強い関心が還流したものではなかったか。以下、アイヌによるアイヌ文様への言及が、どのように始まり展開したのか、そのことばを検証しながら、背景を探ってみたい。

アイヌ文様を焦点化する二冊の本から

一九七〇～八〇年代にかけて、アイヌ文様をテーマに掲げ、カラー図版を多数掲載する和人の著者による二冊の本が出版された。

『ユーカラの世界　吉田利雄写真集』(読売新聞社、一九七三年)は、同時代を代表する芸術家、岡本太郎による「強くて透明な詩」と題した短い序をいただく。岡本は、アイヌ民族には謎が多いが、美意識の面では今なお東北に生きる「縄文・東北的な文化が、ある意味で極めて純粋に、圧縮された形で残っている」と記す。吉田の写真は、『週刊読売』のカラー頁(グラビア)を飾ったシリーズだった。岡本は、彼の写真にあらわれる吉田の資質を、「アイヌ文化の美にぴたりと合っ」ていると讃えた。

吉田は「文様」と題した短いエッセイに、「アイヌ文様にみる、野性的で、大胆かつ鮮烈なパターンはすさまじい。男女を問わず、衣服の明快きわまる線と色の組み合わせは、迫力がみなぎり、ことに赤の扱いは強烈で印象的である」と書いた。対応する写真は、白老、石狩浜、阿寒など、アイヌの故地と著者が判断する景観と共に（一部屋内）、流行のメイクを施した大勢の若い女性たちに、主として木綿衣（カパラミプ）を纏わせ、配置する。一部の頁には、正装姿で儀式に臨む古老男女が、集合写真とクローズアップを交えて掲載されるが、入れ墨の初老女性の硬い表情に対し、メイクによって平準化された多数の若い女性たちは、コスプレに興じているようにも、写真家の指示のままポーズをとっているようにも見える。六〇年代から七〇年代にかけての北海道観光ブームを背景に、若い女性の身体は、大胆なアイヌ文様の衣装や民具と同様に、観者の欲望の対象として提供された。

これに対し、『アイヌの文様』（笠倉出版、一九八一年）は、絵本作家としてアイヌを主題に制作を重ねた画家の四《よ》辻《つじ》一朗が企画・構成・装幀を手がけ、五年の歳月を費やして出版に至ったという一冊である。「服飾の文様、編む文様、彫刻の文様」の三つのカテゴリーを立て、全国の主要な機関が所蔵するアイヌの服飾や生活具（民具）の図版を、アイヌ語で項目を立て構成する。釧路・阿寒地方でアイヌの伝承活動を牽引した山本多助（一九〇四―一九九三）、またアイヌ文化研究者として知られる児玉マリ・藤村久和・大塚和義、さらにはアイヌコタンに暮らし、独自の視点で同時代のアイヌの日常を綴った茅辺かのうらの寄稿を得た。研究者らは四辻の企画に添い、素材や技法別に（児玉）、あるいは生活文化とかかわらせ（藤村）、また周辺諸民族との比較を行う（大塚）など、多角的な学術的論考が載る。

他方、山本多助は、「お針仕事」（ケメイキ）と題したアイヌ語の語り／文章（山本はそれを「ユウカラ言葉」と称する）と、その日本語訳を寄稿した。アイヌ文様は「現代のアイヌ文様と言われている線モヨウばかり」（傍点は原文のまま）ではなく、「古物語（ユウカラ）の中で表現されている多くの事がら、言うなれば明月と雲―山に川―花と鳥―鶴も白鳥も鹿も取り上げて手造りされていたのです」と解説し、語りは、次のように始まる。

お針　仕事を我すると　我が手造りの物で　あったのやら　うれしさで心もそぞろ　片一方は　高くのぼって行って　一方は流れ下って行く　生命ある　もののように　自らの行動で交わす　巴となって交流する雲は表裏変わって交流する

針を持つ人の刺繡が、空に動き変化する雲と重なり、溶け合う喜びが語られていく。刺繡と雲は、どちらも「命あるもの」として登場する。

文化伝承者として著名な山本による、刺繡文様とアイヌ民族の世界観とを結び付けるアイヌ語の語りと、アイヌの人々と深く交わりながら調査を重ねる研究者の知識が交差するこの書物は、アイヌ文様の意味を高め、アイヌの人々に多くの情報、そして新たな価値観を提供した可能性がある。山本多助の世界観は、姪のチカップ美恵子の著作や作品、その母であり、兄を深く尊敬する妹である伊賀ふでの日記や詩に、強い影響を及ぼしている(本書第3章参照)。

民族の「心」としてのアイヌ文様

このような経緯を経て、アイヌ自身による企画展示の中でアイヌ文様が大きく取り上げられる時代が到来する。「アイヌモシリ　民族文様から見たアイヌの世界」展(国立民族学博物館、一九九三年)の刺激を受けて実現した、先述の「ピㇼカ　ノカ　アイヌの文様から見た民族の心」展(北海道ウタリ協会主催、北海道立道民活動センター・北海道立開拓記念館、一九九四年)がその嚆矢となる。

注目すべきは、「ピㇼカ　ノカ」(アイヌ語で「麗しい形」の意味)展において、アイヌ文様が現代を生きるアイヌ民族に継承される「民族の心」と位置づけられた点であろう。萱野茂・れい子夫妻は図録の中で、アイヌ文様が、縫いと彫り(男女双方の手仕事)に跨ることに加え、地域・村ごと、家ごとに継承されてきたと強調する。誰から譲り受けたのかにこだわり、系図に言及し、個人名をあげながら大切な着物について対話する。それは施されたアイヌ文様を自らのルーツにかかわる大切なものと考え、表明する意志の表れであり、他者によって奪われてきた歴史の回復であったと考えられる。

秋辺得平の寄稿文は、観光イメージが付きまとってきたアイヌの民族衣装を、国連などの会議やアイヌの儀礼の場にとどまらず、日本社会の日常的な晴れの場で、アイヌ民族が抵抗なく着用できる日の実現を意識している。文中では、大学の卒業式や成人式に、アイヌ衣装で臨んだ若者がいたことを、驚きを交えながら誇らしげに報告した。

国際連合が、「世界の先住民の国際十年」を定めた一九九三年は、アイヌ関連の博物館展示が急増するターニングポイントにあたる、との指摘があるように、(37) この頃から、アイヌの人々が関与する展覧会や出版物には、地域の伝承、祖父母からの継承が強調されるようになっていく。早い例では『静内《しずない》地方のアイヌ衣服』(北海道ウタリ協会静内支部編、静内町、一九九三年)、小川早苗・かとうまちこ『アイヌ紋様を曽祖母から継いで五代』(アイヌ文化伝承の会手づくりウタラ、一九九六年)などがある。女性たちは、民族服の制作技術を機動職業訓練で学んだ後、各地でグループを作って研鑽を積み、展覧会を重ねていった。(38)

一九九七年以降、アイヌ民族文化財団(二〇一八年にアイヌ文化振興・研究推進機構から改称)が主催する「工芸品展」が、北海道外と内の博物館を会場に、テーマを変えて定期的に開催されるようになる。(39) 二〇一九年までに開催された二五回の工芸品展の中には、アイヌ文様に対する関心の盛り上がりを背景に、これをテーマとする大規模展覧会も企画された。「アイヌ文様の美　線のいのち、息づくかたち」展(北海道立近代美術館、二〇〇六年)である。アイヌ民族によって生み出された過去の造形の価値を「文様」によって評価し、それらを「アート」の文脈に位置づけようとの試みである。アイヌ文様を、縄文土器やケルト美術に見られる文様、あるいは二〇世紀のモダンアートの造形と共通性を見出しうるものとして見ることが提案された。柳宗悦のことばが引用され、文様に宿る「普遍的な美しさ」に観賞者が目を向けるよう促す。[40] アイヌの服飾、多様な生活用具や祭祀具を、従来これを扱ってきた人類学や民俗学の文脈から切り離し、「文様」「線」や「かたち」という、アート固有の視点、切り口に従って、美術館で展示する試みは当時でも新しかった。[41] ただし展覧会図録では、展示品の収集地や収集年代などの歴史的情報に注意を払う編集方針をとっており、民族学を中心とする他の学術分野で注がれてきたアイヌの民具等を含む「もの」の文化(物質文化)への関心を妨げぬ配慮が払われた。

たしかに、美術館展示の文脈に置いたアイヌ文様への焦点化は、アートファンらの関心をアイヌ文化に向ける一定の役割を果たしただろう。だが、「アイヌ文様の美　線のいのち、息づくかたち」展に関して言えば、会場が博物館から美術館へと移り、展示の文脈が変化しても、現代を生きるアイヌの人々による表現、作品は不在のままで、会場を見る限りではアイヌの造形は「過去」に属するものだった。

すでに触れたとおり、一九九四年の「ピㇼカ　ノカ」展では、現代の制作者の作品が、図録掲載作品の三分の一を占め、アイヌの人々の作品発表の場が拡大していた。だがそこでも、ルーツとしてのアイヌ文様、縫いや彫りの「伝統」の尊重が、出品作の選択を左右し、その幅を限定した点は見逃せない。たしかにチカップ美恵子らの刺繍作品は、壁掛け(タペストリー)というアイヌの伝統には無い媒体を用いていたが、出品された。しかし、現代美術の文脈で活躍した砂澤ビッキの抽象彫刻、あるいは動物や人間の具象彫刻で独自の世界を切り拓いていた藤戸竹喜の作品などは、「ピㇼカ　ノカ」展には含まれなかったのである。[42]

4　アイヌ・アートをひらく

現代作家の作品展示を振り返る

一九七〇〜九〇年代にかけて、アイヌの造形をめぐるアイヌの人々自身の「ことば」を追っていくと、「伝統」の継承、そして和人のまなざしの下には普遍的な「美」と評価されてきた「アイヌ文様」を、民族固有の意味やルーツを示すアイデンティティの拠りどころとして奪回する過程が浮かび上がる。[43]

そして、九〇年代には、それに続く変化が顕在化していく。現代を生きるアイヌの作家たちは、先人の技術を学び、その仕事に敬意を払いつつも、「創造」の翼を大きく広げていた。この変化は、アイヌ社会の内部で生じたと言うよりも、作家が、自覚的に創作や発表の場を外部へと開くことでチャンスを摑み、新しい表現を歓迎する各地のギャラリーやコレクター、海外の博物館からの招待に応えて制作をつづけた結果である。[44] もちろん、一九九七年に施行されたアイヌ文化振興法が、展示の機会を増やす後押しになった。

国内では、国立民族学博物館が、アイヌの工芸家自身が企画や展示に関与した展覧会「アイヌからのメッセージ——ものづくりと心」展(国立民族学博物館他、二〇〇三年)を開催する。[45]「卓越した作家」として、二風谷の貝澤守幸(一九三五—七七)、阿寒の床《とこ》ヌブリ(一九三七—二〇一四)と、藤戸竹喜、砂澤ビッキが取り上げられた。また「ひろげる」というセクションでは、デザインや服飾分野で活躍する貝澤珠美や貝澤竹子、口承文芸の世界を古布絵で表現する宇梶静江、独自のテーマに取り組む木彫の貝澤徹、音楽家の加納沖(OKIの名でトンコリ奏者・プロデューサーとして活動)、結城幸司が代表をつとめるアイヌ・アート・プロジェクトなど、多様な媒体を選ぶ創造的な作家が加わった。

とは言え、同展の展示セクションは、「受け継ぐ」と「かたち」(衣服・民具・儀礼・工芸品)が冒頭に置かれ、アイヌ民族の現在の在り方を、歴史的な連続性と変容の中に多角的に示す。国立民族学博物館展示の基本的な枠組みに一致し、そこに、現代作家による創造的な作品を加えている。こうした組み合わせは、早くは一九九二年に開館した二風谷アイヌ文化博物館において試みられていたが、二一世紀に入ると加速して、続く「アイヌ工芸品展　アイヌからのメッセージ――現在から未来へ」（市立函館博物館他、二〇〇七年）、「先人の手あと　北大所蔵アイヌ資料――受け継ぐ技」（北海道大学アイヌ・先住民研究センター／北海道大学総合博物館、二〇〇九年）へと継承されてきた。

また、千葉県佐倉市の国立歴史民俗博物館（第四展示室「民俗」二〇一三年リニューアル）[46]、国立民族学博物館（アイヌの文化展示、二〇一六年リニューアル）においても、現代作家の作品展示が恒常的に行われるようになった。

そして二〇一三年、美術館という場で、アイヌの現代工芸作家九人の作品と、一九世紀から二〇世紀にいたる「伝統的なアイヌ工芸品」とを併せて展示する最初の試みが実現する。北海道立近代美術館で開催された「AINU ART　風のかたりべ」展である。企画者の五十嵐聡美は、柳宗悦のことばを引用しつつ、日本民藝館における「アイヌ工藝文化展」から七〇年が過ぎたが「今日においても、アイヌ文化が紹介されるのは、博物館での資料展示が中心である」と述べ、「美術館側からの歩み寄りが足りなかった」と、美術的観点に立つ展覧会の意義を強調した[47]。

「AINU ART　風のかたりべ」展から七年が経過し、改めて思うのは、美術館での展示はひとつの達成ではあっても、決してゴールではないということである。たしかに美術館という装置の洗練された展示手法は、鑑賞者と個別の作品との距離をぐっと近づける。私たちは、作品に近寄り、また離れて、作者の手と全身の動きやリズムを、快適な空間に身を委ねながら、誰にも邪魔されることなく感じ取ることができる。

だが、現代を生きるアイヌの作家たちは、どのような現実に遭遇し、誰と出会い協働しながら、テーマや表現を広げてきたのだろうか。私たちにとって、「アート」とは、どのような存在なのだろうか。既存の展示の場や評価の枠組みの一歩外に出て、作家と対話し、アイヌ・アートが発信するメッセージに耳を傾ける余地があるのではないか。筆者は、作品の問いかけに応える回路を、さらに探してみたいと考えるようになっていた。

開かれた「扉」としてのアート――砂澤ビッキの協働

実は、二〇一三年の「AINU ART　風のかたりべ」展にも、砂澤ビッキの作品は出品されなかった。戦後の彫刻界に足跡を残し、アイヌの造形という枠組みが窮屈な作家であることは確かである。ビッキ自身の生前の発言も、出自に特化した理解を拒んでいた。「私はアイヌを意識していない。意識していないところに出るものこそ、本質なのではないかと考えている」ということばは、彼の作品に対峙する私たちのまなざし、理解の枠組みや価値観を鋭く問いかける(本書第3章参照)。同時にビッキの意識(アイヌとしての自覚)と行動との関係の再考を迫る。

ここでは、主要な彫刻作品を辿り展示する従来の美術展では、あまり触れられることのなかった一九七〇年代から八〇年代にかけての砂澤ビッキによる、北海道における詩人たちとの協働について注目したい。その重要性に気づかされたのは、二〇二〇年に北海道立文学館で開催された「砂澤ビッキの詩と本棚」展であった。いわゆる全国区の詩壇に名を知られる人々ではない。近年、岡和田晃ら文芸批評家が注目するように、この時代ローカルな場で、社会の不正義や矛盾に目を向ける文学者とアイヌの若者が協働していた。(48) そこにビッキも大きくかかわっていたのである。

一九七三年『朝日新聞』北海道内版文化・家庭欄の連載「北の美」に、江原光太が詩を、ビッキがペン画・版画の挿絵を手がけたことが、二人が交流を始めるきっかけであったと言う。ことばの人でもあったビッキが残した唯一の詩集『青い砂丘にて』も、江原の運営する創映出版から刊行された。また江原の詩集『〈ゲジゲジ…〉ノ歌　続貧民詩集』(一九八二年)の扉にはビッキの絵(**図4**)が、次の見開きにはビッキの手稿がそのまま印刷されている。

図4　砂澤ビッキによる版画扉絵(江原光太『〈ゲジゲジ…〉ノ歌　続貧民詩集』創英出版, 1982年)

表紙を飾る木版画を江原に依頼されたビッキは、「表紙とは　一種の門であるだろう　その門を押し開き　入ったとき　子宮宇宙の天球が広がるが、泥濘を這いずり廻り、潜り　骨(地)盤に触れるか　それは知らない」と、ビッキ特有のエロチックな詩的言語で応答する。「零下三十度のガラスは凍結して真っ白だ　いや！　表紙とは門ではなく文字通り〝おもて〟かもしれぬ」と、音威子府《おといねっぷ》の厳冬に暮らすビッキは結んだ。「アトリエサンモア　一八八二年二月十四日　ビッキ。」の署名がある。

ビッキの作品は、彫刻、またペン画や版画などの絵においても、複層的で、内と外がつながり重なる。そしてその扉は、いつも社会に開かれていた。

想起されるのは、「木面」(一九七五年頃から)のシリーズである。一九七六年、東京の櫟《くぬぎ》画廊で開催された個展の際に撮影したという、木面を手に持ち着装した五人の写真が残されている(**図5**)。内面世界を凝視しながら、外との界面を常に意識し、迸るパワーを造形するのがビッキ特有の表現方法であろう。

ビッキは一九七三年五月にアイヌ民族旗をデザインして、メーデーに参加する。アイヌの若い青年たちが設立したグループの機関紙『アヌタリアイヌ・われら人間』[49]に、シンボルマークを提供した。これには、シャクシャイン、クナシリ・メナシの戦いなどの歴史を問い直す論説、海外の先住民族に目を向ける記事、先人への連続インタビュー「エカシとフチを訪ねて」などが掲載された。創刊号には、同地のアイヌの若者もかかわった、有珠《うす》の火力発電所建設反対の記事を載せるなど、社会問題への関心が高い。
創刊メンバーには、一九六八年「開道一〇〇年」の祝賀ムードに沸く北海道にあって「アイヌを忘れないで――北海道百年におもう」という文章を『北海道新聞』(五月一三日「読者の声」[50])に投稿した釧路生まれの戸塚美波子がいる。戸塚は、ビッキとの交流も深く、その後も屈斜路湖畔に在住して長く自然環境保護運動に参加している。

図5　砂澤ビッキ個展の集合写真(檪画廊にて，1976年．札幌芸術の森美術館編『砂澤ビッキ　風を彫った男――作品と素描』マール社，2019年)

ビッキの公的な活動が目立つのは、郷里の旭川常磐公園に建設された北海道開拓百年記念碑《風雪の群像》(本郷新)に対する単独の抗議運動(一九七〇年八月)などを行った、一九七〇年代前半である。以後の制作に集中する時代にも、公共空間にシンボルとなるような作品を作り、人々とそれを立てるイベントを楽しんだ(音威子府駅前の《音威子府タワー》一九七九年など)。《樹華》(本書七四頁第3章図4参照)、舞踊家の能藤《のうとう》玲子の公演(厚生年金会館、一九八六年一二月)「風に聴く」に、舞台美術として《四つの風B》を提供した(後に《風に聴く》とタイトル改題。一六三頁第6章図5)。協働によって、表現世界を広げてきた作家であり、アイデンティティとしてのアイヌは行動を通じて更新されていたと考えられる。

紙幅の都合で言及できないが、七〇年代以降、外部からの訪問者がアイヌの人々と深い交わりを継続する事例が増えていった。アイヌ・アートは、世界的潮流においてアートが公共的な価値観の生成に関与し、アイヌ社会が外部に発信力を高めていく時代に、種が撒かれ、育っていったと考える。

アートには、「日常」を異化する力がある。その力を痛感させてくれたのが、本書に参加する貝澤徹の作品である。

貝澤の作品は、経済産業省の「伝統的工芸品」に指定される二風谷イタ(アイヌの伝統的な盆)から、独自の主題を探究する現代アートにまで及ぶ。いずれも評価が高く、各地で作品が展示される機会の多い作家だが、両タイプの作品は、往々にして展示の場や文脈に応じて分けられてきた(51)(本書第2章参照)。

しかし、例えばカラーページに紹介した《ハンチングニマ》(二〇一〇年。五八頁図⑩⑪)はどうだろうか。それは木製なのに、柔らかく軽そうで、先ほどまでこれをかぶっていた人が脱いでそこに置いたかのような親しみをおぼえる作品だ。伏せるとハンチング、裏返すとニマ(窪みのある盆を指すアイヌ語)になる趣向がお洒落で、天地を逆にするだけで表情が一変する。生活の器として使い、仕掛けを楽しみながら、暮らしの中で楽しめるアートである。

《アイデンティティ》(二〇一一年。五七頁図⑨、六六頁図㉒)は、身体に馴染んだ厚手のベストのファスナーが開き、アイヌ文様が覗く。背面に回ると、一部に透かしの入ったアイヌ文様で全面が構成されている。今という時代の日常感覚と、同時にアイヌ木彫家としての自覚が、微妙な距離を保ちながらも一体化している姿は、作者に重なって見えてくる。これらの作品は、現代のアイヌ・アートを代表する作品として、相次いで国内外で展示されてきた。貝澤が、自らのアイデンティティを問いながら、木彫に取り組んできた軌跡を知って、これらの現代アートを見ると、親しみやすさの中に、ふっともう一つの歴史、和人である私が無知ゆえに知らなかったアイヌの人々の経験が現れる。

さて、貝澤徹は、二〇一五年秋、美術家の中村政人(一九六三―)からの委嘱で、藤谷誠と共に等身大のニポポを制作した。ニポポとは正装のアイヌ男女を一対で表す木彫りの人形である。北海道では戦後、六〇〜七〇年代にかけて北海道観光ブームの最中に、土産物として木彫り熊と共に大量生産され、広く流通した。

東京のアーツ千代田３３３１を会場とする中村政人の展覧会「明るい絶望」において、上記のニポポ人形は展示された(六一頁図⑭⑮)。アーティストによる展覧会のホームページ上のステートメントによれば「秋田の実家の飾り棚に置かれていた民芸品(人形)を同じ製造技術を用いて等身大に立体作品化」する。照明にくまなく照らし出された白い空間に、インスタレーションの一部として、フランス人形、こけし、お杉わらべ、琉球人形などと共に置かれた。これは「アートと社会の関係を問う批評精神に根ざした、最新作となる二シリーズのインスタレーション」のひとつで、「九〇年代にプランニングした作品」が実現したという(52)。

貝澤と藤谷による木彫のニポポは、木彫りの鑿目《のみめ》に迫力があり、等身大という以上にどっしりと大きく存在感があった。アイヌ文様が彫り込まれた着物、熊の頭部が取り付けられた男の冠(サパンペ)や女の巨大な首飾り(タマサイ)、濃い眉や髭が力強く表されている。大きな頭部、ほりの深い面立ちの目に瞳が表されていないので少し不気味だが、優しそうだ。

白々と明るい展示室に入り、人形たちの間や周囲を歩いていると、それぞれの制作・生産地におけるかつての「土産物」としての人形制作や観光業の活況ぶり、その後の衰退へと向かう風景などが浮かんできた。またこれらを飾った中村の自宅に流れた時間、そして変化したであろう家族の生活を思った。それは、全国いたるところで見られた風景のひとつに違いない。人形たちは、私たちが慌ただしく通り過ぎた時が置き去りにしたある種の「忘れもの」である。忙しい日々の中で、忘れていたかつての見慣れた居間の風景、「日常」が、等身大人形という過剰な姿で出現し、私たちをたじろがせる。

人形の作り手は、かつての土産物と同様にいずれも匿名である。このインスタレーションには、私たちの現在を「異化」する力が備わっている。特に異彩を放つ貝澤らのニポポは、その造形と鑿跡を通して、作り手の実在、この人形が無数に作られた時代の二風谷、アイヌの歴史を照らし出し、ノスタルジーに安住する私たちの記憶を揺さぶるのである。

おわりに

「アイヌ・アート」の入り口は広くて、そこに足を踏み入れると、奥は深い。多くの和人が、あるいは世界の人々が多様なアイヌの造形に出会い、魅了されてきた。しかし、私たちはそこに何を見てきたのだろうか。そして、これから生まれるアイヌの造形に、何を期待し、どのようにかかわっていくのだろうか。

本稿は、近代のアイヌの人々の持続的な造形活動を、和人とアイヌの人々、双方の「ことば」を手がかりに考察してきた。量的にも、また「展示」という可視化の装置の操作においても、圧倒的な優位に立っていた和人の「ことば」に、表面上はのみ込まれたかに見えたとしても、アイヌの人々は、制作を通じて、あらたな表現世界を広げ、変容を遂げながら今なお民族としてのアイデンティティを脈々と培っている。

（1）　木綿衣のアイヌ語名称について北原次郎太は、本来は素材や装飾の有無、製法、質などの異なる属性に基づいて名付けられていたものが、研究者(児玉作左衛門)によって元の意味から一度切り離され、製作技法に特化した研究上のターム(用語)として提唱され、以後これが広まったと指摘する。その上で、現在一般に用いられるアイヌ語名称と、過去のアイヌ社会の文脈に即した名称とのギャップに注意を喚起している。「《シンリッウレシパ(祖先の暮らし)14》アイヌの衣服文化(1)　木綿衣の呼び名」(アイヌ民族博物館オンライン誌『月刊シロㇿ』二〇一六年六月)参照。www.ainu-museum.or.jp/siror/monthly/201606.html#0(最終閲覧日：二〇二〇年七月九日)

（2）　『アイヌの工芸(日本の美術三五四号)』(至文堂、一九九五年)において、佐々木利和は、アイヌの男女の「生活の中の手わざ」としての工芸を紹介する中で、「自製」以外の「アクセサリー」(首飾りや耳飾り)に言及するが(四八頁)、図版には取り上げていない。また、アイヌ工芸の正確なアイヌ語名称が得られない理由として、品物の収集地が不明な場合が多いこと、アイヌ語の物質名称の方言差が十分に採録されていないことをあげている(「アイヌ語と工芸」四九頁)。

(3) 大塚和義編『北太平洋の先住民交易と工芸』(思文閣出版、二〇〇三年)。

(4) イクパスイの用途や種類については、注2前掲書五七頁、および北原次郎太「《シンリッウレシパ(祖先の暮らし)9》イクパスイ」(アイヌ民族博物館オンライン誌『月刊シロロ』二〇一五年一二月)参照。http://www.ainu-museum.or.jp/siror/monthly/201512.html#01(最終閲覧日:二〇二〇年七月九日)

(5) 藏田愛子「図案家杉山寿栄男の縄文土器研究——考古図集と原始文化展覧会を手がかりとして」(『文化資源学』一一号、二〇一三年、一一三—一二五頁)。また、松田京子は、同時期の帝国日本の学術研究が、台湾原住民の生活(服飾、彫刻、音楽など)に「芸術性」を発見し、それを「原始芸術」として位置づける動きを取り上げ、その高い評価が、教化と統治の「成功」の下での「滅びゆく文化」の「真正さ」に対する欲望に深くかかわると、学知の暴力性を指摘する「第八章 一九三〇年代の台湾原住民をめぐる統治実践と表象戦略」(『帝国の思考——日本「帝国」と台湾原住民』有志舎、二〇一四年)。また同書、第十章「「原始芸術」言説と台湾原住民」では、杉山寿栄男の『日本原始工芸概説』に言及し、統治下台湾における「原始芸術論」との関係と相違を俎上に載せる。

(6) 池田忍『手仕事の帝国日本——民芸・手芸・農民美術の時代』(岩波書店、二〇一九年)。特に「「野蛮」なるものの美」(一二〇—一二八頁)、「「他者」の手仕事の蒐集」(二〇三—二〇七頁)参照。

(7) 北沢憲昭『眼の神殿——「美術」受容史ノート』(美術出版社、一九八九年)。

(8) 浅川泰「アイヌ芸術の理解のために①『日本美術』の中の『アイヌ芸術』」(山崎幸治・伊藤敦規編『世界のなかのアイヌ・アート——先住民族アート・プロジェクト報告書』北海道大学アイヌ・先住民研究センター、二〇一二年)。岡倉天心『日本美術史』(平凡社、二〇〇一年、一九頁)。

(9) 佐々木利和編『東京国立博物館図版目録 アイヌ民族資料編』(東京国立博物館、一九九二年)、佐々木利和「東京国立博物館のアイヌ民族資料(上・下)」(『北海道立アイヌ民族研究センター紀要』三(一九九七年)・四(一九九八年))参照。

(10) 千野香織「「近代」再考——美術と感性の近代」(『千野香織著作集』ブリュッケ、二〇一〇年)参照。日本美術史の通史における「縄文」「アイヌ」の記述については、亀井若菜「日本美術史における「縄文」」(『イメージ&ジェンダー』七号、二〇〇七年、九五—九六頁)。

（11）吉田憲司『文化の「発見」――驚異の部屋からヴァーチャル・ミュージアムまで』（岩波書店、一九九九年）参照。

（12）杉山享司「柳宗悦とアイヌ工芸をめぐって」『アイヌの美しき手仕事――柳宗悦と芹沢銈介のコレクションから』展覧会図録（北海道立近代美術館他、二〇一九年、二一一―三八頁）参照。

（13）「アイヌ人に送る書」『工藝』（日本民藝協會発行、第一〇七号、一九四二年三月、二三―二七頁）。引用箇所は仮名遣いを改め、一部漢字を仮名にした。

（14）杉山、注12前掲書、三七―三八頁。

（15）「荒井源次郎上京日誌」（小川正人・山田伸一編『アイヌ民族近代の記録』草風館、一九九八年、二一一―三一一頁）。

（16）浅川、注8前掲書、七三頁。

（17）木田拓也「工芸家が夢見たアジア――工芸の「アジア主義」」（『越境する日本人』東京国立近代美術館、二〇一二年、一二頁）。『工芸とナショナリズムの近代――「日本的なもの」の創出』（II「「帝国」日本における工芸とナショナリズム――アジアへのまなざし」吉川弘文館、二〇一四年）参照。

（18）土田眞紀は、戦時下の手仕事として民芸グループの仕事を取り上げ、外村のこの屏風の意匠が、アイヌの切伏手法で縫い付けた燭台と十字架のモチーフであると紹介する（「一九四〇年代の工芸」『二〇世紀日本美術再見　一九四〇年代』（図録）、三重県立美術館、二〇一五年）。

（19）池田、注6前掲書、二六五頁、および表紙掲載図版参照。

（20）『特別展　渋沢敬三記念事業　屋根裏部屋の博物館』（図録）（国立民族学博物館、二〇一三年、一四五―一五九頁）。渋沢は、一九五〇年、日本民族学会附属民族学博物館（通称保谷民博、現・西東京市に一九六二年頃まで存在）に平取町二風谷の二谷国松らを招き、アイヌ住宅（チセ）を建設。その「チセノミ」等の儀式は撮影され、知里真志保が記録した。

（21）榎森進『アイヌ民族の歴史』（第九章、草風館、二〇〇七年）、小川正人『近代アイヌ教育制度史研究』（北海道大学図書刊行会、一九九七年）、坂田美奈子「言葉による戦――アイデンティティをかけたアイヌの長い闘い」（『公論と交際の東アジア近代』塩出浩之編、東京大学出版会、二〇一六年、二五九―二八四頁）参照。

（22）帯広に近い幕別（チロットコタン）に生まれた吉田菊太郎（一八九六―一九六五）は、同地の指導者として活動する傍らアイヌの民具などの収集・保存につとめ、一九五九年には「蝦夷文化考古館」を設立、現在にいたっている。近年の研究では、他にも春採（釧路）や長万部に比較的短期間ではあるが存在したアイヌ民族の「伝統文化」展示施設についての調査・研究が進んでいる。大坂拓・小川正人「アイヌ文化展示施設「エカシケンル」関連の新資料――二〇一九年新収蔵資料の紹介」（『北海道アイヌ民族文化研究センター紀要』5、二〇二〇年）参照。

(23) 旭川の工芸品の歴史については、齋藤玲子「アイヌ工芸の二〇〇年――その歴史概観」、注8前掲『世界のなかのアイヌ・アート』参照。

(24) 齋藤、注23前掲論文。池田忍「アイヌ女性の手工芸にみる創造と協働(後編)――戦後の民芸と手芸との交差から」(池田編『未完成：企図／作品／芸術家』千葉大学大学院人文公共学府研究プロジェクト報告書、三三三集、二〇一八年)参照。

(25) 齋藤、注23前掲論文。

(26) 現在は、公益社団法人北海道アイヌ協会。北海道に居住するアイヌの組織として一九三〇年に設立されたが、「アイヌ」の言葉自体が蔑視や差別の源となってきた経緯から、一九六一年に名称を北海道ウタリ(アイヌ語で「同胞」の意味)協会に変更、二〇〇九年に元の名称に復した。

(27) 齋藤、注23前掲論文。

(28) 先例として、渋沢敬三の下での二風谷の人々によるチセ建築がある(注20前掲図録参照)。また現在は他地域の人たちによる流儀のチセノミも行われている(吉原秀喜氏のご教示による)。

(29) 中村尚弘「特別展を中心とした日本の博物館におけるアイヌ文化展示制作の意思決定過程」(『北海道民族学』第六号、二〇一〇年、七頁)。

(30) 植木哲也『植民学の記憶――アイヌ差別と学問の責任』(緑風出版、二〇一五年)。

(31) 坂田、注21前掲論文。

(32) 野村義一「ごあいさつ」『ピㇼカ　ノカ――アイヌの文様から見た民族の心』(社団法人北海道ウタリ協会、二〇〇三年、四頁)。

(33) 吉原秀喜「研究ノート　マンロー関係資料研究・活用上の地域的諸課題――北海道平取地域におけるアイヌ文化継承の現状に即して」(『国立歴史民俗博物館研究報告』一六八集、二〇一一年、八三―一一八頁)参照。

(34) 坂田、注21前掲論文参照。富貴堂書房(序ジョン・バチュラー、河野常吉校訂)。https://dl.ndl.go.jp/info:ndljp/pid/958345(国立国会図書館デジタルコレクション)(最終閲覧日：二〇二〇年七月九日)

(35) 坂田、注21前掲論文、二六一頁。小川正人・山田伸一編『アイヌ民族近代の記録』(注15前掲書、六〇九―六一〇頁)。

(36) 砂澤クラ『ク　スクップ　オルシペ――私の一代の話』(北海道新聞社、一九八三年)。ちなみにこの書において砂澤クラは、伝承する手仕事などについて「アイヌの女がすること」といった表現をしており「伝統」の語は用いていない。なお挿入された自身による絵は、生活と労働の文化を伝える貴重な資料である。

(37) 若園雄志郎「博物館図録の教育学的研究」(科研費報告書、若手研究(B)、二〇一一—一二年)。https://kaken.nii.ac.jp/en/file/KAKENHI-PROJECT-23730786/23730786seika.pdf(最終閲覧日：二〇二〇年七月九日)

(38) カリㇷ゚の会・津田命子編著『北の手仕事展示会「誌上篇」——伝統的アイヌ衣装の再現』クルーズ、二〇一二年。

(39) 二〇一九年までの期間に、二五回の展覧会が開催され、国内外のアイヌ関連のコレクションが紹介された。

(40) 佐藤友哉「アイヌ文様の美、その発見」(『アイヌ文様の美　線のいのち、息づくかたち』北海道立近代美術館、二〇〇六年、一五—一六頁)参照。

(41) 国立民族学博物館と国立新美術館の共同企画『イメージの力——国立民族学博物館コレクションにさぐる』(二〇一四年)は、イメージの普遍性を打ち出す点で発想が共通する。

(42) ただし一九九三年に平取町立二風谷アイヌ文化博物館で開催された「現代のアイヌ木彫展」では、藤戸竹喜や床ヌプリの「伝統」に収まらない作品も展示されていた。

(43) 「アイヌ文様」の意味について、萱野茂はアイヌが利用する「縄」と重ね、霊力、魔よけの力があると、繰り返しその著作で語っているが、「ピㇼカ　ノカ」展カタログにも同様の説明がなされている(一四頁)。これに対しては、北原次郎太が「アイヌ文様は「魔除け」か——衣文化に付随する通説を検証する」において、通説が流布した背景の考察に及ぶ検討を加えている(『北海道博物館アイヌ民族文化研究センター研究紀要』三号、二〇一八年)。

(44) 例えば北米ワシントンDCのスミソニアン国立自然史博物館で開催された"AINU: Spirits of a Northern People"(一九九九—二〇〇〇年)には、砂澤ビッキや藤戸竹喜、川村則子等の現代作家の作品が展示された。

(45) 吉田憲司「先住民族と博物館——「アイヌからのメッセージ」展における人家展示の新たな試み」(『アイヌからのメッセージ——ものづくりと心』(図録)、二〇〇三年)は、世界の先住民の権利回復運動に博物館がかかわってきた歴史、および本展企画におけるアイヌの人々の取り組みと意義を説明する。

(46) 内田順子「現代のアイヌアートの収集と展示」『歴博』一七七号、二〇一三年。

(47) 五十嵐聡美「序　AINU ART　その創造の力」(『AINU ART　風のかたりべ』(図録)、北海道立近代美術館他、二〇一三年、六頁)。

(48) 岡和田晃「江原光太と〈詩人的身体〉——郡山弘史、米山将治、砂澤ビッキ、戸塚美波子らを受け止めた器」『反ヘイト・反新自由主義の批評精神　今読まれるべき〈文学〉とは何か』寿郎社、二〇一八年(初出は『現代詩手帖』二〇一七年九月号)。

（49） 一九七三年六月(創刊号)から一九七六年三月まで(19・20合併号)。

（50） 戸塚美波子『金の風に乗って』札幌テレビ放送、二〇〇三年、一八九頁。

（51） 例えば、地域が発信するウェブサイト「二風谷アイヌ匠の道」では、貝澤の現代作品はごく一部しか取り上げていない。あくまでも「伝統工芸」の匠(優れた技を持つ職人)として、紹介している。
https://www.youtube.com/watch?v=erEgzXbz-fI(最終閲覧日：二〇二〇年七月九日)

（52） 中村政人個展「明るい絶望」の会期は、二〇一五年一〇月一〇日―二三日。
https://m.3331.jp/(最終閲覧日：二〇二〇年七月九日)

あとがき

アイヌの人々による造形との出会いを求め、重ねた二十余年の旅を振り返ってみると、あまたの風景が脳裏を去来する。ひとり旅に限って言えば、私の記憶は、目的地を探しての住宅地の光景から始まる。最寄りのバス停、あるいは駅から、平取町の萱野茂二風谷アイヌ資料館、旭川市の川村カ子トアイヌ記念館、登別町の知里幸恵銀のしずく記念館などを目指し、地図を頼りに歩く道沿いには、ちょっとした菜園や花畑を備えたトタン屋根の簡素な民家が続いていた。門や塀を構える家はまずない北海道の住宅地は、静まり返っていても、人の気配が濃く漂う。札幌に生まれ、一八歳までこの地に育てられた私にとって、いかにも見慣れた風景である。

そこを歩くことが、なぜ、私の心をざわつかせ、いつも不安にさせるのか。答えは明らかだ。これらの土地は、かつても今も、アイヌの人たちの土地、暮らしの一隅であり、私は明治の入植者、屯田兵の子孫なのだから。一五〇年、一〇〇年、五〇年というスパンで、アイヌの人々の歴史をさかのぼり、また下ってみる時、同じ時空を生きた祖先たち、私自身の「郷土」意識の危うさ、貧しさに思い至る。目的地は、自文化の保存・伝承に尽力したアイヌ、あるいはその子孫がゆかりの地に建て、運営してきた展示施設である。奪った者が、なにゆえ、また何を見たいというのか。そう自問する声が聞こえた。一九五八年生まれの私にとって、アイヌ民族は、決して身近な存在ではなく、多くの観光客と同様に、遠くから眺める対象でしかなかった。振り返れば、高度経済成長期の郷土・地域史教育を通じて、開拓史観は深く浸透していた。一九七〇年、北海道開拓百年事業の一環で札幌の野幌《のっぽろ》森林公園に建てられた、一〇〇メートルの百年記念塔は、中学・高校の遠足の格好の目的地だったのである。

それから二〇年以上もの年月を経て、私がアイヌ文化、その造形の魅力に出合ったのは、自力ではなかった。日本美術史、絵巻や屏風などの古美術の研究者としてスタートを切っていた私を、平取(二風谷)・静内への旅に誘ったのは、敬愛する先輩、故・千野香織さんである。千野さんは、客観的で普遍的な学知だと信じられてきた「美術史」の政治性を、鋭く問うていた。とりわけ、帝国日本によって周縁化された植民地期朝鮮、台湾、沖縄、さらにアイヌの造形を視野に入れ、人種・民族、ジェンダーの視点を導入した美術史の再構築をめざして、一九九〇年代を駆け抜けた(「日本美術を考え直すために」「見る者・見せる者の立場を問う展覧会――「インサイド・ストーリー同時代のアフリカ美術」展に寄せて」「戦争と植民地の展示――ミュージアムの中の「日本」」など、『千野香織著作集』(ブリュッケ、二〇一〇年)所収の論考参照)。

一九九九年、千野さんが北海道大学の集中講義に招かれた夏、友人の金恵信さん(韓国近代美術史)や亀井若菜さん(日本美術史)と共に、私は帰省を兼ねて渡道し、彼女のアイヌ文化探訪の現場に立ち会うことになった。平取町立二風谷アイヌ文化博物館では、過去から現在に及ぶアイヌの人々による渾身の造形表現を、地域の自然環境や伝承、労働といった歴史の総体に位置付ける展示構成に、衝撃を受ける。ここで、一面識もなかった同館の学芸員、吉原秀喜さんに出会う。学芸員の部屋のドアをノックしようと提案、実行したのはもちろん千野さんだった。

その後、千野さんは国立民族学博物館・客員教授に就任し、自ら代表となって共同研究「「伝統」の表象とジェンダー」を組織した(副代表は現館長の吉田憲司さん)。二風谷の吉原さんと共に参加した私は、彼女の急逝後に代表をつとめたが、二〇〇二年三月のチカップ美恵子さんによる「アイヌ民族の精神世界とアイヌ民族の暮らし」、二〇〇四年一月の貝澤徹さんによる「ものづくりと心――「アイヌからのメッセージ」展をふりかえって」と題した報告、沖縄の民族誌を研究する安里英子さんや美術家の富山妙子さんなどのゲストをお招きする道筋は、千野さんが既につけてくれていた。ポストコロニアル理論やジェンダー理論の枠組みに照らし、伝統の表象、世界各地の先住民の造形の歴史を検証する学際的交流の場であったが、当時の私はただ受け止めるだけで精いっぱいだった。

改めて、アイヌの人々による、従来とは異なる多様な造形表現、文化発信の方法や場が探究・模索されつつあることに気づき、フィールドワークを再開したのは二〇〇八年のことである。いささかの助走を経て、二〇一三年、本書の共著者たちとの協働、科学研究費の助成を得てのプロジェクト「アイヌ・アートの現在に見る「伝統」とジェンダー」を始動した。著者たちと本プロジェクトとの関係については、「はじめに」に記し、また各論の一部で触れられているので、ここでは繰り返さない。ただ、異なる互いの立脚点や背景、議論の視角や方法が、研究の推進と本書の成立には不可欠だった。

アイヌ民族とその文化については、長らく「消えゆく民族」とか「失われる文化」といった語られ方が主流であった。しかし、どんなに厳しい時代にあっても、アイヌの人々が造形を続けてきたことは、まぎれもない事実である。生活の場や祈りの場に必要なモノを自らの手で作り出し、生活の糧とするために手仕事を商品化し、同時に創造性を発揮し、手わざを磨きつつ自己を見つめた。美術、非美術の間を分ける境界線、既存のジャンルを超えていく可能性を、アイヌの人々の造形は秘めている。その脱境界性、越境する魅力を探り、捉えるために、本書では「アイヌ・アート」という言葉を用いた。

それでは、アイヌの造形、「アイヌ・アート」を目にし、手にした人々は、それをどのようにまなざし、取り扱ってきたのだろうか。アイヌの造形に魅了された和人は、遥か以前の江戸時代にも、また近代にも大勢いた。そのひとりである私たちは、こうした過去の和人によるコレクションや展示、享受と消費に目を向けてきた。過去を検証せずに、現在に向き合うことはできないからだ。魅力的な造形を目にしたら、それを真似てみたい、同様のものを作ってみたいと思う気持ちが、人には湧いてくる。また、多くの造形の中から、より美しいものを選び、より美しく見せたい／見たいと思う享受者の欲望は抑えがたく、展示には、こうした工夫も不可欠である。文化の盗用や簒奪といったマジョリティによる暴力を防ぐためには、それが生み出された歴史を知り、造形とその作り手への敬意を基盤とした、アイヌの造形／アイヌ・アート享受の裾野の拡大が不可欠であろう。

二〇二〇年七月、白老の地に、民族共生象徴空間(ウポポイ)・国立アイヌ民族博物館がオープンした。「共生」を謳うことの意義を、今一度考えたい。アイヌ文化の継承と創造には、担い手としてのアイヌの人々の意志が、何よりも尊重される。その一方で、和人もまた、アイヌの造形／アイヌ・アートの問いかけに応答し、史実に目を背けることなく、過去の偏見や思い込みをただし、現在の創造・展示・享受・研究の一端に責任を持って関与し続けたい。

一区切りを迎える今、共著者の皆さんが、それぞれの仕事に妥協のない姿勢で臨みつつ、本共同研究に対し、限りないパワーを注いでくださったことに、深甚の感謝を捧げる。

さらに、末筆ながら、調査や見学に際し、貴重なお話を聞かせてくださった多くの方々、まことにありがとうございました。二風谷では、工房に何度もお邪魔して、制作過程を見せていただいたアッツシ織の第一人者、貝澤雪子さん。また藤谷るみ子さんには、店頭でお話を伺うのみならず、藤・麻・芭蕉・葛・シナなど全国に広がる自然布、古代織産地連絡会の活動を教えていただいた。萱野れい子さんが語ってくださった文化伝承への強い思いは、世代を超えて受け継がれ、広がっていくと確信する。道内では他に、阿寒、旭川、帯広、音威子府、釧路、伊達、洞爺、函館、八雲など、また道外では、沖縄、青森、新潟、奈良、東京などの各地で、さまざまな博物館・美術館、工房やギャラリー等を訪問し、学芸員の方々、作家や店主の皆さんに、共同研究の仲間と共にお話を伺った。研究会やシンポジウムでお話しくださった内田順子さん、北原次郎太さん、吉田憲司さん、また様々な機会にご教示くださった大塚和義先生、佐々木利和先生、浅川泰さん、齋藤玲子さんの学恩に深謝いたします。恵原るみ子さんと詩乃さんには、主宰・運営された十勝・ハポネタイの地で、個性豊かなお仲間を紹介いただき、掛け替えのない経験を分っていただいた。

図版の掲載では田村将人さん、内田祐一さん、ニコル・クーリッジ・ルマニエールさん、矢野明子さん、ロジーナ・バックランドさんのご高配を賜った。英語の校閲では、幾度となくイグナシオ・アドリアソラさんのお力をお借りした。

そして、岩波書店の入江仰さんには、ひとかたならぬお世話になった。本書の最終形はまだ見えないが、カバーや各部の扉にイラストを提供してくれた小笠原小夜さん、そして木彫家・貝澤徹さんの表現世界の魅力を共有し、編集には隅々まで細やかな心遣いをいただいた。多くの読者の手に本書が届き、アイヌ・アートのファンが増え、未来志向の議論に一石を投じることができればと、心から願っている。

二〇二〇年七月二一日

池田　忍

高橋　桂(たかはし　かつら)

K Communications 代表．札幌市生まれ．日米での広告代理店勤務を経て，国内外の企業にマーケティング・コミュニケーションの企画提案作業を行う会社を起業．ライフワークとして世界の様々な地域に根ざす多様な文化を，継承者・表現者と共に受容者として理解し共有する仲間を増やす活動に取り組む．

山崎明子(やまさき　あきこ)

奈良女子大学研究院生活環境科学系生活文化学領域教授．京都府生まれ．視覚文化論・美術制度史・ジェンダー論専攻．著書に『近代日本の「手芸」とジェンダー』(世織書房)，『歴史を読み替える　ジェンダーからみた日本史』(共著，大月書店)，『〈妊婦〉アート論――孕む身体を奪取する』(共編著，青弓社)など．

中川　裕(なかがわ　ひろし)

千葉大学文学部教授．神奈川県生まれ．アイヌ語学・アイヌ文学・言語学専攻．著書に『アイヌ語千歳方言辞典』(草風館)，『アイヌの物語世界』(平凡社ライブラリー)，『語り合うことばの力――カムイたちと生きる世界』(岩波書店)など．漫画「ゴールデンカムイ」(野田サトル作，集英社)の連載開始時からアイヌ語監修を担当．

《著者紹介》

池田 忍(いけだ　しのぶ)
千葉大学文学部教授．札幌市生まれ．日本美術史・視覚文化専攻．主な著作に『日本絵画の女性像――ジェンダー美術史の視点から』(筑摩書房)，『手仕事の帝国日本――民芸・手芸・農民美術の時代』(岩波書店)，『源氏物語と美術の世界(「講座源氏物語研究」10)』(編著，おうふう)，『視覚表象と音楽(ジェンダー史叢書 4)』(共編著，明石書店)など．

五十嵐聡美(いがらし　さとみ)
北海道立三岸好太郎美術館副館長．釧路市生まれ．展示企画「AINU ART 風のかたりべ」展(2013 年，北海道立近代美術館他)，「現れよ．森羅の生命―木彫家 藤戸竹喜の世界」展(2017 年，札幌芸術の森美術館他)，「アイヌの美しき手仕事」展(2019 年，北海道立近代美術館他)などを手がける．主な著作に『アイヌ絵巻探訪――歴史ドラマの謎を解く』(北海道新聞社)など．

貝澤 徹(かいざわ　とおる)
木彫家，工芸家．「北の工房つとむ」店主．平取町二風谷生まれ．曽祖父は明治時代の名工・貝澤ウトレントㇰ．伝統を重視しつつも独創的なアイヌアートに精力的に取り組み，その作品《Kewtum kanna-suy (Spirit Reborn)／精神再び》が大英博物館に，《アペフチカムイ／火の神様》が国立アイヌ民族博物館に常設展示されるなど，国内外から注目を集めている．

小笠原小夜(おがさわら　さよ)
イラストレーター．小樽市生まれ．CG や刺繍を用いた独自のイラストによってアイヌ文化を表現する創作活動に取り組む．世界の先住民アートが集まるカナダ国立美術館 “Àbadakone” への出品や，北海道新聞「週刊まなぶん」でアイヌ文化を分かりやすく紹介する連載「ミンタㇻ」の絵を手がけるなど，活躍の場を広げている．

吉原秀喜(よしはら　ひでき)
平取町アイヌ施策推進課．金沢市生まれ．大学卒業後，萱野茂氏に師事．平取町立二風谷アイヌ文化博物館の立ち上げに学芸員として関わり，以来 30 年にわたりアイヌ文化を活かした地域振興施策に参画．著作に「アイヌ民族の祈りと文化景観・環境」(『遺跡学研究』8，日本遺跡学会)，「アイヌ民族の文化活動における新しい変化の予兆とミュージアム」(『再生する先住民族文化』国立民族学博物館)など．

問いかけるアイヌ・アート

2020年9月16日　第1刷発行
2021年4月5日　第2刷発行

編　者　池田《いけだ》 忍《しのぶ》

発行者　岡本 厚

発行所　株式会社 岩波書店
〒101-8002 東京都千代田区一ツ橋 2-5-5
電話案内 03-5210-4000
https://www.iwanami.co.jp/

印刷・理想社　カラー頁／カバー・半七印刷　製本・松岳社

ISBN 978-4-00-061420-7　Printed in Japan